Knaur.
D0785641

Knaur.

Im Knaur Taschenbuch Verlag sind bereits folgende Bücher der Autorin erschienen:
Ralphs Party
Schon wieder Delilah

Über die Autorin:
Lisa Jewell, geboren 1969, hat ihr ganzes bisheriges Leben im Norden von London verbracht, wo sie mit ihrem Mann, ihrem Baby und ihrer Katze lebt. Sie studierte vier Jahre lang Kunst und Modedesign und arbeitete danach unter anderem als Public-Relations-Managerin bei einer großen Modefirma. *Ralphs Party*, ihr erster Roman, eroberte über Nacht die britischen Bestsellerlisten und wurde auch in Deutschland ein großer Erfolg. Seither sind alle ihre Romane in Großbritannien Megaseller geworden.

Lisa Jewell

An Wunder muss man einfach glauben

Roman

Aus dem Englischen
von Tina Thesenvitz

Knaur Taschenbuch Verlag

Die englische Originalausgabe erschien 2003 unter dem Titel
»A Friend of the Family« bei Penguin, London

Besuchen Sie uns im Internet:
www.knaur.de

Deutsche Erstausgabe Juli 2005

Ein Unternehmen der Droemerschen Verlagsanstalt
Th. Knaur Nachf. GmbH & Co. KG, München.

Redaktion: Sandra Koch
Umschlaggestaltung: ZERO Werbeagentur, München
Umschlagabbildung: Eric Fowler/PicturePress und FinePic, München
Satz: Ventura Publisher im Verlag
Druck und Bindung: Clausen & Bosse, Leck
Printed in Germany
ISBN 3-426-62650-0

2 4 5 3 1

Für meine Schwestern Sacha und Tanya –
das größte Geschenk, das mir meine Eltern je machten.

Danksagung

Dank dem Superzweierteam: Sarah Bailey, meiner Freundin und unbezahlten Lektorin, die wieder einmal Zeit und Energie opferte, um mich durch die frühen Stadien an diesem Buch zu bringen – doch diesmal bekam sie wenigstens ein anständiges Mittagessen und ein paar Pints Shandy dafür. Und Judith Murdoch, meiner wunderbaren, begabten und mich immer unterstützenden Agentin, die nicht nur die frühen Knoten aus diesem Buch herausarbeitete, sondern mich auch zum Mittagessen einlud! Ich bin ewig dankbar und habe unglaubliches Glück, dass ich euch beide habe.

Mein Dank gilt auch allen im Block, weil sie so ein erstaunliches Unterstützungsnetzwerk bilden, allen bei Penguin, weil sie der beste Verlag der Welt sind, und Jascha, weil er mein Mann und der beste Freund ist, den eine Frau sich wünschen kann.

»Jungen werden nicht allmählich groß.
Sie bewegen sich in Schüben vorwärts,
wie die Zeiger von Bahnhofsuhren.«

Cyril Connolly, *Enemies of Promise*, 1938

Mittwochabend in der Beulah Tavern

Bernie schob das Mikrofon in seine Halterung, verbeugte sich und lächelte, während die kleine Ansammlung von Menschen in der Beulah Tavern pfiff und jubelte.
Roger sprang auf die Bühne und beugte sich zum Mikro.
»Meine Damen und Herren, ein warmes und bewunderndes Dankeschön gilt unserem Star heute Abend – der schönen Dame mit den so großen *Lungen!* Der talentierten, der herrlichen, der unvergleichlichen Miss Bernie London. Sie wird am nächsten Mittwoch wieder hier sein, um die alten Lieder zu singen und uns im Winter ein bisschen aufzuheitern. Versäumen Sie sie also nicht!«
Bernie lächelte wieder und steuerte direkt auf die Bar zu, an der Roger bereits einen Gin-Lemon für sie vorbereitet hatte. Sie zog ihre Silk Cut Ultras aus der Handtasche und lehnte sich an die Bar, während sie ein wenig die engen Sandalenriemen um ihre geschwollenen Füße lockerte. Bernie sang nun seit fast drei Jahren in der Tavern, seit Roger die Lizenz übernommen, die sich kräuselnden Teppiche, die schäbigen Polster und falschen Turners herausgerissen und die Tavern in das »aufregendste Musikereignis vom Crystal Palace« verwandelt hatte. Es war, wie Bernie sich sehr wohl eingestehen konnte, nichts dergleichen – es war einfach nur ein netter Pub im Viertel, der zufällig ein paarmal in der Woche Livemusik vorstellte, vor allem irische Bands mit Namen wie The Ceilidhs oder alte Rock-and-Roll-

Sänger in abgetragenen Klamotten mit welkenden weißen Schmalzlocken. Bernie sang, was sie gerne Lounge-Songs nannte: »Cry Me A River«, »The Way You Look Tonight«, »I Say A Little Prayer« oder »Whatever Lola Wants«.
Roger, der nun wieder hinter der Bar stand, zündete ihr eine Zigarette an, zwinkerte ihr durch seine großen runden Brillengläser zu und ging dann fort, um jemand anderen zu bedienen. Bernie machte es sich auf einem Barhocker bequem. Sie liebte diesen Teil des Abends – die fünfzehn Minuten nach ihrem Set, wenn sie alleine mit ihrem Gin-Lemon und einer Kippe dasaß und einfach nur Bernie war, eine Frau in mittleren Jahren in einem schwarzen Flitterkleid und mit kubischen Ohrringen, die gut genug singen konnte, um dafür bezahlt zu werden. Eine grobknochige Frau mit viel Busen und tollen Beinen, jetzt ein bisschen rund um die Taille, aber mit dem dichten, weizenfarbenen Haar und den scharf hervorstehenden Wangenknochen einer älteren Geraldine James. Sie liebte diese flüchtigen Augenblicke der Einsamkeit, wenn sie nicht die Frau ihres Mannes oder die Mutter ihrer Söhne war. Bernie hatte immer das Gefühl, dass, wenn sich ihr Leben jemals ändern sollte, es sich jetzt ändern würde, während einer dieser kurzen Fenster der Möglichkeiten in ihrer ansonsten festgelegten Existenz. Wenn sie ihren Drink ausgetrunken und ihre Zigarette ausgeraucht hatte, würde sie Gerry anrufen, und er würde herkommen, und sie würden Hand in Hand nach Hause gehen, und ihr wirkliches Leben würde wieder beginnen. Bernie liebte ihr wirkliches Leben, doch sie würde diese Augenblicke vermissen, sollte man sie ihr jemals verweigern.
Sie bückte sich, um sich die wunden, in Strümpfen steckenden Füße zu reiben. Sie war wirklich nicht mehr daran gewöhnt, hochhackige Schuhe zu tagen, obwohl sie praktisch darin gelebt hatte, als sie noch jünger gewesen war. Nun waren sie nur für die Mittwochabende und besondere Gelegenheiten bestimmt. Als

sie sich aufrichtete, fiel ihr Blick auf eine Gestalt am anderen Ende des Pubs. Ein junger, ganz in Schwarz gekleideter Mann. Ein nett aussehender Mann? Bernie konnte es auf die Entfernung nicht erkennen. Er war sehr blass, und Bernie fing das Glitzern von Silber in seinen Ohrläppchen auf. Sie war sicher, dass sie ihn auch letzte Woche hier am selben Tisch hatte sitzen sehen.

Er lächelte sie an, das befangene Lächeln eines Menschen, der das Lächeln nicht gewohnt ist. Aus irgendeinem Grund lächelte Bernie plötzlich zurück. Normalerweise hatte sie nicht viel Zeit für die Art Männer, denen sie in Pubs begegnete. Doch da war etwas an dem Typen, an der Art, wie er die Schultern hielt, an seiner Kopfform, wie er sich bewegte. Etwas Beruhigendes. Er nahm seinen Drink und schlängelte sich um die Tische herum, bis er bei ihr an der Bar angelangt war. Bernies Fingerspitzen gingen sofort zu ihrem Ohrläppchen und drehten an dem kleinen Klumpen aus Zirkonium.

»Tolle Stimme«, sagte er, während er seinen Drink neben ihren auf die Bar stellte.

Aus der Nähe betrachtet, konnte das Alter des Mannes sich überall zwischen fünfundzwanzig und vierzig Jahren bewegen. Sein Mund war schmal, seine Augen hatten schwere Lider, und sein Haar war glänzend schwarz und lag so dicht an, wie es Bernie seit den fünfziger Jahren nicht mehr gesehen hatte. Er trug eine abgenutzte schwarze Lederjacke, enge schwarze Jeans und ein dünnes graues T-Shirt, auf dem in verwaschener Schrift etwas stand. Auf seinem Hals hatte er ein verblasstes Spinnweben-Tattoo, an seinem Mittelfinger trug er einen Totenkopfring, an seinem Gürtel eine blitzende Schnalle, und ihm fehlte ein Zahn, was Bernie erst bemerkte, als er sie anlächelte und fragte: »Wie lange singen Sie schon?«

»Länger, als Sie schon auf der Welt sind«, gab sie mit einem Lachen zurück, während sie ausatmete und ihre Zigarette ausdrückte. Bernie spürte, dass sie sich eigentlich unbehaglich fühlen sollte, doch das tat sie wirklich nicht. Da war etwas an diesem jungen Typen – etwas Vertrautes, fast Unwiderstehliches –, das ihn in ihren Augen zu der Art von Menschen zu machen schien, für den ihre fünfzehnminütigen Auftritte bestimmt waren.

»Alles in Ordnung, Bernie?«, fragte Roger, der plötzlich wie eine Eule an ihrer Seite auftauchte.

»Ja«, antwortete sie locker, »alles gut.«

»Lassen Sie mich Ihnen noch einen Drink spendieren«, schlug der Mann vor.

Bernie sah auf die Uhr. Gerry würde ungefähr jetzt ihren Anruf erwarten. Aber da sie Gerry kannte, war er wahrscheinlich wieder einmal so in die Politur des Kerzenleuchters vertieft, dass er die Zeit gar nicht bemerkt hatte. »Ja«, antwortete sie, »warum nicht? Ich nehme einen Gin-Lemon, bitte.«

Sie beäugte das Profil des Mannes, während er darauf wartete, dass Roger ihn bediente. Seine Wangen waren leicht pockennarbig, und Bernie sah ihn plötzlich als den pickligen, verlegenen Heranwachsenden, der er einmal gewesen war. Das schwarze Leder, das Tattoo und das gefärbte Haar waren nur eine Maske. Er war kein harter Mann, dachte sie, nur ein kleiner Junge, wie ihre Jungen, wie *alle* Jungen. Bernie spürte das vertraute mütterliche Pochen in ihrer Brust.

»Hab Sie schon letzte Woche hier gesehen«, sagte sie, während sie ihren Drink entgegennahm. »Da waren Sie auch ganz allein. Was ist los mit Ihnen – keine Kumpels?«

Der Mann lachte und bot Bernie eine Zigarette an. »Nöh«, antwortete er, »auf jeden Fall nicht hier in der Gegend.«

»Gerade hergezogen?«

»Ja.«

»Von wo?«

»Da und dort.« Er verstummte, um ihre Zigarette anzuzünden,

und sah ihr dann gerade in die Augen. »Was ist mit Ihnen? Von hier?«
Sie nickte und wollte ihm schon erzählen, dass sie gleich um die Ecke in Beulah Hill wohnte, hielt sich dann aber zurück.
»Allein?«
Sie lachte. »Nicht ganz. Mit Gerry, meinem Mann.«
»Kinder?«
»Ja. Drei Jungs.« Sie hielt inne. »Es ist komisch. Ich wollte eigentlich nie ein Mädchen. Hab mich immer mit Männern wohler gefühlt.«
Er nickte. »Wie alt sind denn Ihre Jungs?«
»Nun«, begann sie, »Tony ist der Älteste. Er ist vierunddreißig. Sean ist der Mittlere. Er ist gerade dreißig geworden. Und dann ist da noch Ned – das Baby, er ist … wie alt? Sechsundzwanzig, siebenundzwanzig? Was haben wir für ein Jahr?«
»Zweitausendeins.«
Sie zählte an ihren Fingern ab. »Siebenundzwanzig nächsten Monat.« Sie lächelte erleichtert. Es kam ihr nicht richtig vor, nicht zu wissen, wie alt ihr Sohn war. Aber es war schließlich auch lange her, dass sie seinen Geburtstag zusammen gefeiert hatten.
»Stolz auf alle?«
Bernie dachte an ihre Jungs – ihre schönen Jungs. Natürlich war sie stolz auf sie. Beinahe wäre sie vor Stolz geplatzt.
Tony war ein erfolgreicher Geschäftsmann, leitete sein eigenes Grußkartenunternehmen, das er von der Pike auf in einem Zimmer seiner Wohnung gegründet hatte, als er einundzwanzig gewesen war. Heute beschäftigte er zwanzig Leute und besaß ein schönes Haus in Anerley. Nun, eigentlich war es mehr eine Wohnung – nach der Scheidung hatte er sich kein Haus mehr leisten können –, doch es war sehr schön, schaute auf einen Park und hatte einen Parkplatz und überall Videokameras. Im Moment machte sie sich ein wenig Sorgen um ihn. Nach der Schei-

dung schien er sich noch nicht wieder gefangen zu haben. Bernie konnte nicht genau sagen, was nicht stimmte; er schien ganz einfach nicht er selbst zu sein.

Und dann war da der kleine Ned – der nicht mehr so klein war, über ein Meter neunzig groß und so dünn wie eine Bohnenstange. Er war das Hirn der Familie, ging zur Uni, machte einen glänzenden Abschluss in Kunstgeschichte und arbeitete sogar eine Zeit lang bei Sotheby's. Doch dann trennten er und Carly sich – Bernie schluckte, wenn sie daran dachte; es fühlte sich immer noch an wie der Tod – und er war mit einem Mädchen, das er in einer Bar am Leicester Square kennen gelernt hatte, nach Australien abgehauen, und sie hatten ihn seit fast drei Jahren nicht mehr gesehen. *Drei Jahre*. Offenbar arbeitete er in einem Internet-Café in Sydney und verschleuderte seinen Abschluss. Doch er würde eines Tages zurückkommen, dessen war sie sich sicher, wieder nach Hause, wo er hingehörte. Und dann würde er etwas aus sich machen. Der Junge hat so ein großes Potenzial, er *schwitzte* es förmlich aus.

Und dann gab es noch Sean. Das Juwel in ihrer Krone aus Söhnen. Nicht, dass sie es natürlich jemals jemand anderem als sich selbst eingestehen würde; Mütter durften keine Lieblinge haben. Ihr Sean hatte ihr eine Weile ein wenig Sorgen gemacht, er war ein bisschen wild, ein wenig ihr Sorgenkind. Mittlere Kinder sind das immer, wie sie annahm. Er war eigentlich bei nichts geblieben, hatte alle fünf Minuten eine andere Freundin, von denen jede besser aussah als die vorige (er war ihr am besten aussehendes Kind, musste man dazu sagen). Aber dann hatte er vor einigen Jahren dieses Buch geschrieben. Er hatte niemandem erzählt, dass er es schrieb – nun ja, zumindest nicht seiner Familie –, und ganz plötzlich hatte ihm ein Verleger einen Scheck über fünfzigtausend Pfund ausgestellt, und als Nächstes stand er in allen Zeitungen, und alle sprachen von ihm, und es war *ihr* Junge. Ihr kleiner Seany! Sie konnte es noch immer nicht ganz fassen. Sein Buch – *Ein halber Mann* hieß es – handelte von einem Jungen, dessen Zwillingsbruder bei einem Autounfall stirbt, und davon, wie er danach verrückt wird und anfängt, Leute umzubringen. Sie wusste nicht, woher Sean diese Ideen hatte, wirklich nicht. Von ihr stammten sie sicher nicht – sie hatte überhaupt keine Fantasie –, und was Gerry anging … Es war jedoch ein gutes Buch. An einem Dienstagmorgen war er zu ihr rüber geradelt und hatte ihr ein Vorabexemplar gebracht, und sie hatte sich den Tag frei genommen und es in einem Rutsch gelesen. Für ihren Geschmack etwas viel Drogen und ein etwas zu freizügiger Umgang mit dem Wort, das mit »F« anfing, aber ein gutes Buch. Die Hardcoverausgabe hatte sich mit – was war es noch mal? – ungefähr achttausend Exemplaren verkauft, und das Taschenbuch war in diesem Sommer erschienen und stand jetzt, dreißig Wochen später, immer noch unter den ersten zwanzig der Bestsellerliste. Sean war im Moment so etwas wie eine Berühmtheit, und, o Gott, Bernie war stolz. Sie konnte nicht ganz glauben, was sie vollbracht hatte. Sie hatte einen Bestsellerautor hervorgebracht! Mit ihrem eigenen Körper. Und sie war stolzer, als eine Frau sein durfte.

Bernie hatte nie großen Ehrgeiz für ihre Jungs gehabt, hatte nie erwartet, dass sie auf die Universität gingen und mehr aus ihrem Leben machten, als es ihr und Gerry gelungen war. Ein schönes Haus, eine glückliche Familie, ein paar Kröten auf der Bank. Sie hatte immer nur gewollt, dass ihre Jungs gute Jungs würden. Und wenn sie sich einen Augenblick selbst loben durfte, hatte sie einen verdammt guten Job mit ihnen gemacht. Es waren sehr gute Jungs, ihre Jungs, alle drei. Natürlich denkt jede Mutter, dass ihre Söhne vollkommen sind, doch ihre waren es wirklich. Sie konnte ehrlich keinen Fehler an ihnen entdecken.

Bernie wandte sich dem schwarzhaarigen Mann zu und lächelte. »Ungeheuer stolz«, sagte sie mit einem Lachen und blinzelte, »aber welche Mutter ist das nicht?«

»Aha. Es ist also eine *glückliche Familie*, oder?«
»Was ist das denn für eine Frage?«
»Eine sehr interessante.«
Bernie lächelte. »Ja«, antwortete sie, »wir sind eine sehr glückliche Familie. Wir hatten Glück. Meine Jungs sind gute Jungs – sehr gute Jungs.«
Einen Augenblick verstummten sie. »Und was ist mit Ihnen?«, fragte sie dann. »Haben Sie Kinder?«
»Ja«, erwiderte er. »Na ja, in gewisser Weise. Ich habe einen Jungen. Er wäre inzwischen sechzehn, denke ich.«
»Den Kontakt verloren?«
Er kratzte sich im Nacken. »Ja. Vor langer Zeit. Seine Mutter wollte nichts mit mir zu tun haben.«
Bernie schluckte und legte eine Hand auf den Arm des Mannes. »Sie Armer.«
»Ja«, meinte er. »Nun ja. Man zahlt im Leben schließlich immer auf die eine oder andere Weise für seine Irrtümer, nicht wahr?«
»Wie heißt er?«
»Charlie.«
»Schöner Name.«
»Meinen Sie? Ich hasse ihn. Manchmal frage ich mich, ob ich ihn heute erkennen würde. Wissen Sie? Wenn ich ihn auf der Straße sähe oder so. Mein eigener Sohn.«
Wieder schwiegen sie.
»Schauen Sie«, sagte er, nahm seinen Drink und trank ihn aus. »Ich wollte Sie nicht anmachen oder so. Ich wollte Ihnen wirklich nur sagen, wie toll Ihre Stimme ist. Sie sind sehr begabt.«
»Guter Mann«, sagte Bernie, »das ist sehr freundlich, und ich weiß es zu schätzen. Sehe ich Sie nächste Woche?«
Das Gesicht des Mannes wurde plötzlich weicher. »Ja«, antwortete er. »Sicher. Ich werde hier sein. Ich heiße übrigens Gervase.«

Bernie grinste ihn an. »Sie sehen nicht aus wie ein Gervase«, stellte sie fest.

»Nein«, stimmte er zu, »nicht wahr? Manchmal denke ich, dass ich eigentlich nie ein Gervase hätte werden sollen. Sie wissen, in einer Parallelwirklichkeit und so. Wissen Sie, was ich meine?«

Bernie lächelte und nickte.

»Danke für das Gespräch, Bernie. Dann bis nächste Woche, ja?«

»Ja«, erwiderte Bernie lächelnd, »bis nächste Woche.«

Er nickte ihr zu und lächelte sein verlegenes Lächeln, bevor er die Hände in die engen Taschen seiner Jeans zwängte und aus dem Pub und in die eisige Januarnacht hinausschlenderte.

Gerry wird technisch

From: Gerald London (SMTP: grays@graysantiques.co.uk)
Sent: Samstag, 17.März 2001 14:01
To: Ned London (SMTP: nedlondon@hotmail.com)
Subject: Überraschung für deine Mum

Hallo, Ned … Wie geht es dir? Ich benutze diesen Computer nur auf der Arbeit. Deandra zeigt mir, wie es geht, ich hoffe also, dass ich nichts falsch mache. Ich bin letzte Woche zu Hause alten Kram durchgegangen und habe einige Briefe gefunden, die ich und deine Mum uns geschrieben haben, als wir uns gerade kennen gelernt hatten. Stellt sich raus, dass unsere erste Verabredung am 26.Mai 1961 war, vor vierzig Jahren. Ich habe sie für einen Cocktail ins Ritz ausgeführt, und dann sind wir am Piccadilly ins Kino gegangen. Es hat mich einen Wochenlohn gekostet. Zufällig fällt der 26. Mai dieses Jahr auch wieder auf einen Samstag, deshalb habe ich gedacht, anstatt einfach nur unseren Hochzeitstag zu feiern, wie wir es immer tun, mache ich vielleicht etwas Besonderes, das sie nicht erwartet. Ich werde für sie im Ritz eine Party schmeißen – und ein paar Zimmer für uns buchen, so dass wir dort übernachten können. Einmal im Leben, du weißt schon. Ich habe darüber mit deinen Brüdern gesprochen, und sie sind beide begeistert. Nun ja – ich weiß, das Geld ist bei dir knapp, und ich kann dir ein bisschen aushelfen, vielleicht mit ein paar Hundertern. Tony und Sean haben gesagt, sie könnten den Rest ausspucken. Buche es einfach auf deine Kreditkarte, und wir klamüsern es dann einfach hier aus. Hoffentlich kannst du außerdem eine Zeit lang bleiben – deine Mum wäre die glücklichste Frau in South London! Und Monica ist mehr als

willkommen, wenn sie sich das Ticket leisten kann. Ich habe ein Doppelzimmer gebucht, es wäre also eine Schande, es verfallen zu lassen! Egal, ich höre besser auf. Schreib mir bald zurück (oder rufe mich auf der Arbeit an), und lass mich wissen, ob du es schaffst oder nicht – es wäre aber ohne dich nicht dasselbe – das weißt du doch?
Alles Liebe an Monica. Und alles Liebe an dich.
Dein Dad X

Liebe Mon

Sonntag, 8. April 2001

Liebe Mon,
wenn du diesen Brief bekommst, werde ich schon im Flugzeug sitzen und zurück nach England fliegen. Es tut mir wirklich Leid, so abzuhauen, ohne mich richtig zu verabschieden, aber wie du weißt, waren die letzten Wochen ziemlich stressig für mich, und je stressiger alles wurde, desto mehr haben wir wohl gestritten. Meinen Job zu verlieren war nur der letzte Strohhalm, und ich sehe keinen Grund, weshalb ich noch hier bleiben sollte. Ich habe mir hier drüben nicht das Leben aufgebaut, auf das ich gehofft hatte. Ich habe mich einfach im ewigen Trott festgefahren, habe blöde Jobs gemacht und ständig mit denselben Leuten rumgehangen, und im Laufe der Zeit habe ich mein Leben zu Hause immer mehr vermisst. Ich vermisse meine Mum und meinen Dad. Ich vermisse meine Brüder. Ich vermisse es, einfach nur mit Sean auf dem Sofa zu sitzen und die Simpsons zu gucken, und ich vermisse alle meine alten Freunde. So viel ist passiert, seit ich hier bei dir bin – Sean hat ein Buch veröffentlicht, Tony ist geschieden, und nun werden Mum und Dad zu Hause eine große Hochzeitstagsparty feiern. Ich will sie nicht versäumen, und ich will auch nicht mehr von meiner Familie weg sein. Ich vermisse auch England. Ich vermisse das Wetter und das Fernsehen und die Leute. Ich weiß, ich hätte warten sollen, bis du nach

Hause kommst, hätte von Angesicht zu Angesicht mit dir reden sollen, aber das habe ich vorher schon versucht, und du weißt, wie sich die Dinge immer entwickeln – du brichst seelisch zusammen, und ich versuche alles, damit es dir besser geht, und schließlich bleiben wir dann doch zusammen.
Alles hat für dich und mich so toll angefangen, Mon. Dir zu begegnen gehört zu den aufregendsten Dingen, die mir je passiert sind, und mit dir nach Oz zu kommen, war das größte Abenteuer meines Lebens, aber das ist jetzt vorbei. Beendet. Es ist mir nie wirklich gelungen, dich glücklich zu machen, Monica – du weißt es, und ich weiß es. Ich glaube, du stimmst mir zu, wenn ich sage, dass unsere Beziehung in Wahrheit schon vor einer Ewigkeit endete. Ich weiß nicht, was uns so lange noch zusammengehalten hat. Ich denke, es ist vielleicht eine Mischung aus Angst und Gewohnheit. Du warst so ein starker Mensch, als ich dich kennen gelernt habe, Monica, aber du hast es zugelassen, dass ich dich schwach gemacht habe. Ich kann dich nicht mehr halten. Du hast so viel Positives an dir – du bist so witzig und cool und schlau. Nur deine eigenen Unsicherheiten halten dich zurück – und ich. Du kannst etwas in Oz bewirken, ich weiß es. Du musst nur aus deinem Schneckenhaus schlüpfen und in die Welt hinaus, und du musst wieder der Mensch werden, dem ich vor all den Jahren am Leicester Square begegnet bin.
Ich liebe dich, Mon, wirklich. Du bist einer der erstaunlichsten Menschen, die ich jemals gekannt habe, aber nun ist es Zeit für mich, nach Hause zu gehen, und es ist Zeit für dich, dein Leben ohne mich weiterzuleben. Ich wünsche dir Glück und Erfolg. Ich werde immer an dich denken, @F-09 = Mon.
Viel Glück.
Ned XX
PS: Beigefügt findest du 250 Pfund für die nächste Monatsmiete. Ich habe dir auch meinen Fußball und meine Play-

Station da gelassen, und die Fatboy-Slim-Karten sind in der obersten Kommodenschublade links. In der Kaffeedose neben dem Telefon ist noch etwas Hasch. Ich habe mein Auto Spencer verkauft. Und wenn du meine Titleist-Golfbälle findest, kannst du sie behalten.

Ungezähmte elterliche Freude bei der Heimkehr des verlorenen Sohnes

Es war ein absolut scheußlicher Aprilmorgen, als Ned endlich nach Hause kam. Die Stadt kauerte düster unter einer dicken grauen Wolkendecke, und die Luft roch nach feuchtem Mauerwerk und Diesel.

London, dachte Ned, während er durch die beschlagene Scheibe eines schwarzen Taxis auf den hinteren Teil eines Gebrauchtwagenhandels starrte. Schau es dir an. Schau es dir nur an.

Es ist so schön …

Das Taxi raste nahtlos durch die leeren Straßen von Londons Süden, blieb sinnlos an verlassenen Ampeln stehen und glitt um Kreisverkehre herum. Ned lächelte, als der Mast des Crystal Palace sich in Sichtweite schob – ein Symbol der Heimkehr seit dem Tag, an dem er geboren wurde.

Ein paar unheimliche, einsame Gestalten bewegten sich durch den Dunst, der über Brockwell Park hing; frühmorgendliche Gassigänger und Patienten des Marsden-Krankenhauses. Ein Mann in einer roten, wasserabweisenden Jacke übte sich in Tai Chi unter einer gerade zu blühen anfangenden Rosskastanie. Die Norwood Road hinunter, am Friedhof von West Norwood vorbei und hoch nach Beulah Hill. Und da war es: Nummer 114. Eine zweistöckige Villa im georgianischen Stil, ein bisschen wie eine Kinderzeichnung von einem Haus. Stufen hinauf zu einem grau werdenden Steinsäuleneingang, eine große, eichene Haustür und auf beiden Seiten davon Schiebefenster. Es sah schäbiger aus denn je. Stücke von cremefarbenem Stuck blätterten von den Mauern ab, das Laub vom letzten Herbst lag immer noch in mulchigen Haufen an der vorderen Mauer, und Bäche aus grünem Schimmel liefen über den Putz.

Der alte Kleinwagen, den Tony, als er siebzehn war, von seinem ersten Gehaltsscheck gekauft hatte, stand halb ausgeweidet unter einer sonnengebleichten Plane auf dem Rasen vor dem Haus. Vor dem Wagen stand Seans Vespa, einst sein Augapfel und der Mittelpunkt seines Universums, nun eine mit Schimmel bedeckte und Mitleid erregende Gestalt, die besiegt an einer alten Kommode mit Formica-Oberfläche lehnte. Edwardianische, viktorianische und georgianische Kaminessen standen in einer Art Stonehenge-Anordnung auf der anderen Seite, und zwischen dem Abfall hatten alle möglichen robust aussehenden Unkräuter Wurzeln gefasst.

Ned hatte einmal einen Freund von der Uni mit nach Hause gebracht, der auch in der Gegend wohnte. Er hatte ziemlich unsicher dreingeschaut, als Ned mit klimpernden Schlüsseln die Stufen zum Haus hinaufgegangen war. »Hier wohnst du?«, hatte er gefragt. »Mmh«, hatte Ned erwidert. »Scheiße – ich habe immer gedacht, das hier wäre eine Hausbesetzerkommune.« Mit seiner neu gefundenen Objektivität konnte Ned erkennen, dass es auch genauso aussah.

Er warf sich seinen Rucksack über die Schulter und schlich leise den Weg hinauf; dabei stieß er mit dem Fuß ein altes Stück Zeitung aus dem Weg. Sein Schlüssel im Schloss klang vertraut, als sei es erst ein paar Stunden her, seit er das letzte Mal das Geräusch gehört hatte. Sogar nach all dieser Zeit wusste er noch wie, drehte den Schlüssel genau im richtigen Winkel und mit genau der ausreichenden Drehung des Handgelenks, und dann schwang die Haustür langsam auf.

Chaos. Völliges und äußerstes Chaos. Er lächelte schief und ging einem großen ausgestopften Hasen aus dem Weg, der ungefähr die Größe eines Rottweilers besaß und der aus irgendeinem Grund Tonys Jim'll-Fix-It-Schild trug, und auf dessen Schoß ein Päckchen Tabak lag. Von der grauen Straße aus das Haus der Londons zu betreten, war, als spränge man aus Schwarz-Weiß in lebhaftes Technicolor. Das schwarze Äußere des Hauses verhüllte ein Inneres, das durch das Wort »eklektisch« nur äußerst unzureichend beschrieben wurde.
Bernie und Gerry hatten eine sehr lockere Haltung, was das Innere des Hauses anging, und bemühten sich absolut nicht, irgendeine Kontrolle über ihre Besitztümer auszuüben. Nicht, dass sie keinen Geschmack hatten. Stellenweise blitzten Klasse, Stil und regelrechte *Elle Decoration* auf. Gerry handelte mit altem Silber und hatte einen alteingesessenen Stand bei Grays in der South Molton Street, und Bernie war Schmuckeinkäuferin für Alders in Clapham Junction. Sie erkannten gute Ware, wenn sie sie sahen. Das Problem war nur, dass sie es ebenso schafften, bei manchem wirklich scheußlichen Kram ein Auge zuzudrücken. Wie bei der Kristallvase, die eine kleine Keramikkatze auf dem Rand sitzen hatte, ein Weihnachtsgeschenk von Tonys Exschwiegereltern. Sie besaß einen Ehrenplatz auf dem Kaminsims, obwohl Bernie sie auf den ersten Blick gehasst hatte und obwohl absolut keine Möglichkeit mehr bestand, dass die besagten Exschwiegereltern jemals wieder den Fuß in das Haus setzen würden. Bernie hatte einfach vergessen, dass sie das Stück hasste. Ebenso den Teppich, der schon im Haus gewesen war, als sie es vor dreißig Jahren gekauft hatten, und der das klassisch britische »Schnörkel-und-Rechteck«-Muster in grellen Schattierungen aus Senf- und Babykackfarben aufwies. Der Kamin war immer noch umgeben von dem falschen Ziegelwerk, das sie eingesetzt hatten, als es in den Siebzigern »modern« gewesen war, und darüber

hing ein ziemlich hübscher edwardianischer Spiegel, der vor Jahren vom Haken gefallen war, wodurch das Glas säuberlich entzweigesprungen war. Andere Leute hätten über sieben Jahre Pech gejammert und ihn schnellstens in die Notfallstation für Spiegel verbannt, um ihn reparieren zu lassen. Bernie und Gerry hatten einfach beruhigende Geräusche von sich gegeben, geseufzt und ihn wieder aufgehängt, und das gebrochene Spiegelbild des Wohnzimmers wurde noch ein weiterer Aspekt ihres Heims, an den man sich gewöhnte.

Doch was Neds Elternhaus wirklich von anderen schlecht möblierten Häusern unterschied, war der Schund. Nicht nur Familienmüll, der schon lange darauf wartete, nach Oxfam abtransportiert zu werden. Echter, wirklicher Schund. Alte Kommoden, kaputte Stühle, Schaufensterpuppen, Kisten mit verrostenden Küchenutensilien, alte Weihnachtskarten, körperlose Teile von Puppen, nicht zu identifizierende Teile von öligen Werkzeugen, angeschimmelte Vorhänge. Und es gab Dinge, die einfach nur *am falschen Platz* standen. Ein Plastikeimer im Flur. Ein Kinderwagen im Wohnzimmer. Ein Duschvorhang, der die Toilette unten von der Küche trennte. Eine richtige Haustür, vollständig mit Briefkasten, Türgriff und Nummer 15, die zwischen den Zimmern vorne und hinten lehnte. Ein kaputtes altes Schaukelpferd mit verfilzter Mähne und einem aufgemalten Schnurrbart hielt am Fuß der Treppe Wache.

Gerry war ein Schnäppchenjäger. Er konnte an keinem Räumungsverkauf vorbeigehen, ohne herumzuwühlen und mit wenigstens einer kleinen Trophäe herauszukommen, sei es ein altes Telefon oder eine Fußleiste. Und Bernie war genauso schlimm und brachte auf eine Laune hin alles Mögliche aus dem Lagerraum für Schaufensterausstattung bei Alders mit nach Hause, Dinge, die sonst weggeworfen worden wären. Sie fühlte sich traurig, sagte sie, wenn sie daran dachte, dass ein paar Wochen lang diese Teile aus geformtem Polystyren

oder Sperrholz im Rampenlicht geblitzt und Kunden in den Laden gelockt hatten, und dann wie geschlechtsreife Kinderstars abgeschoben wurden.
Ned ging eine Weile von Zimmer zu Zimmer und nahm die Gerüche und den Anblick in sich auf – französische Politur, alte Teppiche, Hundehaar, den Schund, die Pappkartons, die Stapel mit Zeitschriften und verlassenen Näharbeiten – und dachte bei sich: Das bin ich, all dieses Aufeinanderprallen und der Wirrwarr, dieses Horten und Anhäufen. Das hat mich so gemacht, wie ich bin, und hierher gehöre ich. Und deshalb hatte er vorher nicht angerufen, deshalb hatte er keinem erzählt, dass er nach Hause käme. Weil er sein Heim genau so wieder vorfinden wollte, wie er es vor drei Jahren verlassen hatte, und nicht irgendein aufgeräumtes, mit Girlanden geschmücktes Faksimile, um das man Wirbel gemacht hatte und das voll gestopft war mit Tanten und Onkel und Nachbarn und Hühnerpastetensandwiches und in Viertel geschnittene Schweinepasteten. Weil er den Bettgeruch an seinem Dad riechen und die Essteller vom Vorabend in der Küche gestapelt sehen wollte.
Er hörte ein schlurfendes, scharrendes Geräusch, das vom anderen Ende des Flures kam.
»Goldie!«
Ein alter, räudiger Golden Retriever streckte seine Nase in die Luft, drehte sich um und bewegte sich langsam, aber begeistert auf Ned zu, der in die Knie ging, um ihn zu begrüßen. Goldie war fünfzehn Jahre alt und sah aus, als hätte man ihn bei einem Räumungsverkauf gefunden. Er trug ein abgeschabtes elisabethanisches Halsband, und genau über seinem linken Ohr befand sich ein rasierter Fleck, der mit schwarzen Plastikstichen genäht war und wieder mal ein neues Missgeschick anzeigte. Seine Augen waren verschleimt und halbblind vom grauen Star. Und er öffnete und schloss das Maul zu etwas, was wohl Bellen sein sollte, was er aber nie wieder würde tun können, seit ihn vor vier Jah-

ren eine Kehlkopfoperation stumm gemacht hatte. Um seinen Mangel an stimmlicher Kommunikation zu kompensieren, wedelte er so stark mit dem Schwanz, dass man fast nicht mehr wusste, wo vorne und hinten war, und weitete seine Lefzen zu etwas, von dem Ned immer geschworen hatte, dass es ein Lächeln sei.

»Oooh ja, oooooh ja. Goldie, mein Junge, ich bin wieder zu Hause – ich bin zu Hause!« Ned packte die Krause aus Fell, die unter dem Halsband hervorschaute, und kraulte ihn ausgiebig, dabei versuchte er höflich zu ignorieren, dass der liebe alte Goldie zum Himmel stank.

Er zog seine Stiefel aus und ging auf Zehenspitzen leise die Treppe hinauf, seine in Socken steckenden Füße umgingen dabei instinktiv die knarzenden Stellen und die ständig gefährliche »siebte Stufe«, die unrepariert geblieben war, seit Gerry vor Jahren durchgebrochen war, als er Tony nach oben gejagt hatte, um ihm eine Tracht Prügel zu verpassen.

Er blieb oben stehen und sah auf all die alten gerahmten Fotos an den Wänden des Treppenabsatzes, die vom Alter und der Sonne rosa und vergilbt waren. Ned, Tony und Sean am Strand bei Margate, Bernie mit Strohhut, Sean auf einem Karussell auf dem Jahrmarkt im Viertel, Tony und Ned auf einer Stufe in Nylonhemden und mit sonnenverbrannten Nasen, die drei in ihren Erste-Kommunion-Klamotten – gut sitzende weiße Shorts, gestärkte weiße Hemden und Krawatten. Die Familienähnlichkeit war unheimlich. Alle drei hatten das gleiche sumpfbraune Haar, dreieckige Nasen, ein entschlossenes Kinn, blaue Augen und abstehende Ohren. Ned war mager wie sein Dad, Tony und Sean waren etwas stämmiger wie ihre Mum. Ned lächelte die Bilder an, die so sehr ein Teil von ihm waren, und begab sich zum Ende des Treppenabsatzes, zum Schlafzimmer seiner Eltern.

Das Elternschlafzimmer war in gewisser Weise der Angelpunkt

des Hauses. In diesem Bett hatten sie sich immer alle morgens am Wochenende versammelt, sahen Kinderfernsehen und aßen ihr Müsli, während Mum und Dad die Zeitungen durchlasen und Tee tranken, der in einer Kanne auf dem Nachttisch vor sich hin braute.

Die Tür stand offen – im Haus der Londons gab es keine geschlossenen Türen –, und das Geräusch von Bernies Schnarchen war fast ohrenbetäubend. Er schob die Tür langsam auf und spähte um die Ecke, um einen Blick auf beide zu erhaschen. Ihr Bett war ein riesiges, spitzengeschmücktes extravagantes Ding, das Bernie in den siebziger Jahren bei Biba gekauft hatte. Es war ein Himmelbett und besaß überall schmiedeeiserne Teile. Bernie hatte im Laufe der Jahre Dinge an der Spitze befestigt – Seidenblumen, Federn, Rosetten, winzige Drahtvögel. Ned spürte einen Kloß in der Kehle, als er sie ansah. Sein Vater lag zusammengerollt auf der Seite, die Hände unter seiner Wange, wie ein kleines Kind. Sein Kopf hatte die Form eines Rugby-Balls und war vom Kinn bis zum Scheitel von schneeweißem, kurzgeschnittenem Haar bedeckt mit ein paar rauen nackten Stellen an seinen Wangenknochen. Seine Brille und sein Patrick-O'Brian-Roman lagen auf seinem Nachttisch.

Neds Mutter lag flach auf dem Rücken, ihr kräftiges honigfarbenes Haar um sie herum ausgebreitet, und ihr grünes Polyesternachthemd hob und senkte sich bei jedem voluminösen Schnarcher; eine Virgin-Atlantic-Augenmaske war mit schwarzem Gummiband an ihrem Kopf befestigt, und ihre faltenlosen Wangen glänzten von Nachtcreme. Ihre Brille und ein Buch von Maya Angelou lagen auf ihrem Nachttisch.

»Mum, Dad«, flüsterte er laut.

Dad zuckte, schlief aber fest weiter.

»Mum, Dad, ich bin's. Wacht auf«, flüsterte er noch etwas lauter und näherte sich auf Zehenspitzen dem Bett.

Mum grunzte, drehte sich auf die Seite, und Dad zuckte wieder.
Ned stupste seinen Vater an, der plötzlich und dramatisch erwachte, die Augen aufschlug, Ned direkt anstarrte, etwas Unverständliches stammelte und sich dann auf die andere Seite drehte und furzte.
Ned seufzte und beschloss, es später noch mal zu versuchen. Er ging zu seinem Zimmer.
Seines war das Einzige der Jungenzimmer, das nicht von allgemeinem Tand überquoll. Weil er niemals ausgezogen war. Selbst als er vor drei Jahren gegangen war, war er nicht wirklich *von zu Hause weggegangen*. Er hatte die Absicht gehabt, nach sechs Monaten zurück zu sein. Ihm war klar, dass es manche seltsam finden mochten, dass er sich in seinem Alter freiwillig entschloss, in seinem Elternhaus zu leben. Doch warum nicht? Es war ein tolles Haus in einer tollen Lage, nur zwanzig Minuten auf der 68 Express zum Stadtzentrum, seine Eltern waren die coolsten Eltern, die es gab, und ihm gefiel es hier. Warum sollte er Miete für eine scheußliche Wohnung zusammenkratzen oder sich mit einer beschissenen Hypothek belasten?
Nein – er wollte sich Zeit lassen, bis er dreißig war, bevor er auch nur daran dachte auszuziehen.
Er stieß die Tür zu seinem Zimmer auf, das Herz voller Vorfreude und Wärme. Er drehte sich ein wenig, um den Lichtschalter zu finden, drückte drauf und schrie dann aus voller Kehle auf, als sich plötzlich ein Mann kerzengerade in seinem Bett aufsetzte. Ein sehr blasser Mann mit gefärbtem schwarzem Haar, das zu einem unglaublichen geometrischen Kurzhaarschnitt gebändigt war; er trug eine Reihe von Ohrringen und hatte eine Spinnwebtätowierung am Hals.
»Verdammter Jesus Christus«, sagte Ned und drückte mit der Hand auf sein Herz.
»Äh?«, machte der Mann im Bett.

»Verdammter Jesus Christus – wer, verdammt noch mal, sind Sie?«
Der Mann blinzelte Ned einen Augenblick an, während eine Hand nach einer halb gerauchten Kippe griff, die in einem Aschenbecher auf dem Nachttisch lag. Er steckte sie zwischen seine Lippen, zündete sie mit einem Zippo an, schnalzte dann mit den Fingern und lächelte. »Ned?«, fragte er. Seine Stimme klang tief und rau.
»Mmh«, antwortete Ned, der immer noch mit dem Rücken an der Zimmertür gelehnt stand, die Augenbrauen irgendwo an seinem Haaransatz.
Der Mann im Bett atmete aus und brach dann in einen schmerzhaften, abgehackten Raucherhusten aus. Er legte die Kippe wieder in den Aschenbecher und erhob sich immer noch hustend vom Bett. Er trug schwarze Unterhosen und war sehr blass und unglaublich schlank – feste Muskeln, über die sich nur ein Hauch von Fleisch spannte, vergleichbar, dachte Ned, mit dem Körper eines Greyhounds. Er hatte weitere Tätowierungen. Eine Konföderiertenflagge auf seinem Unterarm, eine Zeichnung von Marilyn auf seinem Oberarm und die Worte »Lebe schnell, sterbe jung« auf seiner unbehaarten Brust.
»Ich habe viel von dir gehört.« Er nahm Neds schlaffe Hand und schüttelte sie. »Ich bin Gervase«, sagte er und ging dann zurück zum Bett und seiner glimmenden Zigarette. Er begann noch stärker zu husten und brachte dann durch Nasenlöcher und Kehle alle möglichen lebhaften Soundeffekte hervor.
»Ja, aber – wer sind *Sie?*«
»Hat Bernie es dir nicht gesagt?«
Ned gefiel es nicht, dass er ihn duzte und wie er mit so viel Vertrautheit »Bernie« sagte. Er schüttelte dumpf den Kopf.
»Ich bin der Untermieter«.
»Untermieter?«

»Ja – du weißt schon – zahle Geld, bekomme Zimmer.«
»Ja, aber – das ist *mein* Zimmer.«
»Das, Ned«, sagte Gervase, während er seine Zigarette ausdrückte und eine neue aus dem Päckchen Chesterfields zog, »ist fraglich.« Und dann ging er zu dem Waschbecken in der Ecke des Zimmers, beugte sich darüber und förderte in einem geübten Zug den Inhalt seiner Lungen zutage.

Nehmen Sie jetzt ab – fragen Sie mich, wie

Es war das übliche Szenario: Millie, deren starke Schenkel einen weißen Hengst umklammerten und deren dichtes kastanienbraunes Haar im Wind flatterte, ein nicht enden wollender Strand, schaumige Wellen, die sich an der Küste brachen. Tony, schlank, in weißem Leinen, der in einer Hängematte lag und sie beobachtete. Es könnte auch irgendein Vogel dabei gewesen sein, ein blauer Vogel. Er war sich nicht sicher.

Sie stieg von ihrem Pferd und näherte sich mit einem halben Lächeln auf den Lippen, eine Augenbraue leicht hochgezogen. Eine Sandschicht lag auf ihrer Wange. Der Sand glitzerte wie geschliffene Diamanten. Er streckte die Hand aus, um ihn abzustreifen, und während er das tat, packte sie sein Handgelenk und schlug ihm fest ins Gesicht. Und dann tauchte sie mit derselben Hand, mit der sie ihn geschlagen hatte, in seine Hose und hielt ihn fest. Und es fühlte sich an, als ob er von ihrer Kehle gehalten wurde, ihrer warmen roten Kehle. Er konnte es nicht anders erklären. Ihr Atem war auf seiner Wange, ihre Augen wanderten über sein Gesicht, ihre heiße Hand bewegte sich an ihm auf und ab. Sie beugte sich zu seinem Ohr, und während sie sich auf und ab bewegte, flüsterte sie: »Du bist ein Gott, Anthony. Du bist ein *Gott.*«

Und dann wachte er auf. Gerade als er kommen wollte. Jede Nacht. Jede verdammte Nacht. Er war sich nicht sicher, ob es frustrierend oder lustvoll war, die Hölle oder das Paradies,

doch zumindest verursachte er keine Schweinerei auf seinen Laken.
Er löste sich schwerfällig von seinem Bett und schätzte wie üblich seinen Körper oberflächlich im Spiegel ab. Vor einigen Jahren hatte er noch in den Spiegel geblickt und einen leicht stämmigen Mann mit einem beginnenden Bauchansatz und ganz leicht sprossenden Brüsten entdeckt, einen Mann um die dreißig, der aussah, als ob er in seinem Leben ein paar Curries gegessen und ab und zu ein Pint Lager getrunken, das alles aber durch Übungen im Studio und ein gelegentliches Fußballspiel ausgeglichen hatte. Was ihn nun anschaute, war ein schemenhafter, schneeweißer Kloß mit einem Bauch, der groß genug war, um ein fünfjähriges Kind zu beherbergen, und traurigen, hängenden Brüsten, die größer waren als die von Ness (ja – sie hatte sie gemessen).
Er hatte vor einem Jahr das Rauchen aufgegeben, und seitdem hatte er nur noch gegessen. Mit Ness auszugehen half da auch nicht. Ness war ein *bon vivant*, ein Vielfraß, ein verdammtes vollkommenes Schwein. Er war noch nie einer Frau begegnet, die so viel aß, wie sie verdrücken konnte. Das Blöde daran war, dass sie einen schnellen Stoffwechsel hatte und es schaffte, gertenschlank zu bleiben, während Tony den Stoffwechsel eines chronisch depressiven Faulpelzes hatte, und nun war er fett.
Tony seufzte, drehte der schrecklichen Wahrheit seines vierunddreißigjährigen Körpers den Rücken zu und begann sich für die Arbeit fertig zu machen.
Er dachte beim Duschen wieder an Millie. Er dachte im Augenblick so ziemlich andauernd an Millie. Doch seltsamer, als nur an sie zu denken, war, dass er sich vorstellte, wie sie ihn *beobachtete*. Alles, was er tat, alles, was er sagte, bei allem stellte er sich vor, wie Millie in einer Ecke des Zimmers schwebte, ihn beurteilte, ihn abschätzte, ihn *benotete*. Zu Hause, im Büro, im Auto, sie war da. Wenn er etwas Ungeschicktes tat, errötete er. Wenn

er etwas Tolles machte, plusterte er sich vor Stolz auf. Er zog den Bauch ein, wenn er nackt war, er sang in der Dusche nur Lieder, deren Text er kannte, er pulte nicht in der Nase, er furzte zurzeit nicht mal, wenn er alleine war. Nun ja, auf jeden Fall nicht laut.

Er war ihr erst einmal begegnet, vor einer Woche in einer Bar in der Charlotte Street. Sie war gerade gekommen, als er und Ness gehen wollten. Die Begegnung hatte weniger als fünf Minuten gedauert. Sie war mit ihrem Freund da. Ein netter Typ, aber nicht gut genug für sie – sie stand weit über seiner Klasse. Er war ein Junge. Sie war eine *Frau*.

Tony hatte sich nie wirklich mit Einzelheiten aufgehalten, wenn es um Frauen ging. Er konnte sich nie an Dinge wie die Augenfarbe erinnern (Millies waren olivgrün mit goldenen Flecken darin), oder bemerkte Eheringe (Millie trug Silberringe an drei Fingern ihrer rechten Hand und keinen an ihrer linken). Und er fand nie Worte, um Dinge wie Haare zu beschreiben (Millie hatte braunes Haar, das sich aus ungefähr hundert verschiedenen Schattierungen von Honig, Mahagoni, Kastanie und Rot zusammensetzte. Es war dick und stumpf, und beim Sprechen packte sie es mit der Faust, als ob sie ihm zeigen wolle, wer der Boss war). Ihre Stimme war kehlig und heiser, sie hatte Lachfältchen, ihre Fingernägel waren kurz geschnitten und rechteckig. Ihre Haut besaß die Art Farbe, die auf irgendeinen verwässerten exotischen Vorfahren hinwies; vielleicht aus Lateinamerika oder aus dem Nahen Osten. Sie hielt eine Marlboro Light und eine Flasche Stella in derselben Hand, und sie lachte so, wie er noch nie vorher eine Frau hatte lachen sehen. Große weiße Zähne, drei Füllungen, ihr Rachen war sichtbar, rosig und glänzend im Licht von oben.

Camilla, das war ihr wirklicher Name. »Niemand nennt mich *Camilla*«, hatte sie gesagt, als ihr Freund sie vorgestellt hatte.

»Das klingt, als ob ich einen schnieken Handtaschenladen in Chelsea besäße oder so. Nenn mich Millie.«
Millie. Millie Millie Millie. *Millie*.
Tonys Hand hatte unbewusst den Weg in seine Lendengegend gefunden. Ungeduldig riss er sie weg. Er hatte keine Zeit zum Wichsen. Er würde zu spät kommen. Er stieg aus der Dusche, trocknete sich ab und ging zu seinem Schrank; traurig ging er alle Dinge durch, die er nun nicht mehr anziehen konnte. Hemden, die Tony vor Jahren wegen ihrer Weite gekauft hatte, spannten nun über seinem Bauch. Und während seine sich weitende Mitte seine Kleidung dazu zwang, sich horizontal auszudehnen, verringerte sie sich in der Senkrechten, so dass alle seine Hosen nun mindestens einen Zentimeter Socken sehen ließen.
Nenn mich Millie. Millie Millie Millie.
Sie hatte ihn angelächelt, als sie gegangen waren. Es war kein Lächeln, das sagte: »Gott sei Dank, dass Sie jetzt gehen, dann können wir unseren gemütlichen Abend fortsetzen.« Es war ein »Hoffentlich-bis-bald«-Lächeln. Es war ein »Du-interessierst-mich«-Lächeln. Es war ein Lächeln, das etwas versprach, etwas Grundlegendes.
Er hatte die Voraussicht besessen, einen Plan zu machen. In der letzten Minute, gerade als sie aus der Tür traten, lud er Millie und ihren Freund zu seinem Geburtstagsessen am nächsten Wochenende ein. Sie sagten ja. Es war nicht ideal. Der Freund war ein Problem. Genauso wie die Tatsache, dass Tony fett war und seine Glanzzeit hinter sich hatte. Aber beide Dinge konnte man überwinden. Der Freund konnte sitzen gelassen werden. Tony konnte abnehmen. Das war eine langfristige Sache. Solange er die Möglichkeit hatte, sie wiederzusehen, würde sich alles andere schließlich fügen. Er wusste es.
Tony hatte eigentlich nicht viel darüber nachgedacht, wie Ness in seine »Millie«-Pläne passte. Kurzfristig war es wahrscheinlich ganz gut, eine Freundin zu haben; es verlieh ihm das geheime

Billigungssiegel der Frauen. Eine Freundin zu haben, vor allem eine so coole wie Ness, besagte: »Ich bin kein trauriger, fetter Geschiedener auf dem Weg in die Hölle mit Fernsehabendessen und einem frühen Herzinfarkt. Ich bin ein Kerl, der in einer normalen gesunden Beziehung funktionieren kann, der regelmäßigen Sex hat und mit dem Frauen gerne zusammen sind. Ich bin Anthony London, erfolgreicher Geschäftsmann mit einer gesunden Erektionsfähigkeit und fantastischen Beziehungserfahrungen. Ich bin gutes Ehemannmaterial.«

Er zog sich an, frühstückte und schmierte in sein Haar etwas, das »Dichteserum« hieß, das das Haar jedoch in keiner Weise dichter werden ließ, und griff dann nach seiner Aktentasche und seinem Laptop und verließ die Wohnung. Was für ein scheußlicher Tag – so feucht und bewölkt fühlte er sich an, als ob jemand eine Plane über die Welt geworfen hatte, während er schlief. Er überquerte auf dem Weg zu seinem Auto die Straße, es war ein hellroter MX5. Ein Frauenauto. Er hatte einen alten Mercedes oder Porsche gewollt – man konnte mit den sechs Riesen, die er auszugeben hatte, etwas ziemlich sexy Aussehendes bekommen –, aber aus irgendeinem Grund hatte er sich von Ness dazu überreden lassen, dieses Ding zu kaufen. Mächtige Steuerung, hatte sie gesagt. Gute Heizung. Leicht umzuwandeln. *Zuverlässig*. Und sie hatte Recht. An dem Auto als solchem war nichts falsch; es passte nur nicht wirklich zu *ihm*. Und um ganz ehrlich zu sein, es war ein bisschen eng – es war ein japanischer Wagen, gemacht für *kleine* Japaner, die Seetang aßen, und nicht für starke englische Burschen, die Guinness tranken.

Er blieb stehen, um etwas von seiner Windschutzscheibe zu klauben – eine kleine grüne Karte

Nehmen Sie jetzt ab! Wir suchen 100
Menschen mit Übergewicht in dieser Gegend.
Bitte rufen Sie Wendy an unter 0 79 78 - 24 55 42.

Er seufzte, warf die Karte in den Rinnstein und hievte sich in das winzige Auto, dabei versuchte er, nicht darauf zu achten, dass es sich anfühlte, als stopfe er ein Daunenbett in eine Schublade, und fuhr ins Büro.

Fünfzehn Minuten später war er in Clapham Pavement. Während er einer Gruppe schrecklicher Schulmädchen in blauen Uniformen beim Aussteigen auswich, stieß er fast mit einem glatten Schild zusammen, das an einem Metallständer hing und das ganz sicher gestern noch nicht da gewesen war.

Um Millies willen drehte er sich um, starrte eisig auf den losen Aufsteller und sah sich konfrontiert mit dem Foto eines sehr fetten Mannes in einem riesigen T-Shirt und mit mindestens zwölf Kinnen:

Übergewicht? Möchten Sie ein paar Pfunde verlieren?
Nehmen Sie schnell und auf natürliche Weise ab.
Erste Stunde gratis.

Was?, dachte Tony. Was ist denn los? Ist hier irgendeine Verschwörung am Werk?

Bryan hat in nur acht Wochen 31 Pfund verloren.

Tony folgte den Worten zu einem anderen Foto von »Bryan«, der diesmal grässliche Blümchenshorts trug, ins Meer watete und dabei stolz seine Muckies beugte. Das gibt es nicht, dachte Tony, während er von einem Foto zum anderen schaute. Das konnte auf keinen Fall derselbe Typ sein. Erst einmal sah er ungefähr zehn Jahre jünger aus. Aber es *war* Bryan, dachte er, als er näher hinguckte, er war es wirklich. Zur Hölle, er sah gut aus. Geistesabwesend fuhr Tony mit der Hand über seinen Bauch und versuchte sich die festen Muskeln vorzustellen, die irgendwo unter dem wabbligen Zeug verborgen lagen.

Bitte nehmen Sie ein Flugblatt.

Tony blickte sich kurz um, um sicherzugehen, dass keiner hinschaute, nahm sich ein Flugblatt und stopfte es in seine Manteltasche. Dann ging er, aus irgendeinem Grund besonders schnell, zu seinem Büro.

Seans ältere Frau

Sean wurde um halb elf von der fetten Katze geweckt, die plötzlich inmitten einer Art wilden Attacke auf seinem Bett landete, sich auf den Rücken rollte und sich mit den Hinterpfoten ins Kinn stieß.

»Witzbold«, sagte Sean und rieb dem Kater das Gesicht. »Du bist ein Witzbold von einer Katze.« Aber nicht seine Katze. Ihre Katze. Seine ältere Frau. Und auch ihre Wohnung.

Er hatte sie vor zwei Monaten in einem Restaurant in Covent Garden kennen gelernt, seine ältere Frau. Er hatte mit seinem Agenten zu Mittag gegessen, und sie aß allein. Sie saß vor einer großen Schale Rucola, den sie planlos mit der Gabel in den Mund stopfte, während sie in der anderen Hand eine Zeitung hielt – als er sie das erste Mal ansah, hing ihr etwas Rucola aus dem Mund, sie hatte einen Spritzer Essig am Kinn, und sie versuchte, die abtrünnigen Wedel aus Grünzeug mit einem Finger in ihren vollkommenen Mund zu schaufeln. Es gefiel ihm, dass sie schaufelte. Ihm gefiel es, dass sie alleine zu Mittag aß. Und es gefiel ihm, dass er jedes Mal, wenn er sie ansah, das Gefühl hatte, als ob er direkt seiner Zukunft ins Gesicht sähe.

Sie war älter als sein üblicher Typ. Er hatte sich vorgestellt, sie sei in seinem Alter, vielleicht ein bisschen älter. Er war überrascht gewesen, als er herausfand, dass sie sechs Jahre älter war als er. Seine letzte Freundin war zweiundzwanzig gewesen. Die vorletzte zwanzig. Die älteste Frau, mit der er vor ihr jemals aus gewesen war, achtundzwanzig. Normalerweise flog er auf Blon-

dinen. Die hier war brünett. Normalerweise flog er auf sich konventionell kleidende Frauen. Sie sah leicht bohemehaft aus, mit einer alten Bluse und Kreolenohrringen.
Sein Agent hatte bemerkt, dass er nicht bei der Sache war. »Was ist los?«, hatte er gefragt und an Sean vorbei zu dem geschaut, was ihn abgelenkt hatte. Und dann hatte er sie gesehen und Sean wissend angeblickt. »Aha«, hatte er bemerkt, »ich verstehe. Warum lässt du ihr nicht ein Glas Champagner hinüberbringen?«
Sean war zuerst entsetzt von der Idee gewesen. Es war kitschig und aalglatt. Es war etwas, was andere Männer taten. Es war nicht sein Stil. Aber dann, dachte er, sie war es ja auch nicht. Der Ratschlag von Seans Agenten war jedoch perfekt gewesen, denn sie stellte sich als genau der Typ Frau heraus, die es zu schätzen wusste, wenn fremde Männer ihr Gläser mit Champagner bringen ließen – es appellierte an ihren Abenteuergeist. Sein Agent verzog sich diskret, und sie kam an seinen Tisch. Aus der Nähe sah sie noch besser aus als aus der Ferne. Sie besaß eine intelligente Schönheit, glatte olivfarbene Haut, ein natürliches Parfüm und ein ansteckendes Lachen. Er überredete sie, sich den Rest des Tages frei zu nehmen, und sie tranken zusammen Champagner, bis die ersten Abendgäste eintrafen. Dann waren sie in ihre Wohnung gegangen, und seitdem hatte er diese kaum verlassen. Und wer konnte ihm da Vorwürfe machen? Ihre Wohnung war fantastisch, eine riesige Einzimmerwohnung in einem jener stuckverzierten Gebäude in Paddington. Drei Meter sechzig hohe Decken, hölzerne Fußböden, Fensterläden und große Fenster. Und eine stilvolle Inneneinrichtung, die ihren Job als Dozentin am London College of Art and Design widerspiegelte. Er sah sich nun im Schlafzimmer um, sah auf die verblassten alten Satinüberwürfe, die eingedrückten Samtkissen, die goldgerahmten Gemälde aus Trödelläden und die verzierten, geschliffenen Spiegel. Es war stilvoll, aber nicht protzig, aufwen-

dig, aber dezent, einfach, aber reich verziert. Sean war im Allgemeinen nicht an Inneneinrichtung interessiert, oder daran, wie Dinge zusammenpassten. Er war mehr ein Möbelmensch. Ein paar Möbel, mehr brauchte man nicht, und vielleicht eine Lampe oder zwei. Aber er liebte diese Wohnung. Sie unterhielt ihn und umhüllte ihn, gab ihm das Gefühl, er sei Teil einer magischen, verzauberten Welt – genau wie sie.
Sie hatte ihm einen kleinen Arbeitsbereich in ihrem Schlafzimmer am Fenster eingerichtet, hatte für ihn einen Schreibtisch mit Lederauflage und einen alten Drehstuhl aus Leder aufgetan. Es gefiel ihr sehr, sich vorzustellen, wie er dort schrieb, in ihrer Wohnung, und dabei durchs Fenster auf ihre Straße schaute, während er auf Inspiration wartete. Nicht auf eine »Oh, in meinem Schlafzimmer schafft ein berühmter Schriftsteller ein Meisterwerk«-Weise, sondern auf eine Art, die zeigte, dass sie sich freute, von Nutzen zu sein. Sie liebte es, sich nützlich zu fühlen. Nichts machte sie glücklicher.
Wie konnte er ihr also gestehen, dass er seit dem ersten Tag, an dem er sie gesehen hatte, kein Wort mehr geschrieben hatte? Wie konnte er ihr gestehen, dass ihr Tintenlöscher und ihre Lampe und ihr Blick auf Sussex Gardens ihn in keiner Weise inspirierten, dass, wenn sie jeden Morgen zur Arbeit ging, er sich wieder schlafen legte oder tagsüber Fernsehen schaute?
Sein Blick fiel auf seinen schlafenden Laptop, den 1200-Pfund-Laptop, den er sich erst vor sieben Monaten von einem Teil der 50 000 Pfund gekauft hatte, die ihm sein Verlag vor sechzehn Monaten für seinen zweiten Roman gezahlt hatte, der in zwei Monaten abgeliefert werden sollte und der, wie ihm sein Wortzähler mitteilte, im Augenblick aus enormen 12 345 Wörtern bestand.
Himmel, dachte er und drehte sich auf die andere Seite, dieses verdammte Buch verfolgte ihn regelrecht. Jedes Mal, wenn er glücklich war, jedes Mal, wenn er dachte, sein Leben sei perfekt,

musste er an »das Buch« denken – jene riesenhafte Aufgabe, die er vollbringen musste, diesen unmöglichen Berg, den er erklimmen musste, und plötzlich erinnerte er sich daran, wie zerbrechlich dieses »Glück«, das er erreicht hatte, tatsächlich war. Alles hing daran, »erfolgreich« zu sein – und erfolgreich zu sein war nicht, wie ein Mann zu sein oder groß zu sein. Es war nicht für immer garantiert. Erfolg konnte einem genommen werden, einfach so – oder vielmehr konnte er *entgleiten*. Und wo wäre Sean ohne diesen *Erfolg*, ohne die Aura, die das Erfolgreich-Sein ihm verlieh? Er wäre einfach nur wieder ein schmuddeliger, verantwortungsloser Sean. Und was hätte er, in Gottes Namen, dann seiner *älteren Frau* zu bieten? Diesem erstaunlichen Wesen, dem er gerade eben begegnet war, das ihn als Sean London niemals kennen gelernt hätte, als Sean London, den Ausfahrer für Bürozubehör, das ihn nur als Sean London kannte, den Autor, der den Preis des Guardian für den besten Debütroman gewonnen hatte.

Er schleppte sich aus dem Bett und beschloss, dass er es heute nicht mal versuchen würde. Er beschloss, dass es alles nur schlimmer machen würde, wenn er es heute versuchte. Außerdem war es morgen Abend zwei Monate her, dass sie sich kennen gelernt hatten, und Sean musste einkaufen gehen, für sie etwas wirklich Besonderes erwerben. Sean hielt normalerweise nichts von Zwei-Monats-Feiern, aber schließlich hatte er auch noch nie zuvor jemandem solche Gefühle entgegengebracht. Er wollte jeden Moment feiern, den er mit ihr zusammen war, ihr Geschenke kaufen, nur weil sie am Morgen die Augen aufschlug, an einem Ohrring herumspielte, weil sie nieste, atmete, weil es sie gab. Und sicher, überlegte er, bedeutete Schriftsteller zu sein, dass die Dinge des Herzens Vorrang hatten. Wie konnte man von ihm erwarten, über das Leben zu schreiben, wenn er nicht jeden Aspekt davon täglich und zutiefst und genauestens empfand, mit jeder Faser seines Wesens?

Er zog sich an, verließ die Wohnung und ging die Bayswater Road hinunter nach Marble Arch. Dann bog er in die Straße Richtung Bond Street ein und wanderte durch die von roten Ziegelhäusern bestandenen Straßen von Mayfair.

Wie reich, fragte er sich beim Gehen, *wie reich* musste man tatsächlich sein, um es sich leisten zu können, hier zu wohnen? In Catford, wo er lebte, zwischen sich ausbreitenden Grundstücken und winzigen Terrassen, fühlte sich Sean vergleichsweise wohlhabend. Die große fünfstellige Summe, die auf seinem Bankkonto lag, die Schecks, die alle paar Wochen von seinem Agenten eintrafen – tausend hier, tausend dort, polnische Rechte, katalanische Rechte, brasilianische Rechte – die Spielereien, die er gekauft hatte, das neue Bett, das neue Fahrrad, der große Smeg-Kühlschrank in der Küche, das alles bar bezahlt, diese Dinge gaben ihm das Gefühl, reich zu sein, unglaublich reich. Im Zusammenhang seines Wohnortes, seiner Bekannten und seiner Herkunft gesehen, war Sean reicher, als er es sich jemals hätte vorstellen können. Aber hier, in Mayfair, zwischen all den Herrenclubs, den ausländischen Botschaften, den Millionen Pfund schweren *pieds-à-terre* der anonymen internationalen Geschäftsleute war er völlig verarmt. Sean fragte sich, wie es möglich war, dass ein Mensch so viel Reichtum anhäufen konnte. Ironischerweise war es schwerer, dies aus seiner Position des relativen Überflusses zu betrachten, wie als er noch gar kein Geld gehabt hatte.

Im Zickzack bewegte er sich durch diese elitären Straßen, wanderte an Antiquitätenläden, Waffengeschäften und Kunstgalerien vorbei, die voll mit ausdruckslosen Landschaften standen, bis er schließlich dort war, wo er sein wollte – in der Bond Street. Vor Tiffany's.

Sean war noch nie bei Tiffany's gewesen, beschloss jedoch in dem Augenblick, als er durch die Tür schritt, dass es ihm sehr gefiel. Es gefiel ihm, wie der Portier ihn anlächelte, als ob er ein richtiger Erwachsener wäre, auch wenn er sich noch wie ein Teenager fühlte. Ihm gefiel die glatte, schlichte Anlage des Ladens, die symmetrischen Linien der Auslagekästen, die Art, wie die Beleuchtung jede Nuance der Metalle und Schmuckstücke darunter einfing.

Ihm gefiel sogar der Geruch.

Sobald er der funkelnden Ware nahe war, beschloss er, dass ihm besonders Diamanten, die wie Stäbchen geschliffen waren, und Platin gefielen. Er entdeckte zu seiner großen Überraschung, dass ihm auch das zugehörige Preisschild gefiel, das beruhigend teuer war und kein völliger Nepp. Ihm gefiel auch das Mädchen, das ihn bediente. Ihm gefiel es, wie ihre kleinen Hände in die Kästen hinein- und wieder herausschossen, wie sie über Ringen verweilten, während sie sein Gesicht beobachtete, um sich zu vergewissern, dass sie in der richtigen Gegend war, wie sie sie herausklaubte und sie ihm mit einem leisen Lächeln überreichte, das besagte, dass sie es ebenso genoss zu verkaufen, wie er es genoss zu kaufen.

Es gefiel ihm, dass man sie nicht Ringe nannte, sondern »Diamanten«, und es gefiel ihm, wie der Diamant, den er auswählte, ihm entrissen wurde wie ein neugeborenes Baby und ihm Minuten später wieder zurückgegeben wurde, hübsch verpackt in einem glänzenden Enteneikästchen und präsentiert wie ein Preis.

Ihm gefiel es, wie der Portier »Auf Wiedersehen, Sir«, sagte, als ob die Enteneitüte ihm die Mitgliedschaft in einem exklusiven Club verliehen hätte, und mehr als alles andere gefiel ihm das Gefühl, an einem sonnigen Aprilnachmittag die Bond Street herunterzugehen, während Millies Verlobungsring beim Gehen in seiner Tüte hin und her schwang.

Sean war sich bewusst, dass er die Dinge überstürzte. Er kannte Millie erst seit zwei Monaten, doch sich zu verloben hieß nicht, dass sie heiraten mussten oder so, zumindest nicht gleich. Sie konnten eine lange Verlobungszeit haben, sich zusammen eine

Wohnung suchen, sich Zeit lassen, zusehen, wie es lief. Vielleicht konnten sie in einem Jahr anfangen, von Hochzeit zu sprechen ... oder in zwei. Doch in der Zwischenzeit wollte Sean sich fühlen, als habe er sich über den nächsten Anruf oder die nächste Verabredung hinaus an Millie gebunden. Er wollte seine Gefühle absolut klarstellen, damit es keine Missverständnisse gab.

Es war ein schrecklich unromantischer Vergleich, aber in Seans Kopf hieß Millie einen Verlobungsring zu kaufen, so viel, wie eine Anzahlung für einen teuren und lange erwarteten Urlaub oder für ein brandneues und sehnlichst gewünschtes Auto. Als ob man eine Anzahlung für das Haus seiner Träume leistete. Oder, in diesem Fall, als ob man eine Anzahlung für die erotischste, witzigste, coolste und schönste Frau auf der Welt leistete.

Ein anständiges Frühstück

Hier, bitte, mein Engel.« Bernie knallte einen Teller mit Toast, Bohnen und Schinken vor Ned hin und strahlte ihn an. »Wette, es ist 'ne Weile her, dass du ein anständiges Frühstück gegessen hast, oder?«
Ned dachte zurück an sein letztes Frühstück, an hausgemachte Foccacia und sonnengelbe Eier, an riesige Stücke terrakottafarbener Chorizo und Sauercreme, gesprenkelt mit frisch geriebenem Koriander und in Shorts auf der Terrasse des Bondi Café am Meer gegessen.
»Allerdings«, stimmte er zu und haute rein.
»Wo ist meins?«, fragte Gerry und schaute über seinen *Guardian* muffig auf Neds Frühstück.
»Da drüben«, antwortete Bernie und zeigte auf eine Jumbo-Schachtel mit Bran Flakes und wandte sich dann wieder an Ned. »Willst du Ketchup dazu?«
»Ja, bitte.«
Sie reichte ihm die Plastiktomate, die er in seinem Kinderwagen von Wimpy nach Hause mitgebracht hatte, als er zwei gewesen war und in der Bernie noch all die Jahre später feierlich Ketchup dekantierte.
»Also«, sagte Bernie und verschränkte die Arme.
»Was?«
»Also?«
»Was?«
»Die Sache. Die Geschichte. Die ganze Salami. Spuck's aus.«

»Weiß nicht«, sagte er, drehte die Plastiktomate um und quetschte Ketchup überall drüber. »Wollte einfach nach Hause.«
Bernie schürzte die Lippen und warf ihm einen Blick zu.
»Ich hatte einfach genug. Das ist alles. Dein Essen hat mir gefehlt.« Er grinste, versuchte es mit Süßholzraspelei, doch Bernie schürzte nur noch mehr die Lippen.
»Außerdem«, sagte er herausfordernd, »bin nicht ich es, der etwas erklären sollte. Ihr zwei schuldet mir wirklich eine Erklärung. Erzählt mir von dem Typen. Dem Typen in meinem Zimmer. Erzählt mir von Gervase.« Ned verschränkte die Arme und beäugte seine Mutter aus seiner luftigen Position moralischer Höhe.
»Du zuerst«, forderte ihn Bernie auf, »*dann* reden wir über Gervase.«
Ned seufzte. »Es ist vorbei. Mit Monica.«
»Was meinst du damit, es ist vorbei? Was ist passiert?«
Ned verstummte. Er wollte seiner Mum und seinem Dad die Wahrheit sagen, doch das hieße, dass er nicht nur das Ende der Beziehung mit dem Mädchen beichten müsste, mit dem er Carlys Herz gebrochen hatte, sondern auch, dass er sie auf die feigste Weise beendet hatte, die man sich vorstellen konnte – Mum würde es ihm nie verzeihen. »Sie hat mich sitzen lassen.«
»Sie hat dich *sitzen lassen?*«, wiederholte seine ungläubige Mutter entsetzt. »Aber *warum* denn?«
»Ich weiß nicht. Außerdem war es nicht nur das. Es war Zeit, nach Hause zu kommen«, sagte er leise, und seine Stimme schwankte leicht. »Das ist alles.« Ned sah von seiner Mutter zu seinem Vater, räusperte sich und grub die Gabel in seinen Schinken.

Monica war anders als alle, denen er vorher begegnet war. Sie war wie ein Kerl. Sie hatte Muskeln. Und ein starkes Kinn. Und Beine wie Mammutbäume. Sie trieb Sport und trank Bier und hatte ihre eigenen Trommeln. Sie schrie viel und aß wie ein Pferd und machte lüsterne Kommentare über die Brüste der Frauen.

»Ned«, zischte sie und stieß ihn heftig mit den Ellbogen in die Rippen, »schau dir das an.« Ihre Augen dirigierten ihn zu einem Mädchen in einem Lycra-Top oder mit einem tief ausgeschnittenen Kleid. »Schau dir diese Titten an. Unglaublich.«

Sie nannte andere Leute Arschlöcher und Scheißer und geriet in Streitereien. Sie konnte in dreißig Sekunden zum Orgasmus kommen und sofort nach dem Sex auf dem Rücken liegend einschlafen und dabei schnarchen wie ein Walross.

»Ich gehe nach Australien«, sagte sie nach fünf Minuten bei ihrem ersten Gespräch in der Sportbar am Leicester Square.

»Oh«, hatte Ned erwidert, »in Ordnung.«

»Ich gehe nächsten Monat. In zwei Wochen. Es hat also keinen Sinn, mich anzumachen.«

»Ich mache dich nicht an.«

»Tust du wohl.«

»Tue ich nicht.«

»Doch, tust du verdammt noch mal schon.«

»Tue ich nicht. Ich habe eine Freundin.«

»Ach so. Als ob das etwas hieße.«

»Tatsächlich tut es das.«

»Also – erzähl mir von deiner ›Freundin‹.«

»Carly?«

»So heißt sie?«

»Mmh.«

»Okay – erzähl mir von Carly.«

»Carly ist – Carly ist …« Carly ist meine Freundin – das hatte er sagen wollen. Sie war schon immer meine Freundin, seit ich vierzehn war. Carly ist warm und rund und weich, und sie weiß, wie ich meinen Tee mag, und sie kennt meine Schuhgröße, und meine Eltern lieben sie wie die Tochter, die sie nie hatten. Carly hat Grübchen an ihren Knien und isst Wagon Wheels zum Frühstück. Carly wohnt in derselben Straße wie ich, und Carly arbeitet als Stoffzuschneiderin für eine Firma, die Kleider für alte Damen herstellt. Carly kitzelt mich am Rücken und sagt mir, wann ich zum Friseur muss. Sie ist allergisch gegen Erdnüsse und Bienen. Ihre Brüste sind groß und hängen leicht, und sie haben ziemlich große Warzen, und sie hat beim Sex noch nie einen Orgasmus gehabt. Sie ist mein bester Kumpel, und ich liebe sie.

»Carly ist toll«, hatte er gesagt.

»Hmm«, machte Monica. »Das war überzeugend. Wie lange seid ihr schon zusammen?«

Ned hatte die Achseln gezuckt, leicht verlegen, weil er zugeben musste, dass er tatsächlich altmodisch genug war, seit Teenagerzeiten dieselbe Süße zu haben. »Seit ein paar Jahren«, hatte er geantwortet.

Aber dann hatte er plötzlich angefangen, etwas anderes zu sagen, etwas, was er gar nicht hatte sagen wollen. Jesus Christus, hatte er gesagt, letzte Woche ist etwas Komisches passiert, Carly hat mich zum Abendessen eingeladen, und sie hat viel Aufhebens darum gemacht, und dann, nach dem Dessert, hat sie mich gebeten, sie zu heiraten, sie hat mir einen Antrag gemacht – was, zum Teufel, sollte das? –, und nun fühle ich mich, Jesus, in der Falle, ich nehme an, weil ich immer irgendwie dachte, wir würden eines Tages heiraten, aber du weißt schon, nicht jetzt, noch nicht, und jetzt weiß ich, verdammt noch mal, nicht, was ich tun soll, ich meine, ich habe gesagt, ich würde darüber nachdenken und ihr bald eine Antwort geben, und zur Hölle noch mal, verdammt noch mal, ich bin ausgeflippt, ich bin irgendwie total und völlig und verdammt AUSGEFLIPPT.

Und Monica hatte wissend genickt und sich eine Zigarette angezündet, und bevor er wusste, was er tat, erzählte er ihr alles. Das Leben, das nirgendwohin führte, sein Leben bei den Eltern, die Jobs, die kamen und gingen und ihn nicht befriedigten, die lange Beziehung mit jemandem, der ihn so gut kannte, dass es fast so war, als wäre sie seine Schwester oder so. Und sie hatte ihm Rauch ins Gesicht geblasen und gesagt: »Komm mit mir. Komm nach Australien – es wird richtig lustig werden.« Und eine Sekunde lang war Ned in der Schwebe gewesen, hatte gewartet, dass sein Mund sich öffnete und etwas Vernünftiges sagte wie: »Sei nicht dumm. Ich kann nicht nach Australien gehen.« Doch die Worte waren nicht gekommen, und stattdessen hatte er in die Augen dieses herausfordernden, starken Mädchens geblickt, dieser Fremden mit den stämmigen Beinen und den kurzen Wimpern, und er hörte sich sagen: »Ja. Okay. Warum nicht?«

Er konnte immer noch nicht ganz glauben, dass er es getan hatte, sogar drei Jahre später noch nicht, dass er eine Fremde in einer Bar getroffen und zugestimmt hatte, nach weniger als einer Stunde mit ihr auszuwandern, dass er fähig gewesen war, in Carlys große graue Augen zu schauen und ihr zu sagen, dass er sie nicht heiraten wolle, dass er jemanden kennen gelernt habe und dass er sie verlasse, und dass er die Kraft besessen hatte, sie zu verlassen, als sie sich vor Schmerz fast gekrümmt hatte, als ob er sie geboxt hätte. Es war, als ob er von etwas besessen gewesen war, einer äußeren Macht. Weil Ned so etwas einfach nicht tat – er ging kein Risiko ein.

Aber er hatte es getan – hatte seine Beziehung beendet, seine Ersparnisse abgehoben, sein Visum bekommen, seinen Flug gebucht und sich mit einer völlig Fremden nach Australien begeben. Natürlich war es chaotischer gewesen. Es hatte noch ein paar mehr Szenen mit Carly gegeben, den Zorn seiner Mutter, mit dem er umgehen musste, Momente der Unsicherheit spät in der Nacht. Doch trotzdem hatte er es durchgezogen. Und als er zwei Wochen später in einem Flugzeug der Thai Air nach Sydney saß und eine ziemlich leckere Nudelsuppe aß, während Mo-

nica neben ihm Rum und Cola runterkippte und unter ihm eine Decke aus babyweichen weißen Wolken lag, hatte er sich zum ersten Mal in seinem Leben gelassen und sicher gefühlt.
Die Reue hatte ihn nicht sehr schnell gepackt. Sie hatte lange gebraucht, bis sie durch das Adrenalin sickerte. Sie hatten es beide zuerst wie einen Urlaub betrachtet, hatten ihre Ersparnisse gestreckt, am Strand gesessen und zum Mittagessen Bier getrunken. Und obwohl Ned kein bisschen überzeugt gewesen war, dass es mit Monica klappen würde, hatte es das doch getan, und irgendwann hatten sie sich ineinander verliebt und alles war ernst geworden. Sie bekamen beide Jobs, arbeiteten zusammen in derselben Bar, und dann bekamen sie ein Zimmer in einer Wohnung zusammen mit drei anderen Briten und waren leicht besessen voneinander.
Manchmal lagen sie den ganzen Tag im Bett in ihrem winzigen Zimmer, während die Sonne durch die Fenster strömte, und sahen sich einfach nur an. Sahen sich stundenlang einfach nur an. Es hatte Augenblicke gegeben, da war sich Ned ein bisschen dumm vorgekommen, aber Monica hatte immer diese Art, die einem das Gefühl gab, als ob ihre Art die beste sei, wenn sie also dachte, dass es eine gute Art war, eine Beziehung zu führen, indem man im Bett lag und sich anstarrte, dass es ihren Gefühlen Tiefe verlieh, dann würden sie sich eben anstarren.
Ned war vor Monica das ganze Anstarren leid geworden, und das war Teil des Problems. Ned stellte sich erstaunlicherweise als derjenige heraus, der besser in einem fremden Land zurechtkam, schneller neue Leute kennen lernte und sich an Gelegenheitsjobs gewöhnte, als Monica. Zu seinem Vergnügen entdeckte er, dass er sehr leicht Freunde gewann und von den meisten Leuten gemocht wurde, die er traf. Monica dagegen erschreckte die Menschen zu Tode, vor allem Frauen, und ihre brüske Art und ihre Launen hielten viele Leute auf Distanz. Folglich beschloss sie, dass sie niemanden mochte, und ging nicht mehr aus, und

Ned, der es satt war, den ganzen Tag im Bett zu liegen und einander anzustarren, begann etwas von seiner Unabhängigkeit zurückzufordern.

Und da begann alles schief zu laufen.

Verrückte Monica. So hatten sie schließlich alle genannt. Alle, die Zeugen ihres psychotischen Verhaltens geworden waren, die das Sirren von Neds Handy alle zehn Minuten gehört hatten, wenn sie ihm SMS schickte, die die hysterischen Anrufe entgegengenommen und die unangekündigten Ankünfte gesehen hatten, wenn Ned eigentlich einen Abend ohne sie hatte verbringen wollen. Sie hatte auch zwei Mädchen geschlagen. War einfach direkt auf sie zugegangen und hatte ihnen einen Kinnhaken versetzt, weil sie gedacht hatte, sie flirteten mit Ned. Im Laufe der Monate war sie seltsamer und seltsamer geworden. Sie begann sich Strähne für Strähne die Haare auszureißen, bis sie kleine kahle Stellen überall an ihrem Schädel hatte. Und sie hörte auf, richtig zu essen, und schaukelte ständig hin und her.

Ned hatte versucht, mit ihr zu reden – es war offensichtlich, dass sie zutiefst unglücklich war. Er hatte versucht, sie dazu zu überreden, nach Hause zu fahren. Er hatte ihre Eltern angerufen und lange mit ihnen über ihre verwirrte älteste Tochter geredet. Doch sie weigerte sich anzuerkennen, dass etwas nicht stimmte. Er beendete sogar mindestens dreimal die Beziehung, versuchte es mit massiven Mitteln, stellte sich vor, er sei es, der sie so unglücklich machte. Doch sie tat so, als verstehe sie nicht, und am nächsten Tag war sie wieder da, vor seinem Büro, auf der anderen Seite der Bar, am Strand, und starrte ihn aus diesen wimpernlosen Augen an.

Also war er gegangen. Nun ja – er war abgehauen, um ehrlich zu sein. Er hatte schon seit einer Ewigkeit nach Hause kommen wollen, und dann, als Dad ihm die E-Mail wegen Moms Überraschungsparty geschickt und angeboten hatte, sich an seinem Ticket zu beteiligen – nun, da hatte er nur ungefähr dreißig

Sekunden gebraucht, um sich zu entscheiden. Er hatte Monica eine Nachricht hinterlassen, versucht, alles zu erklären, doch er wusste, dass es wirklich nicht genug gewesen war. Er schuldete ihr mehr als das.

Er schluckte und versuchte, ein Stück Toast herunterzubekommen, doch es blieb ihm in der Kehle stecken. Er spülte es mit lauwarmem Tee herunter und schlug die Augen wieder nieder, dabei wurde ihm heiß vor Scham und Schuldgefühlen. Doch dann erinnerte er sich daran, dass es nicht seine Schuld war. Er hatte sein Bestes getan. Er hatte es drei Jahre lang versucht. Es war nicht seine Schuld, dass sie verrückt geworden war. Nun ja, man hat ein gewisses Maß an Verantwortung in einer Beziehung, das ist offensichtlich – aber an einem bestimmten Punkt, wenn der andere einfach völlig irre geworden ist, wenn man alles versucht hat, was einem auch nur einfallen kann, um diesen Menschen glücklich zu machen, wenn dieser Mensch in keiner Weise mehr als Mensch erkennbar ist, *dann* ist es doch sicher nicht mehr deine Verantwortung, oder? Oder?

Und wie seltsam es war, dachte Ned, den Planeten durchkreuzt zu haben, um auf der anderen Seite der Welt unter Fremden und weg von der Familie zu leben und dann festzustellen, dass das einzig Komische der Mensch war, mit dem man gegangen war.

Abendessen bei Mickey's

Hallo?«

»Sean – hier ist deine Mum. Ich störe dich doch nicht, oder?«
Das sagte sie zurzeit *immer*, als ob er ein irres, intensives Genie sei, das die Nächte durcharbeitete und sich ständig inmitten eines nicht zu stoppenden Bewusstseinsstroms befand.
»Nein«, antwortete er und ließ die Tüte von Tiffany's auf den Boden fallen. »Bin gerade reingekommen.«
»Also heute Abend nicht bei Millie?«
»Nein, sie muss Beurteilungen schreiben, und ich muss Wäsche waschen.«
»Gut. Hör zu. Hast du heute Abend frei?«
»Ähem, ja, ja. Ich glaube schon. Warum?«
»Ich und Tony und dein Dad gehen zu Mickey's. Zum Abendessen. Willst du auch kommen?«
»Natürlich komme ich.«
»Und Millie?«
»Nein, ich habe es doch gesagt. Millie ist heute Abend zu Hause.«
»Na ja, könnte sie nicht einen Bus nehmen oder so?«
Sean hob die Augenbrauen zur Decke. Auf welchem Planeten lebten Mütter eigentlich? »Mum, sie wohnt in Paddington. Sie wird kaum durch halb London reisen, nur um einen Teller halbgares Fleisch bei Mickey's zu essen.«
»O Sean, mein Lieber, ich weiß, du versuchst, die Dinge gelassen zu sehen, und ich will auch keinen Druck auf dich ausüben,

aber es ist nun fast zwei Monate her. Ich wette, du hast *ihre* Eltern schon kennen gelernt, oder?«
»Nein, tatsächlich habe ich das noch nicht …«
»Und ich bin sicher, Millie stirbt wahrscheinlich dafür, uns inzwischen kennen zu lernen – herauszufinden, woher du kommst. Bitte, Sean. Und außerdem – ich habe eine Überraschung für dich. Eine große. Eine, die, wie ich glaube, Millie auch gefallen wird.«
»Mum, sie kommt nicht. Okay?«
»Wir werden brav sein – versprochen. Ich werde sogar ein bisschen aufräumen. Wir werden dich nicht in Verlegenheit bringen.«
»Schau. Ich werde sie bald mitbringen. Ich verspreche es. Nur nicht heute Abend, das ist alles.«
»Wie wäre es mit nächster Woche? Tonys Geburtstag? Sie wird doch dahin kommen, oder?«
»Gott, Mum, ich weiß es nicht.«
»Ach, komm schon, Sean – Tony hat gesagt, er hat sie eingeladen. Sie muss kommen.«
»Schau mal. Ich werde mit ihr darüber reden. Wir werden sehen.«
»Gut, gut. Wie läuft es mit dem Schreiben?«
Sean spürte, wie er sich versteifte. »Schön«, antwortete er ausdruckslos, »gut.«
»Na ja, ich will dich nicht davon abhalten, Sean. Bis heute Abend.«
»Ja, Mum – bis heute Abend.«
Sean seufzte und legte den Hörer auf. Nie zuvor hatte er Bedenken gehabt, seiner Mum und seinem Dad ein Mädchen vorzustellen – er war stolz wie Oskar auf seine Mum und seinen Dad und auf das seltsame Bohemeleben, in das er geboren worden war. Doch es war einfach diese Sache mit Millie … es war so perfekt, so kostbar, und er hatte Angst davor, es irgendeiner Art

von Untersuchung unterziehen zu lassen für den Fall, dass es dann einfach im Äther verschwinden und um ihn herum zusammenbrechen könnte. Doch Sean war auch realistisch genug, um zu wissen, dass ihre Beziehung nicht ewig in einem Vakuum existieren konnte. Bis jetzt war ihre Liebe unter Glas erblüht; er würde sie schließlich in der wirklichen Welt einpflanzen und sehen müssen, was passierte – nur eben noch nicht jetzt.

Tony war schon in einer komischen Stimmung, noch bevor alle angekommen waren. Er hatte ein nervöses, unbehagliches Gefühl, als ob seine Kleider zu eng wären, als ob es einfach nicht genügend Sauerstoff in der Atmosphäre gäbe. Ness war viel zu nahe bei ihm, und er rutschte ein bisschen hinten im Taxi herum und hoffte, dass sie die Botschaft verstehen würde. Doch Ness war in toller Stimmung. Ness war *immer* in bester Laune, besonders wenn sie seine Eltern besuchten. Ihre Eltern waren beide tot, und sie hatte die Familie London vom ersten Moment, als sie sie kennen gelernt hatte, lauthals in ihr Herz geschlossen. Sie und Bernie waren von Anfang an beste Freundinnen und gingen sogar ab und zu alleine aus, worüber Tony sich ein bisschen Gedanken machte. Ness und Bernie sahen sich sogar ein klein wenig ähnlich mit ihren gelben Haaren, den langen Beinen und ausgeprägten Gesichtszügen. Nur dass Mum natürlich zehnmal besser aussah als Ness, sogar mit fünfundfünfzig.

Die Haustür von Nummer 114 ging auf, bevor sie auch nur die Möglichkeit zu klingeln hatten, und Mum begrüßte sie in einer roten Samtbluse, das Haar zu einem Knoten geschlungen, und einem Glas Wein in der Hand.

»Bernie!« Ness schlang die Arme um sie und umarmte sie fest. »Du siehst wunderbar aus – woher hast du diese Bluse? Sie ist einfach *toll.*«

»River Island!«, rief Bernie vergnügt aus. »Reduziert von 23,99

Pfund auf zwölf Mäuse! Sie ist hübsch, nicht wahr?« Sie tanzte ein wenig umher, um mit der günstigen Bluse anzugeben.
»Jetzt mach die Augen zu«, befahl sie Tony und schloss die Tür, »und nicht gucken.«
»O Gott. Muss ich wirklich?«, stöhnte Tony.
»Komm schon, mach, was ich dir gesagt habe.«
Tony schloss widerwillig die Augen und ließ sich von seiner Mum in die Küche führen. Tony konnte das tröstliche Aroma von Dads Selbstgedrehten riechen, und er konnte Goldies ausgewachsene Krallen über den Holzboden klacken hören.
»Okay – jetzt kannst du sie wieder aufmachen.«
Langsam öffnete er die Lider und konnte zuerst nur den verschwommenen Umriss von jemandem ausmachen, der am Küchentisch stand. Und dann klärte sich seine Sicht, und er sah einen schlaksigen Kerl mit Bart und schulterlangem Haar, der ihn angrinste.
»Alles 'n Ordnung?«, fragte der hagere Kerl.
Tonys Gesicht weitete sich zu einem breiten Grinsen. »Ned!«
Sie gingen durch die Küche aufeinander zu und umarmten sich so heftig, dass ihre Rippen krachten. »Jesus, Ned. Was machst du hier? Bleibst du jetzt hier? Du weißt schon? Oder bist du …?«
»Ich bin für immer zurück. Für immer.«
Sie trennten sich und sahen sich liebevoll an, ihre Augen suchten nach einem körperlichen Beweis für die drei Jahre, die vergangen waren, seit sie sich das letzte Mal gesehen hatten. Und in Neds Fall gab es eine Menge. Falten hatten sich in seinen Augenwinkeln gebildet, sein Adamsapfel war weicher geworden, und es gab eindeutig mehr Fleisch unter diesem sackartigen T-Shirt. Er war als ein Junge gegangen und als Mann zurückgekehrt. Nun ja, so sehr Mann, wie ein hagerer, bebrillter Typ wie Ned jemals zu werden hoffen konnte.
»Was, zum Teufel, ist mit deinem Haar los?«

»Was?« Ned fuhr mit einer Hand hindurch.
»Du siehst aus, als ob du eine verdammte Perücke trägst.«
»Ach, fang *du* nicht auch noch damit an. Mum und Dad haben sich schon darüber aufgeregt. Was hältst du aber von dem Bart, hä?« Nachdenklich fuhr er darüber. »Cool, oder?«
»Die Brandung steigt«, kicherte Tony und mimte einen Surfer, der auf seinem Board balancierte.
»Du musst gerade reden«, gab Ned zurück, packte Tonys Bauch und ließ ihn auf und nieder hüpfen. »Himmel, du bist fett geworden.«
Tony grinste über die Beleidigung – komischerweise tat es nicht weh, wenn es von Ned kam. Und dann bemerkte er die Gestalt, die wartend neben ihm stand. »O Gott. Tut mir Leid«, sagte er und trat zur Seite. »Ned, das ist Ness, meine Freundin.« Er betrachtete Neds Gesicht, als er die Anwesenheit von Ness in sich aufnahm, die altmodischen Klamotten, die leicht schiefen Zähne und das völlige Fehlen jeglicher Ähnlichkeit mit seiner Exfrau. »Ness, das ist Ned.«
»Neeeein«, sagte Ness sarkastisch, verdrehte die Augen und beugte sich vor, um Ned auf die Wange zu küssen. »Wie fantastisch, dich endlich kennen zu lernen.«
»Freut mich auch sehr«, erwiderte Ned, »du bist mir sehr empfohlen worden.«
»Ach ja?«
»Ja – Mum hat sich ständig über dich ausgelassen. Sie denkt, du bist Tonys Retterin.«
Ness errötete angenehm erfreut, und Tony merkte, wie er vor Zorn hochfuhr. Retterin? Was, zum Teufel, sollte das denn?
Man hörte Fingerknöchel an die Haustür klopfen.
»Oh, das wird Sean sein. Okay jetzt, alle mal ruhig sein.« Bernie legte den Finger an ihre Lippen und ging zur Tür.
»Hallo, mein Engel«, konnten sie sie sagen hören. »Jetzt mach die Augen zu, Seany – ich habe eine Überraschung für dich.«

»Alle meine Jungs, alle zusammen, es ist wie im Himmel.« Bernie sah aus, als ob sie aus reiner Freude in Ohnmacht fallen müsste, während ihre Augen um den Tisch herum und von Sohn zu Sohn schweiften.
»Mickey«, sagte sie zu dem dunkelhaarigen Mann, der in Besitzerpose an der Kasse stand, »schau nur – alle meine Jungs.«
»Aah«, machte Mickey, der aufmerksam wurde und zu ihrem Tisch kam, »ich sehe.«
Tony war sich nie ganz sicher, ob Mickey seine Familie wirklich mochte oder ob die Gutmütigkeit und die Vertrautheit nur Teil einer glatten PR-Angelegenheit waren. Die Londons kamen zu Mickey, seit Tony ein Baby gewesen war. Das Mickey's war der erste Grieche gewesen, der im Viertel aufgemacht hatte, und eine Zeit lang war es das beliebteste Restaurant in der Gegend gewesen. Alle jungen Paare der Umgebung kamen samstags abends her, um ihre Ferien am Mittelmeer nachzuerleben. Als Kinder waren die Jungen jeden Samstagabend bei Mickey gewesen, manchmal nur mit der Familie und manchmal mit ihren Freunden; sie kamen nicht nur wegen des Essens her, sondern auch wegen der »Unterhaltung« – Musiker, Tänzer, Tellerzerschmeißen. Doch heutzutage kamen sie nur noch zu besonderen Gelegenheiten: an Geburtstagen, bei Beförderungen, Verlobungen – und der Rückkehr von jüngsten Söhnen.
»Also«, sagte Mickey und strahlte die Familie gütig an, während seine Hand auf Tonys Stuhl ruhte, »wo Sie sich versteckt haben, Mr. Ned? Warum Ihre Mutter so lange alleine lassen? Ihre Mutter, sie hat Sehnsucht – große, große, große Sehnsucht.«
»Sag's ihm nur, Mickey«, meinte Bernie gutmütig. »Drei Jahre war er weg – *drei Jahre*.«
Mickey gab übertrieben empörte Geräusche von sich und hob die Hände zur Decke. »Ich sag dir, wenn einer meiner Söhne das macht – andere Seite der Welt, drei Jahre, kein Besuch – Mrs.

Mickey würde wahrscheinlich *sterben*, an gebrochenes Herz.« Er umklammerte mit der Hand seine Brust, um das Brechen von Mrs. Mickeys Herz zu demonstrieren. Mickey neigte zum Melodrama, noch ein Charakterzug, von dem Tony nie sicher war, ob er echt oder Teil einer raffiniert ausgearbeiteten Rolle war. Die ganze Familie ging von der Annahme aus, dass Mickey die Londons *liebte*, doch im Grunde hätte er auch in seiner Freizeit mit Dartpfeilen nach ihnen werfen oder Nadeln in Voodoo-Puppen stecken können. Tony traute keinem, der in der Lage war, Geld mit ihm zu verdienen. Niemals. Sie hatten zu viel zu gewinnen, indem sie nett zu einem waren.

»Was Sie haben getan in Aussieland in drei Jahre, Mr. Ned? Gehen surfen, ja?«

Ned zog ein Gesicht und wollte schon antworten, als Mickey sich plötzlich umdrehte, um einen Gast zu begrüßen, der gerade hereingekommen war. Noch ein zutiefst geliebter Gast, wenn man nach dem Ausdruck der Freude und des Entzückens ging, der sich auf seinem Gesicht ausbreitete.

»He, Mr. Gervase!«

Tony drehte sich auf seinem Platz um. Gervase. Toll. Verdammt toll. Konnte diese Familie zurzeit nichts alleine tun, ohne dass diese Vogelscheuche auch auftauchte?

»Schon gut, Mickey – wie geht's, wie steht's?« Die beiden Männer schüttelten sich warm die Hände, und Gervase zog seine Lederjacke aus und nahm den leeren Platz zwischen Bernie und Ness ein. »Tut mir Leid, dass ich zu spät komme, Bern.« Er küsste sie auf die Wange, und sie errötete vor Freude.

»Das macht doch nichts, mein Lieber. Wir haben noch nicht bestellt.«

Tony fing Neds Blick auf. Er besagte: »Was, zum Teufel, soll das denn?« Tony schüttelte leicht den Kopf und schickte ihm einen Blick zu, der sagen sollte: »So stehen die Dinge im Augenblick, und mir gefällt es ebenso wenig wie dir.«

»Alles in Ordnung, meine Schöne?« Gervase beugte sich zu Ness und gab ihr einen dicken Schmatzer auf die Wange.
Ness strahlte, und Tony starrte sauer auf seine Speisekarte. Das war *ihr* Restaurant. Das Restaurant der Londons. Hierher kamen sie als Familie.
Offenbar hatte ihn Mum im Pub kennen gelernt, dem Lokal, wo sie mittwochs abends sang, und sie waren »ins Plaudern gekommen« –was immer das bedeuten sollte. Er hatte ihr irgendeine herzzerreißende Geschichte erzählt, dass seine Freundin ihn rausgeschmissen habe und dass er seine letzten fünfzig Kröten für ein Hotelzimmer ausgeben wolle, und da hatte sie gesagt: »Oh, seien Sie nicht dumm, wir haben ein ganzes Haus voller Zimmer – warum wohnen Sie nicht bei uns?« Und nun war er immer noch da, fast zwei Monate später. Mum und Dad wussten nicht mal, womit er seinen Lebensunterhalt verdiente. »Das geht uns nichts an«, sagte Mum immer.
»Er wohnt, verdammt noch mal, in unserem Haus, Mum – unserem Haus. Er ist in Neds Zimmer, verdammt noch mal – natürlich geht es uns etwas an.«
Mum schürzte dann nur die Lippen und seufzte. »Ich kann es nicht erklären, mein Lieber«, sagte sie, »es scheint nur einfach das Richtige gewesen zu sein. Er hat nichts anderes, wohin er gehen kann.« Dad war am Anfang etwas unsicher gewesen. Hatte nur die Achseln gezuckt und gesagt: »Eure Mutter scheint ihn ziemlich zu mögen«, als Tony es infrage gestellt hatte, dass ein völlig Fremder in ihrem Haus wohnte. Doch nun schien er sich mit dem Kerl zu verstehen. Er hatte ihm sogar Gelegenheitsarbeiten gegeben, bei denen er mit dem Lieferwagen Waren ausfuhr.
Gervase plauderte gerade mit Gerry über irgendeine Lieferung, die er heute für ihn gemacht hatte, über irgendeine ausgetickte Frau am Lansdowne Square, die ihn seine Schuhe hatte ausziehen lassen, bevor er ins Haus durfte, und Ness und Bernie lach-

ten sich halb tot, als ob es das Lustigste wäre, was sie jemals gehört hatten. Tony wandte sich wieder an Ned, und sie zogen noch mehr genervte Grimassen. Gerry zischte sie an: »Untersteht euch, ihr zwei«, und sie hielten sich die Hände vor den Mund und taten so, als sähen sie betreten drein, traten sich unter dem Tisch gegenseitig ins Schienbein und unterdrückten Gekicher.

»Ehrlich«, murmelte Gerry, »wie zwei Gören.«

Tony warf einen Blick auf Sean, um zu sehen, ob er sauer über den unerwünschten Eindringling am Tisch war, doch der war vertieft in seine Speisekarte und rieb sich geistesabwesend sein Ohrläppchen. In einer anderen Welt. Wie immer. Wahrscheinlich in Gedanken wieder bei Millie, dachte er. Wahrscheinlich stellt er sich wieder vor, was er mit ihr machen wird, wenn er heute Abend nach Hause kommt. Sitzt wahrscheinlich da und denkt: Himmel, bin ich nicht der glücklichste Kerl auf der Welt mit meinem Bestseller und meinem flachen, harten Bauch und meiner fantastisch sexy Freundin und … O Gott. Tony nahm sich zusammen. Seine Serviette war in seinen Händen zu einem Knäuel zusammengeknüllt, und er fühlte, wie er von einer Reihe unerfreulicher Gefühle überschwemmt wurde. Eifersucht, sagte er sich. Nicht gut. Unattraktiv. Vor allem, wenn sie gegen den eigenen kleinen Bruder gerichtet ist, den man mehr liebt als das Leben selbst …

Hör auf.

Sofort.

Hör damit auf.

Er achtete auf seine Atmung, richtete seine Manschetten und sah wieder zu seinem Bruder. Sean. Kleiner Seany. Seany, der angekommen war, als Tony vier Jahre alt war, und der die beste Überraschung seines Lebens gewesen war. Er erinnerte sich daran, wie er gedacht hatte, dass der neue Bruder oder die Schwester eine Art schleimiges grünes Monster sein würde, und der

Meinung war, dass es wohl so sein musste, wenn es neun Monate in Mums Bauch gelebt hatte. Er war entsetzt über diese Aussicht gewesen, und dann hatte Dad ihn zu Mum und dem neuen Baby im Krankenhaus gebracht, und er war nur ein kleines rosafarbenes Kind gewesen, ein harmloses kleines rosafarbenes Kind mit großen Ohren und hervortretenden Augen.

Sean, dachte er, kleiner Seany. Mein kleiner Bruder …

»Also, du und, äh … Millie« – er milderte den Ton seiner Stimme und versuchte lässig zu klingen, war aber immer noch überzeugt, dass er ihren Namen mit jeder Nuance von der Lust umhüllt hatte, die er für sie empfand. »Ihr kommt doch immer noch am Samstag, oder?«

Sean sah ihn verständnislos an.

»Mein Geburtstag.«

»Ach ja. Klar. Nun ja, *ich* komme. Bin mir noch nicht sicher wegen Millie.«

»Oh«, sagte Tony und versuchte die Enttäuschung in seiner Stimme zu verbergen, »wieso das?«

Sean zuckte die Achseln.

»Er schämt sich für uns«, mischte sich Bernie ein.

»Mum! Tue ich nicht. Ich habe dir doch gesagt …«

»Er hat sonst nie so lange gewartet, bis er ein Mädchen nach Hause gebracht hat. Es war immer der erste Ort, an den er sie mitgenommen hat. Komm rein, das ist meine Mum, das ist mein Dad, fühl dich wie zu Hause. Diese hier ist offensichtlich zu gut für uns.« Sie blinzelte, um sicherzustellen, dass alle wussten, dass sie Witze machte, doch Sean bemerkte es nicht.

»Mum! Das ist es nicht. Es ist nur … diese hier ist anders. Sie ist älter. Und – unabhängiger. Sie hat ein ganz eigenes Leben. Ein großes Leben. Es ist nur … ich will es locker angehen, ihr ihren Raum lassen. Das ist alles.«

»Seht ihr«, sagte Bernie triumphierend, und ein leises Lächeln umspielte ihre Lippen, »schämt sich für uns.«

»Wie ist sie denn?«, fragte Ned, dessen Neugierde nun erwacht war.
»Sie ist in Ordnung.«
»Wow«, sagte Ned scherzhaft, »sie klingt toll.«
»Nein – ich meine, sie ist toll. Sie ist witzig, und sie ist schlau und sie ist cool. Wirklich cool. Tony hat sie kennen gelernt, frag ihn.«
Tony erbleichte. »Was?«, murmelte er.
»Was hältst du von Millie?«
»Gott, ich weiß nicht. Wir haben uns nur fünf Minuten gesehen. Sie schien sehr nett zu sein.«
»Schick«, meinte Ness und rettete Tony damit unabsichtlich vor sich selbst, »sie ist sehr schick.«
»Schick, häh?«, machte Ned grinsend, »wie schick? Victoria-Beckham-schick? Oder Tara-Palmer-Pompom-schick?«
»Nein, nein«, widersprach Ness »nichts dergleichen. Nicht dieser blaublütige Schick. Mehr wie bei Schauspielerinnen. Weißt du, an wen sie mich tatsächlich erinnert? Das Mädchen, das mit Neil Morrissey ausging?«
»Was – Amanda Holden?«, fragte Bernie.
»Nein, die andere. Mit dem dunklen Haar. Rachel irgendwas ...«
»Rachel Weissz?«
»Ja! Die war's. Sie ist wie eine etwas ältere Version von ihr. Sie ist fantastisch. Und hat Klasse. Echte Klasse.«
»Oooo-ooooh«, sagte Ned, »hab's kapiert. Du bist inzwischen ein bisschen in der Welt aufgestiegen, oder? Brauchst es nicht mehr, um ein Mädchen mit Klasse zu erobern, mmh? Man muss nur ein blödes Buch schreiben?«
»Nein«, antwortete Sean, verschränkte die Arme und sah Ned spielerisch an, »es hilft auch, wenn man unglaublich gut aussehend ist und ausgestattet wie ein wolliges Mammut ...«
Und in genau diesem Augenblick wurden Tonys Gefühle brü-

derlicher Zuneigung zu widerlich grüner Eifersucht. Er atmete tief durch, lockerte die Fäuste, sah auf seine Speisekarte und beschloss, dass ihm heute Abend ein Kleftiko sehr zusagen würde.

Tod durch Korkenzieher

An seinem ersten Morgen nach seiner Rückkehr nach England wurde Ned um elf davon geweckt, dass Gervase sich im Flur seine Nebenhöhlen frei räumte. Himmel noch mal, dachte er, kann bitte jemand diesen Mann zum Hals-Nasen-Ohren-Arzt bringen und ihm die Polypen rausnehmen lassen, verdammt noch mal.

Er hörte die Haustür zuknallen und Gervase die Vordertreppe hinuntertorkeln, und dann rollte er sich auf die Seite und schrie vor Schmerz auf, weil er spürte, wie sich etwas Spitzes in seinen Hüftknochen bohrte. Er tastete unter seinem Körper und zog einen Korkenzieher heraus. Scheiße – er hätte ihn umbringen können, hätte ein lebenswichtiges Organ treffen und in der Nacht langsam ausbluten lassen. Das wäre schön für Mum und Dad gewesen, dachte er, wenn sie am Morgen heruntergekommen wären und ihren verlorenen Sohn blutleer und tot auf dem Sofa vorgefunden hätten. Er schleuderte den Korkenzieher wütend durchs Zimmer. Das hier lief schief – völlig schief. Seine erste Nacht zu Hause nach drei langen Jahren in der Ferne, und er hatte auf dem verdammten Sofa schlafen müssen. Ja – seine eigene, seine wirkliche Mutter hatte ihren jüngsten Sohn, ihr *Baby*, auf dem Sofa schlafen lassen, während dieses Weichhirn von einem Irren in *seinem* Bett und in *seinem* Zimmer geschlafen hatte.

»O nein, Ned, mein Süßer. Es ist nicht fair, ihn jetzt gleich rauszuschmeißen, ohne Vorwarnung. Wir werden morgen Tonys

Zimmer für ihn ausräumen, mein Lieber, dann kannst du dein Zimmer wiederhaben.«
»Aber was ist mit heute Nacht? Wo soll ich heute Nacht schlafen?« Neds Stimme war zehn Oktaven höher geworden, und er hatte gemerkt, wie er schnell in die Kindheit zurückverfiel, als sich seine Kehle zuschnürte und Tränen zu fließen drohten.
»Hmm, na ja, Seanys Zimmer kommt nicht infrage – dein Dad hat seine alte Norton darin. Wir könnten eine Matratze auf den Boden in Tonys Zimmer legen ...?«
»Auf keinen Fall. Darin stinkt es nach Pisse. Und die Wände sind alle mit alten Kobolden bedeckt.«
»Na ja, dann wirst du das Sofa nehmen müssen.«
»Das Sofa! Aber Mum – das ist nicht fair. Ich bin, sagen wir, seit zweiundsiebzig Stunden unterwegs. Das wird meinem Jetlag nicht gerade gut tun.«
»Ich weiß, mein Lieber, und es tut mir auch Leid, aber ich kann nichts daran ändern – du könntest immer noch raufkommen und in unserem Bett schlafen, wie damals, als du noch klein warst.«
»Mum!«
»Ein Scherz, Ned – ein Scherz.«
Und Ned hatte gelächelt, nicht über den Scherz, sondern über die unbehagliche Erkenntnis, dass ein kleiner, tief sitzender, unbestimmter Teil von ihm tatsächlich im Bett seiner Eltern schlafen *wollte*, sich zwischen sie schmiegen und die ganze Nacht hören wollte, wie sie atmeten.
Du kranker, armseliger Bastard, dachte er bei sich, kein Wunder, dass deine Freundin wahnsinnig geworden ist.
Also hatte er eine furchtbare Nacht auf dem Sofa verbracht, hatte sich hin und her gewälzt und war alle halbe Stunde aufgewacht trotz der drei Nytols, die seine Mutter ihm zum Einschlafen gegeben hatte. Er hatte Dutzende von kurzen, intensiven Traumfetzen, die vor allem mit Monica zu tun hatten. Und dann

war er endlich kurz nach fünf Uhr in einen tiefen Schlummer gefallen.
Er taumelte durch den Flur in die Küche. Seine Mum hatte sein Frühstück hingestellt und ihm eine Nachricht hinterlassen, in der stand: »Wollte dich nicht wecken – versuch, nicht bis heute Abend zu schlafen. Bis nachher. Mum.«
Ned knabberte halbherzig an einem Toast und wanderte eine Zeit lang ziellos durchs Haus, wobei er versuchte, sich zurechtzufinden und sich normal zu fühlen. Was ihm nicht gelang. Er fühlte sich fremd und komisch, gefangen zwischen zwei Orten, die beide einmal wie ein Zuhause gewesen waren, sich jetzt aber anfühlten, als ob sie um ein, zwei Grad um ihre Achse geschoben worden waren. Alles schien leicht aus der Fassung geraten zu sein.
Er hatte gewusst, dass sich einiges geändert hatte, als er fort gewesen war, natürlich hatte er das, aber es war trotzdem seltsam, Tony ohne Jo zu sehen. Tony und Jo waren seit Neds Teenagerzeiten zusammen gewesen. Jo war ein Fitness-Freak und ließ Tony Dinge tun wie joggen und ins Fitnessstudio gehen. Sie war wie er besessen von ihrer Arbeit, und als Paar hatten sie Erfolg, Disziplin und Teamwork verströmt. Doch nun war Tony – nun ja, er war mittleren Alters und fett. Und irgendwie … *traurig*. Seine neue Freundin aber war toll – Ness war ganz anders als Jo. Während sie klein und lebhaft gewesen war und kurzes dunkles Haar, perfekt aufgetragenes Augen-Make-up und ein Handy gehabt hatte, das ständig an ihrem Ohr klebte, war Ness groß und schlaksig, hatte wildes blondes Haar und ein ständiges, riesiges Lächeln. Während Jo immer Dinge wie »ein wenig Fisch und Salat« bestellte und alles auf ihrem Teller herumgeschoben hatte, bestellte Ness große Stücke roten Fleisches und aß mit Appetit, kippte Gläser voller Rotwein herunter und redete mit vollem Mund. Sie war auf eine präraffaelitische Art – etwa à la Charlie Dimmock – absolut wundervoll, mit hellgrünen

Augen und unglaublichen Beinen. Mum betete sie offenbar an, und sie schien sogar irgendeine Beziehung zu Gervase aufgebaut zu haben – doch Tony hatte sie so gut wie nicht beachtet. Tony war nie gerade der große Unterhalter gewesen, doch selbst nach seinen eigenen leicht trübseligen Maßstäben, war er gestern Abend ein völliger Miesepeter gewesen. Die Scheidung hatte ihn offensichtlich richtig hart getroffen, und vielleicht war die Beziehung mit Ness eine Art Reaktion darauf. Doch was immer es auch war, das Tony beunruhigte, es war unglaublich verstörend, den Fels in der Familie so … *verloren* zu sehen.

Und dann war da Sean. Mist, es war alles einfach irre! Er sah einfach *berühmt* aus – Ned konnte es nicht anders erklären. Sean hatte immer wie ein Typ ausgesehen, ein Typ mit ein paar Klamotten an und ein paar Haaren, und das war es auch schon. Doch nun hatte er dieses *Strahlen* um sich. Seine Zähne schienen besonders weiß zu sein und sein Haar sah besonders dicht aus. Und er hatte so viel mehr Selbstvertrauen. Sean war immer das Sensibelchen der Familie gewesen, derjenige, der immer alles falsch verstand. Er trödelte herum wie Ned, trug Klamotten, die er seit drei Jahren hatte, verrichtete blöde Jobs, sah amerikanisches Fernsehen auf Sky One und aß, was Mum kochte. Sean war vorher noch nie verliebt gewesen. Niemals. Nun ja, nicht seit er fünfzehn gewesen war und Lindsey Morrow ihm das Herz gebrochen und ihn vor der ganzen Schule gedemütigt hatte. Seit damals war er Mr. Cool gewesen, was Beziehungen anging – die Mädchen kamen und gingen, und Sean schien es kaum zu bemerken. Doch nun war er voller Glanz und zufrieden und *verliebt*. Ned hatte plötzlich das Gefühl, als wäre Sean schrecklich viel älter als er und schrecklich viel reifer, und er konnte sich nicht ganz vorstellen, wo er noch in Seans neues Leben hineinpassen sollte. Der Gedanke machte ihn unglaublich traurig.

Mum und Dad jedoch – sie waren, Gott sei Dank, immer noch die Alten. Immer noch stark und glücklich, immer noch das perfekte Paar und die Menschen, die er auf der Welt am meisten achtete und liebte. Ned hatte den Leuten in Australien Mum und Dad zu beschreiben versucht, doch es war ihm nie gelungen, ihnen gerecht zu werden. Sie sind die tollsten und coolsten Menschen auf der Welt, wollte er sagen, sie lieben sich wirklich und lieben ihre Kinder, und sie lachen die ganze Zeit miteinander. Sie gehen immer noch aus und trinken und treffen sich mit Freunden und verbringen die Wochenenden zusammen in Hotels. Sie kabbeln sich, aber sie streiten nicht, sie nehmen sich die ganze Zeit wahr, doch sie geben sich auch gegenseitig Raum, um ihr eigenes Leben zu leben. Sie fluchen und furzen und lassen uns erzählen, wie sturzbetrunken wir am Vorabend waren oder wie bekifft wir am Wochenende waren, ohne dabei zu denken, dass wir drogenabhängige und alkoholkranke Versager werden. Sie sind so, wie jedes Paar sein sollte. Sie sind meine Helden.

Das einzig Verstörende an Mum und Dad gestern Abend war gewesen, dass sie beide etwas älter aussahen. Mum hatte mehr Grau in ihrem goldenen Haar, und Dad schien geschrumpft zu sein. Sie gingen beide auf die sechzig zu; sie wurden beide alt. Die Erkenntnis ließ Ned an all die schrecklichen Dinge denken, die Eltern passieren konnten, Dinge wie Krebs und Herzinfarkt und Alzheimer. Der Gedanke, dass Mum und Dad nicht ewig da sein würden oder nicht so wären wie jetzt, machte Ned ängstlich und verwundbar.

Er sah wieder auf seine Uhr. Halb zwölf. Ein ganzer, einsamer, leerer Tag erstreckte sich vor ihm, an dem er nichts anderes zu tun hatte, als sich Sorgen über Mon zu machen und sich unwohl zu fühlen. Er musste mit jemandem reden, sich ablenken lassen. Er brauchte etwas anderes, an das er denken konnte.

Carly, dachte er erleichtert, das brauchte er. Ein bisschen Carly.

Neds Gedanken hatten sich, während sich seine Beziehung zu Monica zusehends verschlechterte, immer öfter Carly zugewandt. Der sanften Carly, die nie die Beherrschung verlor oder seltsame Dinge tat. Der süßen Carly, die in jeder Hinsicht absolut normal war. Er fragte sich, was sie wohl machte und wie es ihr ging und mit wem sie ging. Er fragte sich, ob sie ihn wohl jemals vermisste und wie sie reagieren würde, wenn er eines Tages auf ihrer Schwelle auftauchen würde. Er versuchte es sich vorzustellen, versuchte sich ihr breites Gesicht und ihre großen Augen und ihr seidiges braunes Haar vorzustellen, das sie zu einem Pferdeschwanz gebunden trug. Er sah im Geiste, wie sie ihr Gesicht in Falten legte und die Arme über ihrer großen, weichen Brust verschränkte und eine Zeit lang so tat, als sei sie wütend auf ihn, bevor sie es aufgab und ihn in eine große, warme, *normale* Carly-Umarmung schloss.

Vielleicht wären sie eine Zeit lang Freunde, oder vielleicht würden sie auch gleich ins Bett hüpfen und schönen, *normalen* Sex haben, ohne sich anzustarren und sofortigen Orgasmus und komischen Kram, nur einfach guten altmodischen Ned-und-Carly-Sex. Aber in Neds Fantasie war es eigentlich egal, was sie taten, denn einfach mit Carly zusammen zu sein wäre genug, genug, damit er sich wieder normal und richtig und *zu Hause* fühlte.

Er zog sein altes Adressbuch heraus und blätterte zur Seite mit »C«: Da waren sie, alle Nummern von Carly aus all den Jahren, mit verschiedenen Kugelschreibern geschrieben. Die Nummern ihrer Eltern, ihrem Job in der Bar, ihrem Job bei Dorothy Day Fashions, ihrer Wohnung in Gipsy Hill. Alle Phasen ihres Lebens. Und sie waren alle so vertraut, Zahlenfolgen, die er tausend-, zweitausendmal gewählt hatte. Er versuchte es zuerst an ihrer Arbeit.

»Guten Morgen, hier ist Dorothy Day Fashions.«

»Oh. Ja, hallo. Kann ich bitte mit Carly sprechen?«

»Carly wer?«

»Carly Hilaris.«

Er hörte, wie sie mit Papieren raschelte.

»Tut mir Leid – hier ist niemand, der so heißt.«
»Was! Aber, sind Sie sicher?«
»Ja, tut mir Leid.«
»Können Sie noch mal schauen – sie arbeitet in der Schneiderei.«
»Neeta«, hörte er sie jemand anderem zurufen, »erinnerst du dich an eine Carly, hat in der Schneiderei gearbeitet?« Sie sprach wieder mit ihm. »Sie hat offenbar vor drei Jahren gekündigt.«
Gekündigt? Bei Dorothy Day Fashions? »Gott. Sie hat gekündigt. Wohin ist sie gegangen? Wissen Sie das?«
Ned hörte noch mehr gedämpftes Reden im Hintergrund.
»Nach Mexiko.«
»*Mexiko?*«
»Genau. Die Glückliche. Sie ist mit dem Rucksack losgezogen oder so.«
»Mit dem *Rucksack?*« Ned konnte es nicht glauben. Carly mit dem Rucksack losgezogen? Nach Mexiko? Aber Carly fuhr doch nicht mal gerne nach Wales. Carly gefiel es zu Hause. Das tat sie am liebsten.
»Ähm, danke, vielen Dank.« Er legte auf und fuhr sich mit den Fingern durchs Haar. Carly war in Mexiko. Oder war zumindest in Mexiko gewesen. Vielleicht war sie jetzt zu Hause. Er probierte es mit einem wachsenden Gefühl der Unsicherheit unter ihrer Nummer zu Hause. Der Anrufbeantworter sprang an, ein Mädchen namens Nadia erzählte ihm, dass sie nicht zu Hause sei, dass er aber gerne eine Nachricht hinterlassen könne, während Destiny's Child sehr laut »Survivor« im Hintergrund sang. Scheiße. Diese Möglichkeit hatte er nicht in Betracht gezogen. Es war ihm nicht in den Sinn gekommen, dass sie nicht genau da sein würde, wo er sie verlassen hatte.
Ihm fiel nichts mehr ein. Er war aufgeschmissen. Völlig aufgeschmissen. In seinen Fantasien hatte er nie weiter gedacht als

bis zu seinem Treffen mit Carly. Der Mast des Crystal Palace, Mum, Dad, Goldie, Essen bei Mickey's, Sean, Tony, eigenes Bett, *Carly*. Und da hörte es dann auf. Alles andere, hatte er angenommen, würde ganz einfach von dort an weiterfließen. Jetzt wusste er nicht, was er tun sollte.

Er streifte seine Schuhe ab, zog seine Jeans aus und kletterte wieder unter die Daunen auf dem Sofa, und er dachte, dass dieses Nach-Hause-Kommen bis jetzt in keiner Weise so war, wie er es erwartet hatte.

Sich drücken im Park

Hi – hi, wer ist da? Oh, Aliyah. Hi, hier ist Tony. Schau, ich fühle mich ein bisschen, äh … unpässlich heute, deshalb denke ich, ich werde zu Hause arbeiten. Oh – es läuft doch alles rund, oder? Ach ja, in Ordnung. Oh, okay. Also egal – wenn etwas Dringendes anliegt, können Sie mich hier kontaktieren. Ich glaube nicht, dass viel ansteht, oder? Nein. Habe ich mir schon gedacht. Ich rufe später noch mal an, nur um sicherzugehen, dass alles läuft. Ja. Okay, danke, Aliyah. Und einen schönen Tag. Ja, werde ich. Danke. Wiederhören.«

Tony atmete tief durch und wischte sich den Schweiß von der Stirn. Ja, natürlich war es völlig lächerlich, im eigenen Unternehmen blauzumachen, doch es war das erste Mal, dass er es getan hatte. In seinem ganzen Leben. Es lag einfach nicht in seiner Natur, sich gehen zu lassen. Er war ein Arbeitstier, war es immer gewesen, seit er ein kleines Kind gewesen war und sich fünf Pence verdiente, indem er seinem Dad half, altes Silber zu polieren. Tony arbeitete gerne. Er ging gerne zur Arbeit, war gerne bei der Arbeit, arbeitete gern. Er hasste Erkältungen und Husten, die ihn davon abhielten, seinen Job zu machen. Er hatte nicht mal Urlaub genommen, seit er und Jo sich getrennt hatten. Sah keinen Sinn darin. Doch in gewisser Weise *war* er heute krank. Krank im Kopf. Hatte sein Leben satt. Sich selber satt.

Liebeskrank.

Er dachte über seine Möglichkeiten nach, nun da er den Tag für sich hatte. Er konnte vielleicht joggen gehen oder ins Fitnessstudio. Er konnte das Auto zur Inspektion bringen. Vielleicht konnte er einfach auf Dulwich Common lange spazieren gehen und dann irgendwo in einem Pub etwas trinken und in Ruhe Zeitung lesen.

Und dann fiel es ihm ein – Ned, er konnte den Tag mit Ned verbringen.

Tony fühlte sich ein wenig schlecht wegen gestern Abend. Er war so sauer gewesen, weil Gervase aufgetaucht war, und jedes Mal so zerfressen von Eifersucht gewesen, wenn er Sean ansah, dass er kaum ein Wort zu Ned gesagt hatte. Er hatte mit Ned nur wenig Kontakt gehabt, seit er fort gewesen war. Er war zu beschäftigt, um E-Mails zu schicken, und die Zeitverschiebung schien immer dagegen zu arbeiten, dass er den Hörer abnahm, um zu plaudern. Und er vermisste ihn wirklich, vor allem während der Scheidung. Die ganze Familie hatte ihn umhüllt wie eine große dicke Decke, doch ohne Ned hatte es sich nicht ganz vollständig angefühlt.

Ein Teil von Tony war wütend gewesen, als Ned ging. Die London-Familie bestand aus fünf Personen – das war ihre Form: ein Fünfeck. Sie funktionierte als Rechteck nicht ganz so gut. Und wenn er wirklich ehrlich zu sich selbst sein sollte, hätte er es nicht als ganz so schlimm gefunden, wenn es Sean gewesen wäre, der gegangen wäre und ihre Familie verformt hätte, denn Ned war die Brücke zwischen Tony und Sean. Er war einer von jenen sonnigen Menschen, die mit jedem gut auskamen, und als Ned da gewesen war, hatte sich die Kluft zwischen den beiden ältesten Brüdern nicht wirklich gezeigt. Wenn sie zu dritt waren, gab es Geplänkel; wenn sie nur zu zweit waren, bestand im Ganzen eine größerere Möglichkeit des Gesprächs.

Ned zog ein Gesicht, als Tony auftauchte und ihn später am Tag in Beulah Hill abholte.

»Was ist los?«
»Mein verdammter Rücken. Mum hat mich gestern Abend aufs Sofa verbannt – wollte ihren kostbaren *Gervase* nicht aus meinem Zimmer werfen.«
Tony grollte. »Verdammte Scheiße.«
»Schönes Auto«, bemerkte Ned.
»Findest du?«
»Ja«, antwortete er und fuhr mit der Hand über die Karosserie. »Es ist wirklich süß.«
Süß?, dachte Tony. *Süß?* Nun ja, das fasste es irgendwie zusammen. Genau das stimmte, kurz und knapp gesagt, nicht mit seinem roten Sportwagen. Er war süß.
»Na ja, gut – dann steig ein.«
Sie fuhren in einträchtigem Schweigen an den Läden und Restaurants der Westow Street vorbei. Ned nahm das Geschehen in sich auf, die Menge an Restaurants, die in gar keinem Verhältnis zu der Größe des Viertels stand, die Bibliothek mit ihren raffinierten, in Stein gemeißelten Verzierungen, die kleine Filiale von Woolworth, der riesige Pub am Kreisverkehr.
»Es hat sich nichts verändert«, sagte er verwundert.
»Du warst nur drei Jahre weg. Was hast du erwartet?«
»Gott, ich weiß nicht – einfach neue Läden und so, nehme ich an. Einfach, dass alles … anders ist.«
»Ned, nichts verändert sich je wirklich – hast du das noch nicht gelernt?«
»Doch, das tut es«, widersprach Ned mit einem Hauch von Trauer in der Stimme, »alles verändert sich, verdammt noch mal. Und ich wünsche mir wirklich, das täte es nicht.«

Durch den Crystal Palace Park zu gehen war immer gut, um eine schon melancholische Stimmung zu vertreiben. Tony war im Laufe der Jahre durch die meisten von Londons großen Parks gewandert – Regent's Park hatte seinen schicken Rosengarten und sein Freilufttheater, der Hyde Park hatte seinen Serpentine und seine Pferde, der Battersea Park hatte seinen Buddha und seinen Blick auf den Fluss, und Hampstead Heath hatte dieses ganze Auf-dem-Land-Sein – aber keiner von ihnen konnte sich auch nur im Ansatz mit Crystal Palace messen, was allein die Atmosphäre anging.

Wo der glitzernde Palast gestanden hatte, bevor er vor siebzig Jahren bis auf die Grundmauern abgebrannt war, führten grasbewachsene Terrassen hinunter zu einer panoramahaften Grasnarbe aus Stufen, die aus pockennarbigem Stein gehauen worden waren; von dort konnte man den ganzen Süden Londons überblicken. Wenn man ganz oben auf den Stufen stand und von links nach rechts schaute, sah der Park aus wie ein tragischer Müllabladeplatz für einige der größten Attraktionen der Welt. Der Mast erhob sich wie der Eiffelturm auf einem Hügel zur Linken, und in Abständen zwischen den Stufen standen kopflose Statuen und stolz dreinblickende Sphingen, die stoisch in die dunstige Ferne blickten und nicht ahnten, dass das Gebäude, das sie bewachten, hinter ihnen für immer verschwunden war. Ihre Bärte und Zehen waren mit metallischen Kritzeleien besprüht, und sie weckten in Tony stets Traurigkeit, als ob man einen treuen Hund sah, der zu Füßen der Leiche seines ältlichen Besitzers lag.

Als Jungen waren sie im Sommer in den Park gekommen und hatten das geheime Labyrinth aus unterirdischen Tunnels unter den Ruinen des Palastes erforscht, hatten Geister erfunden, um einander zu erschrecken, und waren danach, euphorisch vor Erleichterung, hinaus in den Sonnenschein gestürmt. Der Park war im Sommer ein Chaos, doch an einem feuchten Apriltag wie heute konnte man fast glauben, man habe den Ort für sich allein, und konnte sich von der eigenartigen, geisterhaften Atmosphäre überwältigen lassen. Crystal Palace war voll von Geheimnissen, wenn man daran glaubte, wovon Tony nicht überzeugt war. Doch es lag etwas Besonderes, etwas *Spirituelles* in der Luft, das war sicher, etwas, das man nirgendwo sonst in London fand.

Sie stiegen langsam und schweigend die Stufen hinauf.

»Es ist gut, dich zu sehen, Tony«, stellte Ned fest.

»Ja«, bestätigte Tony, »gleichfalls.«

»Wie ist es dir ergangen, du weißt schon, mit der Scheidung und allem?«

Tony zuckte die Achseln. »Ach – gut – wirklich gar nicht so schlecht.«

Sie wandten sich nach links und gingen auf die Cafeteria im Sportkomplex zu, wobei sie auf dem Weg einer Herde Männer in hellfarbiger, hautenger Sportkleidung auswichen.

»Was genau ist passiert? Mit dir und Jo?«

Tony lachte und stopfte seine kalten Hände in die Manteltaschen. »Scheiße. Das ist eine lange Geschichte.«

»Ja, ich weiß, aber es war so komisch, das alles auf der anderen Seite der Erde zu hören. Es kam mir nicht ganz wirklich vor. Es ergab keinen Sinn. Ich meine, du und Jo, ihr wart ein echtes Team – ihr wart Seelengefährten.«

»Wie du und Carly, meinst du?« Er hob eine Augenbraue und sah Ned an.

»Ja, aber das war anders. Wir waren Kinder, als wir uns kennen gelernt haben, wir sind aus uns rausgewachsen. Aber du und Jo – ihr wart schon erwachsen.«

Tony schüttelte den Kopf. »Nein, wir waren nicht erwachsen. Wir waren zweiundzwanzig.«

»Ja, aber ...«

»Du bist mit zweiundzwanzig nicht erwachsen, nicht in dieser Welt, nicht heutzutage. Du siehst so aus und klingst so, aber du bist immer noch ein Kind.«

»Also ist es auch so gewesen – ihr seid aus euch rausgewachsen?«

»Im Grunde ja, denke ich. Aber letzten Endes ergab sich alles in einem einzigen Gespräch – einem Gespräch, das wir viel früher hätten führen müssen.«

Tony hielt Ned die Tür der Cafeteria auf und merkte, wie er unter der warmen Luft der Heizung darüber auftaute.

»Was für eines?«

»Das über Babys.«

»Aha – sie hat also Druck ausgeübt?«

»Nein, es war tatsächlich andersherum. Ich war bereit. Sie war es nicht.«

»Aber warum die Panik? Hättest du wegen ihr nicht einfach noch ein bisschen warten können? Sie hätte schließlich ihre Meinung geändert.«

»Hatte keinen Sinn. Es war sowieso eine verdammt blöde Idee. Wenn ich jetzt darüber nachdenke, wollte ich nur ein Kind, weil ich einunddreißig war, weil wir seit Jahren verheiratet waren, weil ich dachte, ich sollte es langsam mal angehen. Du weißt schon: typisch Tony. Und als sie Nein gesagt hat, war es wie ein großer Augenblick der Erkenntnis. Wenn ich nicht die ganze Sache mit der Familie durchzog, mich mit Kindern anband und mir den Arsch aufriss, um für alles zu zahlen, was war dann, zum Teufel noch mal, der Sinn, verheiratet zu bleiben? Mit derselben Frau jede Nacht ins Bett zu steigen? Und ich nehme an, Jo muss es ähnlich empfunden haben.«

»Warum?«

»Weil sie mich zwei Monate später wegen eines Typen aus ihrem Büro verlassen hat.«

»Aber niemals!«, rief Ned aus. »Nicht Jo. Jo würde nicht ...«

»Doch, sie würde. Natürlich würde sie. Sie hat immer bekommen, was sie wollte, die Jo.«

»Scheiße – Mum hat nichts davon gesagt. Sie hat nur gesagt, ihr wärt am Ende der Straße angelangt.«

»Nun ja, mh – ich habe es Mum nicht gesagt.«

»Du machst Witze – warum nicht?«

»Weiß ich eigentlich nicht. Ich wollte nicht, dass Mum schlecht von ihr denkt, nehme ich an.«

»Ja, aber … warum sollte sie nicht schlecht von ihr denken? Sie hat dich angeschmiert – sie …«

»Sie hat das Richtige getan. Jo hat das Richtige getan. Ich war bereit, mich zu lösen, und sie war die Einzige, die tapfer genug war, etwas dafür zu tun. Weißt du …«

Tony nahm ein Vinyltablett und schob es über die Stahlspur im Café zu einer Anordnung aus Sandwiches und Baguettes. Er wählte ein Käse-Schinken-Baguette, das ungefähr einen Fuß lang war. Dann nahm er ein Scone mit Butter und Sahne und eine Dose Heineken. Während er an der Kasse wartete, warf er eine Doppelpackung Ingwernüsse auf sein Tablett, ein Spontankauf.

Verlegen sah er zu, wie Ned ein Thunfischsandwich und eine Flasche Mineralwasser auf sein Tablett stellte.

»Keinen Hunger?«, fragte er.

»Nicht richtig«, antwortete Ned und zog ein Gesicht. »Ich fühle mich tatsächlich ein bisschen elend, ich glaube, ich habe mir vielleicht im Flugzeug einen Virus eingefangen oder so.«

»Kein Bier?«

»Nö. Danke.«

Stille, außer dem Geräusch, das Ned machte, als er die Plastikfolie von seinem Sandwich riss, und von dem Verschluss von Tonys Bierdose.

»Also«, sagte Ned schließlich, »wie geht es dir jetzt? Ich meine, wie ist dein Leben?«

Tony zuckte die Achseln. »Okay«, sagte er, »viel Arbeit.«

»Die Scheidung meine ich, du sagst, du gehst cool damit um und so, aber wie hat es dich getroffen? Wirklich?«

»Es hat mich nicht getroffen«, gab Tony zurück. »Natürlich war es zuerst ein bisschen komisch, aus dem Haus auszuziehen, alleine zu leben, Jo nicht jeden Tag zu sehen. Aber jetzt ist es gut.«

Ned warf ihm einen Blick zu. »Bist du sicher, Tony?«

»Absolut. Das Leben als Single gefällt mir.«

»Es ist nur so, du scheinst nicht sehr ... Du bist nicht derselbe ... Bist du sicher, dass du glücklich bist? Weil, du kannst mit mir reden, wenn du es nicht bist. Das weißt du doch, oder?«

Tony lächelte. »Ich bin glücklich, Ned. Ehrlich. Das Leben ist jetzt nur anders, das ist alles. Nicht besser, nicht schlechter, nur anders.«

Ned nickte und sie schwiegen erneut.

»Ich mag Ness«, meinte Ned schließlich mit vollem Mund, »sie ist wirklich witzig.«

»Ja«, bestätigte Tony grimmig, »sie ist in Ordnung, nicht wahr?«

»Wo hast du sie kennen gelernt?«

»Du kennst doch Trish? Robs Alte?«

»Ja.«

»Sie ist eine Freundin von ihr, aus der Schule.«

»Oh. Klar. Wirst du sie heiraten?«

Tony verschluckte sich ein wenig und lachte. »Was?!«

»Na ja, warum nicht? Sie ist wirklich hübsch und echt nett, und sie liebt dich offenbar total.«

Tony wischte sich den Mund an seiner Serviette ab und zog eine Grimasse. »Nein, Ned. Ich werde Ness nicht heiraten. Wir sind erst seit einem Jahr zusammen.«

»Na ja, wirst du dann mit ihr zusammenziehen?«

»Gott, Ned, ich weiß es nicht. Ich denke im Augenblick wirklich nicht so. Wir gehen nur einfach zusammen, weißt du. Es ist nichts Ernstes.«

Ned nickte ihm wissend zu. »Ich finde sie besser als Jo«, stellte er leise fest.

Tony sah ihn überrascht an. »Wirklich?«

»Ja. Sie ist ... *menschlicher.* Irgendwie wahrhaftiger. Und sie hat bessere Beine.« Er grinste Tony an, und sie lachten. »Aber im Ernst, Tony, ich glaube, du hast es da wirklich gut getroffen. Sie ist toll.«

»Was ist mit dir und – wie heißt sie noch?« Tony empfand immer noch Spuren von Loyalität gegenüber Carly, wenn es um Monica ging. »Was ist da schief gegangen?«

Ned zuckte die Achseln und angelte sich eine Gurke aus seinem Sandwich. »Weiß ich eigentlich nicht«, gab er zu.

»Was, hat sie dich verlassen? Hast du sie verlassen? Was ist passiert?«

Ned schwieg einen Augenblick und betrachtete einen Ring aus Kaffee auf der Tischplatte.

»Los. Mir kannst du es erzählen.«

Ned räusperte sich und beugte sich so nahe zu ihm, dass Tony die Gurke in seinem Atem riechen konnte. »Versprichst du mir, dass du Mum nichts erzählst?«

»Mmh.«

»Na ja, sie ist völlig ausgetickt. Völlig, es war wirklich, wirklich erschreckend.«

»Wie meinst du das?«

»Hatte nur einfach nicht mehr alle Tassen im Schrank. Hat angefangen, mich zu verfolgen, Leute zu schlagen, sich die Haare auszureißen, du weißt schon, richtige dicke Strähnen von ihrem eigenen Haar.«

»Himmel. Scheiße. Das ist schlimm. Was ist also passiert? Geht es ihr jetzt besser?«

Ned zuckte die Achseln und pulte an der Plastikverpackung seines Sandwichs. »Nein, nicht wirklich.«

»Nun, was hat sie gesagt, als du ihr erzählt hast, dass du nach Hause fährst?«

Wieder zuckte er die Achseln. »Nicht viel.«

»Du hast es ihr doch erzählt, oder? Du hast ihr doch erzählt, dass du nach Hause fährst?«

Ned schüttelte den Kopf und sah verlegen drein. »Na ja, ich habe ihr eine Nachricht hinterlassen.«
Tony lachte. »O Scheiße, Ned – das ist wirklich gemein.«
»Ja, ich weiß, ich weiß. Aber du kennst Monica nicht, ich meine, Monica ist wirklich – stark.«
»Was, meinst du fett?«
»Nein – stark. Wie ein Kerl. Wie ein großer Kerl. Und – ich weiß nicht – alles hätte passieren können, wenn ich ihr gesagt hätte, dass ich gehe. Sie hätte mich zusammenschlagen oder mir den Schwanz abschneiden können oder so.«
»Du meinst, du hattest *Angst* vor ihr?« Tony fing an zu lachen.
»Verängstigt. Ich meine, wirklich verängstigt. Ich habe einmal gesehen, wie sie eine Katze umgebracht hat.«
»Was?!«
»Einfach so. Sie lag am Straßenrand, halb tot – sie war überfahren worden – und sie hat sie einfach gepackt, einfach so, und hat ihr das Genick gebrochen. Völlig ruhig. Sie hat nicht geweint oder so.«
»Himmel.«
»Ja, und dann, ein anderes Mal, hat sie einem kleinen Mädchen den Arm umgedreht – ein winziges kleines Mädchen mit Zöpfen und allem. Hat gesagt, sie habe ihr schmutzige Blicke zugeworfen.«
»Scheiße – das klingt, als sei sie ein Psycho.«
»Ich weiß. Und sie hat mich einmal geschlagen. Na ja –tatsächlich zweimal. Hat mich seitlich ins Gesicht gehauen – so dass ich ein blaues Auge hatte. Doch das Schlimmste an Mon – das mir am meisten Angst machte – war, dass sie im Schlaf gesprochen hat. Gestöhnt, gejammert, manchmal auch geschrien. Sie klang, als ob sie von Dämonen besessen wäre oder so.«
Tony wartete eine Weile. »Vielleicht war sie es ja. Du weißt schon … es klingt, als ob sie wirklich ziemlich krank ist, Ned.«

»Ja.« Ned sank ein bisschen in sich zusammen, nachdem der Zirkus vorbei war und die Realität wieder Einzug hielt. »Ja. Ich glaube, das ist sie.«

»Armes Mädchen.«

»Ich weiß – das war es ja. Unter all dem gab es das wirklich nette Mädchen, dieser echte Schatz. Es war, als ob sie so viel Liebe zu geben hätte, aber als ob ihr niemand je gezeigt hätte, was sie damit anfangen sollte. Und in den Teil habe ich mich verliebt, nehme ich an.«

Tony schob eine Ecke seines Baguettes weg, die er mit Freude hätte essen können, doch er war befangen, weil Ned sein Sandwich kaum angerührt hatte. »Also bist du einfach abgehauen? Hast dich mitten in der Nacht aus dem Staub gemacht?«

Neds Gesicht fiel in sich zusammen, und er sah fast beschämt aus. »Darauf lässt es sich in etwa reduzieren.« Er schluckte.

»Nun, ich kann nicht sagen, dass ich dir wirklich Vorwürfe mache.«

»Na ja, nun. Ich bin deswegen nicht gerade in mich selbst verliebt oder so. Es ist nicht das Tollste, was ich je getan habe. Aber es war nicht nur sie, weißt du. Es war alles. Heiße Weihnachten, komische Insekten, alles so weit weg. Ich dachte nur, Scheiße, Mum und Dad, was, wenn ihnen etwas passierte, was, wenn einer von ihnen einen Herzinfarkt hätte oder so, und ich zwei Tage von ihnen entfernt bin? Ich hatte einfach plötzlich das Bedürfnis, in der Nähe zu sein. Und dann wird es Neffen und Nichten und so weiter geben …«

»Keine große Chance darauf.«

»Doch, klar. Du und Ness – ihr seid schon eine Zeit lang zusammen. Und Sean scheint es ziemlich ernst zu sein mit dieser Millie.«

Tony schnaubte verächtlich. »Ach, komm – die beiden? Sie kennen sich ja erst seit fünf Minuten.«

»Ja, aber allein wenn man ihn anschaut, kann man es erkennen,

oder? Das ist das Wahre. Ich nehme an, Sean wird sich um die hier bemühen.«
»Sean? Nee. Sean ist auf keinen Fall bereit, sesshaft zu werden.«
»O doch, das ist er.«
»Absolut nicht.«
»Schau – ich bin weg gewesen – ich besitze Objektivität. Und er ist bereit, Kumpel, wart's nur ab.«
Tony gefiel die Richtung nicht, in die das Gespräch lief. Und außerdem gab es etwas, das ihn während der ganzen Unterhaltung mit Ned beunruhigt hatte, etwas, das er einfach erwähnen musste.
»Ned«, fing er an, »hörst du bitte damit auf – mit diesem *Zeug*?«
»Was für ein Zeug?«
»Dass du alles wie eine Frage klingen lässt? Dass am Ende all deiner Sätze deine Stimme hoch geht? Du weißt schon, dass du wie ein Aussie klingst? Kumpel?«
Neds Gesicht fiel in sich zusammen. »Scheiße. Wirklich? Tue ich das wirklich? Tue ich es jetzt?«
»Nun, ja, natürlich tust du es jetzt, du Quatschkopf, du stellst mir ja auch eine Frage – dann sollst du ja so klingen. Deine normalen Sätze sind das Problem.«
»Scheiße – schau, tritt mich, wenn ich es wieder tue, ja?«
Tony lächelte süß und trat ihn unterm Tisch.
Ned trat zurück. »Schuft«, sagte er mit einem Grinsen.
»Los, kleiner Bruder, lass uns gehen.«
Beide Brüder zogen ihre Mäntel an, gingen zur Tür und fragten sich im Stillen, was genau der jeweils andere ihm nicht erzählt hatte.

Mons Haare und Bernies Seele

Ned kam gerade aus dem Park zurück, als die Sonne unterging, und traf auf Gervase, der in der Küche saß, eine Tasse Tee trank und Dads *Guardian* durchblätterte.
»Oh«, machte Ned, »hi.«
»'n Abend«, grüßte Gervase und faltete die Zeitung mit einer Endgültigkeit zusammen, die durchblicken ließ, dass er auf eine Plauderei aus war. »Wie hängt's denn so?«
Wie hängt's?, dachte Ned. *Wie's hängt?* Was war das für eine dumme, blöde Frage? Oh, es hängt und pendelt nach rechts, danke, vielen Dank. Er grunzte und ging zum Spülbecken, um den Kessel voll laufen zu lassen.
»Es ist noch was in der Kanne, Kumpel.« Gervase zeigte mit einer Bewegung seines Kopfes auf Bernies Teekanne. Sie hatte eine Teehaube.
»Ich trinke Kaffee«, gab er trocken zurück.
Gervase nickte friedfertig.
Ned ließ ein paar Teelöffel Kaffee in einen Becher fallen – er würde eine Tonne Koffein brauchen, um in Gang zu kommen –, und während er sich in der Küche bewegte, war er sich auf unangenehme Weise bewusst, dass sich Gervases Augen in seinen Hinterkopf bohrten. Das ist lächerlich, dachte er, sich in seinem eigenen Heim unbehaglich zu fühlen, sich von einem Fremden dabei beobachten zu lassen, wie man sich eine Tasse Kaffee macht.
»Wie ist es mit dem Jetlag?«
»Hab gerade damit zu kämpfen. Ziemlich stark.« Er rührte in

seinem Kaffee und ließ den Teelöffel ins Becken fallen, und dann, als er sich umdrehte, um mit Gervase zu reden, bemerkte Ned mit einem Gefühl des Unbehagens, dass Goldie zu Gervases Füßen lag. Nicht nur zu ihnen, sondern auf ihnen, und er sah ganz zufrieden und glücklich aus, wie er es normalerweise bei Dad tat.

»Wie ist das so?«

»Was?«

»Jetlag. Wie fühlt es sich an?«

»Ich weiß nicht.« Ned zuckte die Achseln. »Irgendwie schwer und entrückt. Zusammenhanglos. Und es ist irgendwie, als habe man weiche Knie, als ob man Walzer tanzen würde.«

»Oh«, Gervase nickte, »in Ordnung. Ich bin selbst nie weiter als bis Aberdeen gewesen.«

»Was – du bist nie im Ausland gewesen?«

Gervase schüttelte den Kopf und zündete sich eine Zigarette an. »Ich komme nicht wirklich aus dieser Art Elternhaus.«

Ned spürte, wie sich hier ein Gespräch entwickelte, und er beschloss, dass er nicht damit umgehen konnte. »Gut«, sagte er und schnitt ihm das Wort ab, »ich gehe in mein Zimmer, dann bis nachher, ja?«

»Ja, Kumpel«, sagte Gervase, »bis dann. Oh – warte noch eine Sekunde. Ich habe was vergessen. Vorhin ist für dich ein Päckchen angekommen. UPS. Es liegt im Flur.«

»Oh«, antwortete Ned. »In Ordnung. Danke.«

Er ging hinaus in den Flur und sah eine kleine Schachtel auf dem »Thron«, einem roten Samtstuhl mit geschwungenen vergoldeten Teilen, einer von Mums ehemaligen Ausstellungsschätzen. Wer, zum Teufel, sollte ihm Päckchen schicken? Er war gerade erst nach Hause gekommen. Er nahm die Schachtel und schüttelte sie – sie war unglaublich leicht, als ob nichts darin wäre. Er riss die Plastiktasche vorne ab und las die Angaben. Das UPS-Formular besagte, dass der Absender jemand namens

Dilys Nickers war, der im Old Fish Drive Nummer 1345 in Sydney, Australien, wohnte, und der Inhalt wurde als »Geschenk« bezeichnet.

Ned bekam sofort ein schlechtes Gefühl und öffnete vorsichtig die Verpackung.

In dem Päckchen war eine kleine Pappschachtel.

Darauf war mit rotem Markerstift das Wort »SCHWEIN« geschrieben.

Langsam zog Ned das Klebeband oben von der Schachtel ab.

Und dort drinnen lag ein Häufchen mit glänzendem dunklem Haar.

Menschenhaar.

Ned stockte der Atem. Er berührte das Haar vorsichtig. Es war weich und seidig. Er nahm eine Strähne und führte sie an seine Nase.

Monica.

Ned ließ das Haar sofort wieder in die Schachtel fallen und verschloss sie. Er nahm seine Tasse und wollte gerade die Treppe hinaufgehen, als das Telefon klingelte und ihn so heftig zusammenfahren ließ, dass ihm seine Tasse entglitt; sie brach sauber in zwei Hälften entzwei, und braune Flüssigkeit lief langsam über den Holzboden.

»Mist!«

»Wow«, sagte Gervase, der gerade den Flur betrat, »nervös.« Er langte an ihm vorbei, um nach dem Hörer zu greifen. »Hallo, hier bei London, wie kann ich Ihnen helfen?«

Ned zuckte leicht zusammen und bückte sich, um die Scherben aufzusammeln, dabei lauschte er wie ein Habicht dem Wortwechsel, der gerade stattfand.

»Nein, sie ist im Augenblick nicht da, sie wird in ungefähr einer halben Stunde wieder da sein. Kann ich was ausrichten?«

Ned atmete erleichtert aus und ging in die Küche, um eine Küchenrolle zu holen, mit der er den Kaffee aufwischen konnte.

Gervase legte auf und sah ihn besorgt an. »Das war aber eine Reaktion gerade eben, Ned. Kommt das auch vom Jetlag?«
Ned brummte etwas.
»Hast du was auf dem Herzen, Ned? Du kommst mir ein bisschen *überdreht* vor, Kumpel. Wenn du nichts dagegen hast, dass ich das sage.«
»Mir geht es gut«, schnappte er.
»Willst du noch einen Kaffee?«
»Nein. Danke. Mir geht es gut.« Er wickelte die beiden Hälften der Tasse in die feuchten Küchentücher, brachte sie in die Küche, warf sie in den Mülleimer, nahm das UPS-Päckchen und machte sich auf nach oben in sein Zimmer, wo er auf dem Bett zusammenbrach.
Er öffnete die Schachtel noch einmal.
Mist. Es war immer noch da. Mons Haar. Ihr schönes dickes, glänzendes, langes dunkles Haar. Das einzig wirklich Weibliche an ihr. Es war eindeutig ihres, daran gab es keinen Zweifel. Es roch nach ihrem Shampoo – es roch nach *ihr*.
Er starrte ungefähr fünf Minuten lang das Haar an, seine Gefühle waren in Aufruhr, sein Herz raste. Ein Bild von Monica, wie sie im Bad mit einer Küchenschere und einem Bündel Haare in der Hand stand, kam ihm in den Sinn. Gefolgt von einem Bild von Sarah Miles in *Ryans Tochter*. Er knallte die Schachtel zu, verschloss sie wieder und schob sie unters Bett. Er konnte nicht damit umgehen. Er konnte wirklich gar nicht damit umgehen.
Er sprang auf und sah sich in seinem Zimmer um. Gervase war offiziell heute Morgen hier ausgezogen, aber obwohl sein ganzer Kram verschwunden war, fühlte es sich immer noch nicht richtig an. Es hing ein verwirrender, beharrlicher Geruch in der Luft, da waren Flecken auf dem Teppich, die vorher nicht da gewesen waren, und Ned brachte es nicht über sich, auch nur auf das Waschbecken in der Ecke zu blicken, seit er gestern Morgen gesehen hatte, wie Gervase sich darin ausgehustet hatte.

Ned öffnete ein Fenster, rollte die Ärmel hoch und beschloss, sich an etwas Sinnvolles zu machen, um sich von dem Haar abzulenken, das in einer Schachtel unter seinem Bett lag und von der verrückten, *kahlköpfigen* Exfreundin am anderen Ende der Welt stammte. Er tauschte seine Matratze gegen die alte, durchgelegene in Seans Zimmer aus, obwohl sie ein wenig feucht roch und bei weitem nicht so bequem war. Er konnte einfach die Aussicht nicht vertragen, auf derselben Matratze zu schlafen, die Gervase benutzt hatte. Nicht, dass Gervase nach irgendetwas *roch* oder so. Es war vor allem der Gedanke daran, dass er sich darauf einen runtergeholt hatte, der den Ausschlag gegeben hatte.
Er holte einen Eimer, eine Flasche mit Reinigungsmittel, einen Haufen Lappen und einen großen Schwamm und putzte gründlich sein Zimmer – schrubbte Bretter, Fensterrahmen, Griffe, Oberflächen, unter allem und hinter allem. Er goss Bleiche ins Waschbecken und ließ sie zehn Minuten einweichen, bevor er wie ein Besessener schrubbte. Er saugte sein Sofa, seine Vorhänge, jeden Zentimeter Teppich, sogar Teile des Teppichs, die seit mehr als zwei Jahrzehnten das Tageslicht nicht mehr erblickt hatten. Er besprühte das Zimmer mit einem Raumspray namens Tranquillity, hoffte, es möge auf ihn dieselbe beruhigende Wirkung haben, öffnete das Fenster und lüftete eine halbe Stunde lang das Zimmer. Und dann holte er seinen PC aus Tonys altem Zimmer, schloss ihn an, richtete alle Verbindungen wieder ein und wählte, während ihm das Herz fast in seiner Kehle klopfte, seine Hotmail-Adresse.
Himmel, murmelte er bei sich, als er darauf wartete, dass seine Mailbox erschien, so langsam, so langsam. Schließlich poppte sie mit erhaltenen Nachrichten auf, und er überflog sie schnell. Dinge, die seine Kumpel in London weitergeleitet hatten, die nicht mal wussten, dass er jetzt zu Hause war. Eine Mitteilung von seiner Zeitarbeitsagentur in Sydney. Kram von Amazon. Aber sonst nichts.

Nichts von Mon.
»Ned, Kumpel«, er hörte ein leises Klopfen an der Tür, »in Ordnung, wenn ich reinkomme?« Es war Gervase.
Ned sah ihn mit etwas an, was an Erleichterung grenzte. »Ja«, sagte er, »sicher.«
»Schau«, sagte er und rieb sich die Hände, »ein Vorschlag. Heute Abend ist der Abend deiner Mum im Beulah, und ich nehme an, sie wäre wirklich selig, wenn du hinkämst.«
»Was – um sie singen zu hören?«
»Ja. Sie wäre wahnsinnig glücklich.«
»Gehst du hin?«
»Ja. Der Höhepunkt meiner Woche. Versäume es nie.«
Ned sah auf seinen Computerbildschirm und auf seine Uhr und dachte an seine Möglichkeiten. Er könnte entweder a) den ganzen Abend in seinem Zimmer bleiben, wie besessen seine E-Mails checken und langsam verrückt werden; oder er konnte b) gehen und ein, zwei Pints trinken, seiner Mum beim Singen zuschauen und sich ablenken lassen.
»Okay«, stimmte er zu, »ja. Warum nicht? Um wie viel Uhr?«
»So um sieben?«
»Cool.«

Also befand er sich eine halbe Stunde später in der Beulah Tavern, an einem nassen Mittwochabend, und sah zu, wie seine Mum in einem rosafarbenen, mit Flitter besetzten Top und schwarzen Samthosen eine Version von »Diamonds Are Forever« schmetterte, bei der sich einem die Haare im Nacken sträubten.
Es war ein seltsames Gefühl, seine Mum singen zu sehen. Er hatte sie schon vorher singen gehört. Sie hatte für alle ihre Jungs gesungen, als sie klein waren und es noch zu schätzen wussten, und er hatte sie bei Hochzeiten von Cousins und Ähnlichem erlebt. Doch nie im Pub um die Ecke. Die Leute waren nicht extra

gekommen, um sie singen zu hören. Sie kannten sie nicht. Sie waren auf ein Pint gekommen, und sie war zufällig auch hier. Manche Leute achteten überhaupt nicht auf sie, was Ned aufregte. Sehr.

»Das nervt dich, was? Dass die Leute nicht aufpassen?«

Ned fuhr hoch. Es war ihr erster Wortwechsel, seit Bernie aufgestanden war, um ihre Nummer zu bringen. Ned nickte, wusste aber nicht wirklich, was er sagen sollte.

»Deine Mum ist ein echtes Talent. Ein *echtes* Talent.«

Ned nickte wieder. »Ja – sie ist nicht schlecht.«

»Als ich sie das erste Mal habe singen hören, war ich ganz hin und weg von ihr. Völlig. Hin und weg.« Er verschränkte die Arme und lehnte sich auf seinem Platz zurück, als ob er sagen wollte, dass dies sein letztes Wort sei. Er starrte Bernie wie gebannt an, während sie sang, und als sie fertig war, stand er auf, klatschte und pfiff, als ob er sich in der hintersten Reihe in der Arena von Wembley befände. Ned sah ihn überrascht an und blickte sich dann um, um zu sehen, ob auch andere dachten, er sei verrückt, doch niemand schien es bemerkt zu haben.

Gervase setzte sich langsam wieder hin, klatschte immer noch leise und zündete sich dann eine Zigarette an.

»So«, sagte er, »und was ist mit dir, Ned? Kannst du singen?«

Ned lachte. »Äh – nein. Ganz eindeutig nein.«

»Was ist dann dein USP?«

»Mein was?«

»Dein USP: Unique Selling Point. Dein Verkaufsargument. Deine Mum kann singen, dein Dad kann Dinge restaurieren, Sean kann schreiben, und Tony ist Unternehmer. Was ist dein Ding?«

Sein *Ding*? Himmel. Er hatte kein *Ding*. Er hatte einen Abschluss – das war immer sein *Ding* gewesen. Aber seit er Mum und Dad am Tag seines Abschlusses vor Stolz zum Weinen gebracht hatte, hatte es keine *Dinger* mehr gegeben. Er hatte nur in Klamottenläden gearbeitet, in Galerien gejobbt und war mit einer psychotischen Fremden nach Australien abgehauen. Er zuckte die Achseln. »Scheiße bauen, nehme ich an«, murmelte er.

»Nö. Du hast es doch gut gemacht, oder? Hast einen Abschluss? Hattest ein paar Abenteuer?«

»Ich denke schon. Aber, weißt du, ich bin jetzt siebenundzwanzig, ich sollte alles ein bisschen ernster nehmen.«

»Also – was schwebt dir vor?«

»Eigentlich nichts.«

»Bernie sagt, du hattest es mit der Kunst, hast bei Sotheby's gearbeitet oder so. Könntest du nicht versuchen, da wieder anzufangen?«

»Nein. Nicht jetzt. Es war sowieso nur ein Studentenjob, keine richtige Arbeit.«

»Hast du schon daran gedacht, für deinen Dad zu arbeiten?«

Ned zuckte die Achseln und brummte. »Ist ein bisschen ein Schritt zurück, oder nicht? Ich meine – das habe ich gemacht, als ich auf der Uni war.«

»Könntest du aber nicht jetzt ein bisschen ernsthafter darüber nachdenken? Ein ernsthaftes Konzept. Mit ihm ins Geschäft kommen?«

»Was – wie zum Beispiel London & Söhne, meinst du?« Ned lachte.

»Ja. Warum nicht? Dein Dad wäre begeistert.«

»Nein«, antwortete er und trank einen Schluck von seinem Lager, »ich glaube nicht. Ich könnte das, was mein Dad macht, nie tun. Man muss es wirklich lieben. Es ist ein Talent. Du weißt schon.«

»Was ist mit deinem Bruder?«

»Welcher?«

»Tony. Könnte er dir einen Job geben?«

Ned lachte. »Tony? Machst du Witze? Ich könnte nicht für ihn arbeiten.«
»Warum nicht? Er kommt mir wie ein anständiger Kerl vor.«
»Ja. Das ist er. Aber weißt du – er ist mein *großer Bruder*. Ich habe mich mein halbes Leben von ihm rumkommandieren lassen. Auf keinen Fall. Außerdem würde er mich wahnsinnig machen. Er ist ein Kontroll-Freak.«
»Ja«, gab Gervase nachdenklich zurück, »ja. Dieser Tony ist ein komischer Kauz. Ich glaube nicht, dass er mich sehr mag.«
»Wirklich? Warum sagst du das?«, schoss Ned zurück, da er nicht wusste, was er sonst sagen sollte.
»Ich bin mir wirklich nicht sicher. Ich nehme an, er will nur seine Leute, seine Mum beschützen. Ich nehme an, er fragt sich, wer, zur Hölle, ich bin, und was, zum Teufel, ich da mache.«
Ned spielte unverbindlich an seinem Ohrläppchen herum.
»Aber er sollte sich keine Sorgen machen, weißt du, Ned. Keiner von euch Jungs sollte sich Sorgen machen.«
»Wir machen uns keine Sorgen.«
»Nö. Natürlich nicht. Aber, weißt du, nur für den Fall, dass du dir welche machst. Alles ist in Ordnung.«
»Ja«, antwortete Ned und versuchte die Besorgtheit in seiner Stimme zu verbergen. Es gab nichts, was einem mehr Sorgen machte, als wenn einem gesagt wurde, dass man sich keine Sorgen machen musste, und man sich doch eigentlich gar keine gemacht hatte. »Ja. Natürlich.«
Ned zuckte wieder mit den Achseln. Und dann passierte etwas wirklich Seltsames. Gervase sah plötzlich wirklich besorgt drein, als ob der Gedanke, dass sich Ned über ihn Sorgen machen könnte, ihm das Herz bräche. Er legte die Zigarette im Aschenbecher ab, ergriff seine Hand und begann, ihm ganz tief in die Augen zu sehen. Das wirklich Seltsame daran war jedoch, dass es Ned ziemlich gut gefiel. Es gab ihm ein warmes und sicheres Gefühl, und sein Bauch fühlte sich an wie ein großer Ball

aus schmelzender Schokolade. Ned war sich nicht sicher, wie lange es dauerte, dass Gervase seine Hand hielt und ihn anstarrte, aber es hörte erst auf, als Bernies Lied aus war und das Geräusch begeisterten Applauses in sein Unterbewusstsein drang. Gervase ließ Neds Hand langsam los und griff nach seiner glühenden Zigarette. Langsam schüttelte er den Kopf.

»Du musst damit klarkommen, Kumpel.«

»Womit klarkommen?«

»Das weißt du.«

»Nein. Weiß ich nicht.«

Gervase seufzte und beugte sich vor zu Ned. »Es wird nicht weggehen, wenn du es ignorierst. Du kannst wegrennen, aber du kannst dich nicht verstecken. Das weißt du doch, oder?«

Ned leckte sich über die Lippen. Ihm gefiel die Richtung nicht, die dieses Gespräch gerade nahm. »Was? Was wird nicht weggehen?«

»Dein kleines Problem.«

Ned runzelte die Stirn.

»Dein Chaos. Das Chaos, das du hinterlassen hast.«

Ned schluckte. »Du meinst – du meinst in Australien?«

»Mmh. Es ist eine Menge Schmerz dort. Du hast eine Menge Schmerz hinterlassen. Und ich weiß, es ist nicht deine Schuld, Ned. Das weiß ich. Aber du kannst nicht einfach wegrennen und so tun, als ob es nicht passiert wäre. Es wird dich früher oder später einholen, auf die eine oder andere Weise. Gehe jetzt damit um, oder es wird nur noch mehr wehtun.«

»Monica?«, fragte Ned leise. »Sprichst du von Monica?«

Gervase entzog sich ihm plötzlich, als ob etwas einen Faden durchschnitten hätte, der sie beide verbunden hatte. Er schloss die Augen, atmete tief durch und kippte sein halbes Pint Lager hinunter.

»Das weiß ich doch nicht, verdammt noch mal, oder?«

»Oh.« Ned nahm ebenfalls sein Pint. Seine Hände zitterten.

Und dann knallte Gervase plötzlich sein Glas auf den Tisch, stand ganz schnell auf und stakste Richtung Toilette davon.
Ned atmete einen eisigen Lungenzug Luft aus und versuchte, sich auf seine singende Mum zu konzentrieren, doch es war wirklich schwer. Er wünschte, jemand säße bei ihm, ein Kumpel oder so, damit er einfach lachen und sagen könnte: »Mist, was, zum Teufel, sollte das denn sein?« Aber wie die Dinge standen, war er nun hier gelandet und hatte den Kopf voll mit der letzten Sache, die er hier wollte: Monica. Ned versuchte sich genau zu erinnern, was Gervase gesagt hatte. »Du musst damit klarkommen.« Er schauderte. Denn ob Gervase nun wusste, worüber er redete oder nicht, er hatte Recht. Es war ein Chaos. Doch nur, weil das Chaos sich auf der anderen Seite des Planeten befand, hieß das nicht, dass es weg war.
Die Haare in der Schachtel unter seinem Bett legten davon Zeugnis ab.
Er kippte noch mehr Bier und versuchte, den Gedanken ganz weit zu verdrängen. Was, wie ihm klar wurde, bisher alles gewesen war, was er getan hatte, seit er nach Hause gekommen war, und das war kein angenehmes Gefühl. Es fühlte sich an, als ob man den größten Teil der Woche einen richtig dicken Furz zurückhielte.
»Also – Ned. Für welche Art von Musik interessierst du dich?« Gervase war wieder zurück und roch überwältigend, aber nicht unangenehm, nach der flüssigen Seife, die man auf Toiletten verwendete. Ned fuhr vor Überraschung ein wenig zusammen, zum einen über Gervases plötzliches Auftauchen und zum anderen wegen der unverblümten Fragestellung. Er atmete aus. »Gott. Weiß nicht. Eigentlich für alles Mögliche. Tanzmusik aus den Charts, du weißt schon. Fatboy Slim, Faithless, Moby ...« Gervase spottete. »Bockmist. Alles. Musik für Zombies.«
Ned wollte schon in Verteidigungsstellung gehen, doch Gervase war in Fahrt. »Rock and Roll. Das ist die einzig wahre Musik.«

»Was, der olle Kram aus den Fünfzigern?«
»Ja. So in der Art. Ich meine, ich war auch mal voll drauf auf diesem ganzen Rockabilly-, Psychobilly-Kram, King Kurt und all das. Aber, nun da ich … *reifer* bin, merke ich, dass ich mich immer mehr zu den wahren Königen hingezogen fühle. Dem echten Kram.«
»Zum Beispiel?«
»Robert Gordon. Das ist mal ein Mann. Ein echter, wahrhaftiger Rock-and-Roll-Sänger, der immer noch dabei ist, ja? Macht es live. Keine Chuck-Berry-Verkünsteleien. Kein Elvis-Vegas-Kram, keine Rheinkiesel. Einfach ein Mann, seine Band, seine Gitarre und seine Stimme. Reiner, unverfälschter Rock and Roll. Magst du Rock-and-Roll, Ned?«
»Na ja – manchen.«
»Deine Mum – sie mag Rock and Roll. Dein Dad auch.«
»Ja. Aber alle Mums und Dads mögen Rock and Roll, oder? Es liegt in ihren Genen. Sie können ihn auch, weißt du, den Tanz. Jeder von ihnen kann Rock and Roll tanzen.« Ned lachte. »Es ist, als ob sie diese normalen Menschen sind. Sie schauen fern und gehen zum Essen aus und beschweren sich, wenn man die Musik zu laut stellt, und dann legt jemand ›Great Balls of Fire‹ auf, und ganz plötzlich springen sie von ihren Plätzen auf und tanzen wie verdammte Spastiker. Machen die ganzen Drehungen und alles. Ich meine – womit, zum Teufel, werden wir mal *unsere* Kinder bei Hochzeiten in Verlegenheit bringen, wenn sie zwölf Jahre alt sind?«
Gervase klatschte mit den Händen auf seine Beine und verstreute dabei einen langen Finger aus Asche über seine Jeans. »Genau«, sagte er, »du hast es erfasst! Es gibt keinen Tanz mehr, oder? Unsere Großeltern hatten den Charleston, deren Großeltern hatten den Walzer. Unsere Eltern hatten den Rock and Roll und den Twist. In den Siebzigern gab es Disko. Doch was haben wir? Nichts. Es ist eine Tragödie, Ned, eine echte Tragö-

die. Ich meine, Tanzen gehört zum Stammesgefühl, stimmt's? Es ist ein integraler Bestandteil dessen, wie wir uns ausdrücken. Weißt du? Und jetzt drücken wir uns entweder dadurch aus, dass wir uns bei einer Büroparty besaufen und den ›Time Warp‹ machen oder dass wir eine Menge schicker Designerdrogen nehmen und bis acht Uhr morgens mit den Armen in der Luft herumwedeln.« Er gab missbilligende Geräusche von sich, schüttelte langsam den Kopf und räusperte sich laut. »Es ist eine traurige Welt, Ned, wirklich. Eine traurige, seelenlose, einfarbige Welt.

Deshalb komme ich mittwochs abends her, um deine Mum singen zu sehen. Schau sie dir an.« Sie schwiegen und sahen sie an. »Wenn nur alles auf der Welt wäre wie deine Mum, Ned. Und ich meine das mit allem Respekt vor der Welt, wirklich. Aber deine Mum – sie ist so lebendig. Es ist wie das Haus – euer Haus – ohne eure Mum wäre es nur eine Müllhalde. Und auch das meine ich mit allem Respekt. Deine Mum hat eine Seele. Eine *echte* Seele ...«

Und dann drehte er sich um, um Bernie zuzusehen, und sein Fuß wippte im Takt hoch und runter, und das Gespräch war offenbar beendet. Ned sah Gervase eine Weile an, sah auf sein leicht schnabelartiges Profil, die pockennarbige Haut, das gefärbte Haar und den sehnigen, tätowierten Nacken, und für den Bruchteil einer Sekunde war es fast, als sähe er jemanden von einem anderen Planeten. Oder vielleicht nur aus einer anderen Epoche.

Ned empfand einen plötzlichen Anfall von Wärme für diesen alterslosen, entwurzelten Mann und lehnte sich zurück, um den Rest des Auftritts seiner Mutter mit einer neuen Wertschätzung ihres Talents und ihrer Seele zu genießen.

Romanze in Catford

Sean nahm den Ring aus seiner kleinen marineblauen Schachtel und hielt ihn ins Licht. Er war wirklich das Hübscheste, was er jemals gesehen hatte. Er steckte ihn zurück in seinen Schlitz, klappte die Schachtel zu und ließ sie in die Tischschublade fallen.
Heute war der große Abend. Und nicht nur, weil er seiner älteren Frau einen Antrag machen würde. Es würde auch das erste Mal sein, dass Millie in seiner Wohnung gewesen war. Es war nicht absichtlich, nur jenes Londongesetz, das besagte, dass, wenn man in einer fantastisch eingerichteten, zentral gelegenen Wohnung auf der Nordseite des Flusses wohnte, der Gedanke nach Catford zu gehen, aus was für einem Grund auch immer, dem Tatbestand gleichkam, Zahnschmerzen zu haben und nach Indien zu fahren, um sich dort von einem Straßenzahnarzt behandeln zu lassen. Es schien nur nie einen guten Grund zu geben, sie in seine mitzunehmen, also hatte er es nicht getan. Doch heute Abend, wie der Zufall es wollte, hatte Millie ein spätes Meeting in Camberwell; und sobald man den Fluss überquert hatte, nun, pfeif drauf, konnte man genauso gut dort bleiben. Also hatte er vorgeschlagen, dass er ihr hier ein Abendessen kochen würde. Tatsächlich hatte er darauf bestanden. Sie wollte herumschnüffeln, sagte sie, alle seine dunklen Geheimnisse aufdecken. Und tatsächlich war es perfekt. Er hatte an ein schickes Restaurant gedacht, daran, mit ihr zu Nobu oder ins Dorchester zu gehen, für sie beide ein protziges

Hotelzimmer zu buchen, doch den Antrag hier zu machen, in seiner Wohnung, war viel, viel besser. Es würde fantastisch unsentimental sein.

Er hatte nicht viel in der Wohnung gemacht, nur alle Lichter wirklich niedrig heruntergedimmt und ein paar Kerzen angezündet, damit man nicht sehen konnte, in welchem Zustand sie war, und er hatte gehofft, dass das Aroma des Knoblauchbrotes im Ofen die Aufmerksamkeit davon ablenken würde. Er hatte sie im Voraus wegen des ungesunden Zustands seines Heims gewarnt, so dass sie eine ziemlich genaue Vorstellung davon hatte, was sie erwarten würde, und außerdem war Millie so ein Quatsch sowieso egal. Millie war alles egal, was nicht wichtig war – das war eines der Dinge, die er am meisten an ihr liebte.

Sean hätte nie gedacht, dass dieser Tag jemals kommen würde. Er hatte gedacht, er würde den Rest seines Lebens damit verbringen, sich systematisch durch jedes Mädchen in London zu arbeiten, das zwischen zwanzig und dreißig war, eine halbe Hirnzelle und die Neigung hatte, mit beziehungsscheuen Männern auszugehen. Und dann, wenn er zu alt wäre, etwas an Land zu ziehen, dachte er, würde er schließlich für immer alleine hier leben. Und er war glücklich gewesen, wenn er das gedacht hatte, denn er hatte seine eigene Gesellschaft immer der von anderen vorgezogen. Er dachte nie, dass er jemanden heiraten wollte. Er dachte nie, er würde einer begegnen, die seine Vorurteile über die Liebe auf den Kopf stellte, die ihm das Gefühl gäbe, gesellschaftsfähig, fürsorglich und stark zu sein. Er hatte immer gewusst, dass Tony sesshaft werden und heiraten würde, und er erwartete dasselbe von Ned. Sie würden diejenigen sein, die die glückliche Ehe ihrer Eltern nachahmten, sie würden die Enkel und die Stabilität liefern. Doch nun, nun ja, sah es aus, als ob in letzter Minute ein Konkurrent aufholen würde – er. Sean war irgendwo auf dem Weg durch ein Familienloch gefallen und hatte sich immer gefühlt, als ob er nicht ganz hineinpasste. Doch seit

Tony geschieden war, Ned nach Australien abgehauen und *Half a Man* herausgekommen war, hatte sich das alles geändert. Er war jetzt der hellste Stern in der Familie. Und nun würde er bald die nächste Sprosse auf der Leiter elterlicher Zustimmung erklimmen. Er würde heiraten. Und nicht irgendjemanden, sondern diese unglaubliche, schöne Frau, die in jeder Hinsicht nicht in seiner Liga spielte.

Er rührte schnell auf dem Herd seine Arrabiata-Sauce um, streute noch ein paar Chillis hinein und setzte einen Topf Wasser auf. Und dann klingelte es an der Tür.

»Hi«, sprach er in die Gegensprechanlage.

»Hi. Hier ist das Mädchen aus Uptown. Ist da der Downtown-Junge?«

Er lächelte. »Komm rauf«, forderte er sie auf, »achtzehnter Stock.«

»Himmel«, erwiderte sie, »bist du sicher, dass ich dafür kein spezielles Beatmungsgerät brauche?«

Er drückte auf den Knopf und wartete vor dem Lift auf sie, unbewusst sah er alles mit ihren Augen. Es war, was Hochhäuser anging, nicht schlecht. Es befand sich auf einem schönen Grundstück, das gut gepflegt wurde und vor allem voller Paare war. Er hatte seinen Namen auf die Warteliste der Hausgemeinschaft eingetragen, als er zwanzig war. Damals dachte er, dass er niemals in der Lage sein würde, sich eine Wohnung zu kaufen. Und um sich mit jemandem eine Wohnung zu teilen, war er sowieso zu ungesellig. Und ja, er sollte jetzt ausziehen, das wusste er. Er brauchte diese Wohnung nicht mehr. Er besetzte wertvollen Wohnraum. Man konnte eine dreiköpfige Familie in seine Wohnung setzen. Und er würde ausziehen. Bald. Er hatte sich nur einfach noch nicht ganz an die Sache mit dem Geldbesitz gewöhnt, er traute ihm nicht. Er hatte über ein Jahr gebraucht, nur um sich wohl dabei zu fühlen, Dinge zu kaufen, die er nicht brauchte, und selbst jetzt konnte er sein Geld nur für winzige

Dinge ausgeben. Der Gedanke, eine Menge auf einmal einfach so zu verschwenden – nun, er war erschreckend. Er wäre wieder arm. Keine Taxis mehr, keine Mahlzeiten mehr, nur er, der in einer schönen Wohnung säße, die er sich nie leisten könnte zu verlassen.

Die Türen des Lifts gingen auf, und Millie trat heraus. Sie trug Jeans mit spitz zulaufenden Stiefeln, einen langen Wildledermantel mit Pelzbesatz, und ihr Haar war aufgetürmt. Sie trug auch, wie Sean entzückt bemerkte, roten Lippenstift. Sie hatte vorher nie roten Lippenstift getragen, und das gehörte zu den Dingen, die er am meisten mochte.

»Hallo, mein Schöner«, grüßte sie ihn, schlang die Arme um seinen Hals und küsste ihn voll auf die Lippen. »Ich bin gerade angemacht worden.«

»Ach ja«, meinte Sean, »von wem?«

»Von einem zehnjährigen Jungen in DKNY-Jeans. Er hat gesagt, ich sei ›heiß‹. Und dass ihm meine Stiefel gefielen.«

»Siehst du – ich hab dir doch gesagt, es würde dir hier gefallen.«

Er schloss seine Tür auf und ließ sie herein. Der Klang von Spiritualized schwebte durch die Wohnung, zusammen mit dem Geruch nach Knoblauch und frischem Brot. Die Kerzen, die er überall angezündet hatte, ließen alles fast romantisch aufleuchten, und dann war da noch seine Geheimwaffe.

»O mein Gott!« Sie schob sich an ihm vorbei und ging geradewegs ins Wohnzimmer. »Das ist wahnsinnig!« Sie hatte seine Geheimwaffe entdeckt – das Panoramafenster, das sich an drei Seiten vom Boden bis zur Decke erstreckte und von denen man so ziemlich jeden Zentimeter von London wie einen glitzernden Teppich unten ausgebreitet sehen konnte. »O mein Gott«, sagte sie wieder, die Hände gegen das Glas gepresst und den Mund vor Staunen geöffnet. »Schau – den Dome. Das London Eye. Und der Fluss. Oh wow«, sie ging zum Südfenster, »schau, da ist der Mast vom Crystal Palace.«

Er ging zu ihr, folgte ihren Fingerspitzen zur blitzenden Spitze des Mastes und schlang einen Arm um ihre Taille.
»Du kannst den Crystal Palace von fast überall sehen«, sagte er stolz. »Primrose Hill, Suicide Bridge, Alexandra Palace. An einem klaren Tag sogar von Ilford. Es ist wie der Nordstern.«
Eine Zeit lang standen sie da und betrachteten das blinkende Licht am Horizont.
»Gott, ich verstehe, warum du diese Wohnung nicht aufgeben willst – es ist absolut fantastisch.«
»Du hast die Toilette noch nicht gesehen.«
»Warum«, gab sie aufgeregt zurück, »was kann man von dort aus sehen?«
»Nichts«, antwortete er, »sie ist nur einfach wirklich scheußlich, das ist alles.«
Sie lachte. »Schau, ich bin auf einem Bauernhof aufgewachsen – ich weiß alles über scheußliche Toiletten.«
Und was für ein Bauernhof, dachte er bei sich. Sie bezeichnete es immer als Bauernhof, doch er wusste, es war ein Gut mit einem Verwalterbüro und Leuten, die angestellt waren, um mit Dingen wie Dung, Kadavern und künstlicher Besamung umzugehen. Das Stallgebäude war wahrscheinlich größer als das Haus seiner Eltern, und ihr Vater war ein Sir.
»Willst du mich nicht herumführen?«
Er zuckte die Achseln. »Das ist es.«
»Aber wo ist das Schlafzimmer?«
»Das ist das feuchte, muffige Loch da hinten«, wies er sie mit seinen Augenbrauen hin. Sie zog ihren Schaffellmantel aus und Sean nahm eine eiskalte Flasche Louis-Roederer aus dem Kühlfach seines Smeg, die dort die letzte halbe Stunde gelegen hatte. Sean neigte nicht zu romantischen Gesten. Dazu neigte eigentlich keiner der London-Jungs – es lag nicht in ihren Genen. Ihr Vater war ein netter Mann, ein liebenswerter Mann, ein Mann, der seine Frau liebte, doch Sean konnte sich nicht erinnern,

dass er jemals seiner Frau Blumen gekauft oder sie auf ein Überraschungswochenende entführt hatte. Gerry zeigte seine Liebe auf andere Weise: indem er sich an Bernies Nacken rieb, während sie staubsaugte, indem er stolz mit Freunden über ihre Leistungen sprach, indem er ohne Kommentar abwusch und um zwei Uhr morgens nach Croydon fuhr, um seine betrunkene Frau nach ihrem monatlichen Abend mit den Freundinnen von einem Nightclub abzuholen. Das waren die Lektionen der Liebe gewesen, die die London-Jungs erhalten hatten.

Millie sah überrascht auf die Flasche in seiner Hand.

»Na«, sagte sie, »du *hast* wirklich Klasse.«

»Was – das hier?«, sagte er und wedelte sorglos mit der 45-Pfund-Flasche Champagner herum. »Das ist nichts. Warte nur, bis du siehst, was du an unserem Drei-Monats-Jubiläum bekommst.«

Sie lächelte und wanderte um die Ecke in sein Schlafzimmer. Sean trug die Flasche und Gläser auf den Balkon. Es war Mitte April, und Sean konnte gerade so den lässigen, magischen Geruch eines Londoner Sommers erkennen, der sich näherte. Er konnte die Erkennungsmelodie von den *EastEnders* durch die Balkontüren der Nachbarwohnung hören und das entfernte Echo von Kindern auf dem Spielplatz achtzehn Stockwerke unter ihnen. Es lag wirklich Frühling in der Luft. Sean verbrachte im Sommer Stunden auf seinem Balkon, schrieb den größten Teil seines ersten Buches darauf, wenn er ausformulierte. Er würde diese geheime kleine Ecke von London vermissen, wenn er sich endlich aufraffen und hier ausziehen würde. Nur mit Mühe würde er so eine Aussicht wieder finden können, ob er nun eine Masse Geld hatte oder nicht. Es war ironisch, dass nur die sehr Armen oder die sehr Reichen sich ein Panorama von London leisten konnten.

»Coole Tapete«, stellte Millie scherzhaft fest, die von hinten zu ihm trat.

»Verdammt schockierend, nicht? Dauernd will ich was daran ändern, aber nach einer Weile gewöhnt man sich einfach irgendwie an schlimme Tapeten, nicht wahr?«
»Ah – es war also nicht deine Wahl?«
»Was?! Wie kannst du es wagen! Wenn ich es je schaffe, mir eine eigene Wohnung zu kaufen, werde ich dich mit meinem natürlichen Gespür für Stil und Geschmack verblüffen, das kann ich dir versichern.«
»Ach wirklich?« Sie nahm ein Weinglas und hielt es erwartungsvoll hoch. »Also – wirst du die jetzt aufmachen, oder was?«
Er lächelte sie an und versuchte, den Verschluss aus der Flasche zu ziehen. »Jesus«, brummte er, als der Korken sich weigerte, nachzugeben.
»Hier, gib sie mir – ich bin Expertin.« Sie nahm die Flasche entgegen und ließ den Korken mühelos ploppen. Beide sahen zu, wie er in einem eleganten Bogen über die Skyline von London flog, die Spitzen der Hochhäuser und Kräne berührte, die Kurven von Blackheath Common liebkoste und unpassend zwischen dem Müll unter ihnen landete.
Millie schenkte den Champagner ein und reichte Sean ein Glas. »Cheers«, sagte sie, »auf deine Wohnung. Wurde auch verdammt noch mal Zeit. Und darauf, deine Familie in drei Tagen kennen zu lernen.« Sie zog eine nervöse Grimasse.
»Du musst nicht unbedingt kommen. Das ist schon in Ordnung. Ich habe dir ein Hintertürchen verschafft. Keiner wird etwas dagegen haben.«
»Nein, nein, Ich will es ja. Ich will wirklich. Es macht mir nur ein bisschen Angst, das ist alles.«
Sean sah seine ältere Freundin an, die mit ihrem Portobello-Pullover und geerbten Ohrringen auf seinem Balkon in Catford stand, nervös ihr Champagnerglas umklammert hielt und zu ihm aufblickte, als sollte sie der königlichen Familie vorgestellt werden, und empfand einen riesigen, überwältigenden Anfall

von Liebe für sie, der in seinem Bauch begann und sich bis zu seinen Tränendrüsen erstreckte.
»Ach, komm her«, sagte er und streckte seine Arme aus. »Sie werden dich lieben, das weißt du doch. Sie werden dich alle anbeten.« Sie lächelte warm und überließ sich seiner Umarmung, und er drückte sie fest an sich und atmete ihren Duft ein. Jetzt, sagte eine leise Stimme in seinem Kopf. *Jetzt, tu es jetzt.* Es konnte nie einen besseren Augenblick geben; ein milder Aprilabend, London unter ihnen, die untergehende Sonne über ihnen und eine ganze Flasche eisgekühlten Champagners.
Er nahm ihre Hände in seine und blickte auf die ingwerfarbenen Flecken in ihren olivfarbenen Augen, auf die Lachfältchen, die in ihren Augenwinkeln begannen, auf die kleine Narbe genau über ihrer Oberlippe, die kleinen Unvollkommenheiten, die er in den letzten acht Wochen fast mehr zu lieben gelernt hatte als ihre Vollkommenheit, und während er hinschaute, merkte er, wie er es tat, es sagte, ohne auch nur darüber nachdenken zu müssen:
»Millie – willst du mich heiraten?«
Einen kurzen Augenblick sah sie ihn schockiert an, und ein Lächeln zuckte in ihren Mundwinkeln.
»Was?!«
»Ich habe gesagt«, diesmal kniete er sich hin, »Millie, ich weiß, wir kennen uns noch nicht lange, aber wir kennen uns beide gut genug, dass ich weiß, dass ich den Rest meines Lebens mit dir verbringen will, und deshalb möchte ich dich fragen – willst du mich bitte heiraten?«
Er blickte zu ihr auf und kam sich leicht dämlich vor, war aber ganz aufgeregt und wartete auf ihre Reaktion. Eine Weile sah sie ihn ausdruckslos an. Und dann warf sie den Kopf zurück und fing an zu lachen.
»Willst du mich reinlegen?«, fragte sie misstrauisch. »*Du* willst *mich* heiraten?«

»Ja.«
Sie lachte laut auf. »Aber *niemand* will mich heiraten. So bin ich nun mal. Du kannst mich doch nicht wirklich heiraten wollen.«
»Oh, aber ich will es.«
»Aber ich bin eine alte Jungfer. Ein spätes Mädchen. Ich habe noch nicht mal mit jemandem zusammengelebt. Bist du dir ganz sicher?«
»War mir nie sicherer.«
»Und ich bin sechs Jahre älter als du. Ist dir das klar?«
»Mmh.«
»Und was auch immer in dieser Welt geschieht, ich werde immer sechs Jahre älter sein. In vier Jahren werde ich vierzig. Und du wirst erst vierunddreißig sein.«
»Ja.«
»Ich werde mich nicht auf wundersame Weise in eine Dreiundzwanzigjährige verwandeln, wenn du deine Midlifecrisis hast, weißt du?«
»Ach, Himmel noch mal, Millie …« Sean lächelte schief und stand auf.
»Oooh. Tut mir Leid, tut mir Leid. Ich sollte eigentlich nur ziemlich rätselhaft und anmutig ja sagen, als ob ich immer gewusst hätte, dass du mich heiraten willst, oder?«
»Nun ja, das ist …«
»Ja! Ja! Doppelt ja! Ja, ich heirate dich mit Freuden. Wenn du dir wirklich sicher bist, was du tust, und wenn du wirklich darüber nachgedacht hast und du nichts dagegen hast, mit einer alten Frau rumzuhängen, und …«
»Millie!«
»Tut mir Leid.«
»Das ist also ein Ja?«
»Ja! O Gott, ja, eindeutig!«
»Willst du dann deinen Ring?«
»O mein Gott! Du hast einen Ring für mich?« Sie fuhr mit den

Händen zu ihrem Mund, und Sean konnte Tränen in ihren Augen schimmern sehen.
»Mmh.« Er ging nach drinnen, um den Ring aus seiner Schublade zu holen, und sein Herz hämmerte vor Aufregung.
Sie keuchte erstaunt auf, als er ihr die Schachtel überreichte. »Dir ist es wirklich ernst, nicht wahr?« Sie öffnete sie langsam und ehrfürchtig und sog den Atem ein, als sie den Stab aus Diamanten sah. Und dann steckte Sean ihn ihr an den Finger, und sie brach in Tränen aus.
»O Gott«, schniefte sie unter Tränen und Gelächter, »ich werde heiraten.« Sie wandte ihr Gesicht der Welt zu, legte die Hände um den Mund und schrie es hinüber zur Silhouette Londons: »Ich werde heiraten!« Und dann wandte sie sich wieder zu Sean um und sah ihn mit tränenumflorten Augen an. »Ich liebe dich so sehr, Sean London. Wir werden so unglaublich glücklich miteinander sein. Das weißt du doch, oder?«
Und Sean lächelte, weil er es wusste. »Komm«, sagte er und wischte ihr die Tränen von den Augen weg, »lass uns in mein feuchtes, muffiges Loch von einem Schlafzimmer gehen und fantastischen Nach-Antrags- und Verlobungssex haben.«
Er musste sie nicht zweimal fragen.

Einfach das, was er immer wollte

Herzlichen Glückwunsch, Tony.« Ness reichte ihm ein riesiges und sehr schweres Geschenk, das in grellgrünes, holografisches Papier mit einer fuchsienroten Schleife eingewickelt war.
»Danke.«
»Fünfunddreißig«, sagte sie ungefähr zum hundertsten Mal an diesem Abend. »Ich kann nicht glauben, dass du fünfunddreißig wirst.«
Er zog eine Grimasse und begann das Papier wegzureißen. Drinnen war eine Pappschachtel. Darauf standen die Worte »Biologisch angebaute Ananas«. »Cool«, meinte er, »Ananas.«
Ness warf ihm ein tödliches Lächeln zu. »Los«, drängte sie ihn, »mach es auf.« Sie bebte fast vor Aufregung, als Tony das Klebeband von der Schachtel riss und die Seiten aufklappte.
Tony sah hinein. Es war irgendetwas Elektronisches. Es war schwarz und eckig. Er zog es heraus und betrachtete es.
Ness sah ihn an, und Vorfreude leuchtete in ihren Augen. »Weißt du nicht, was das ist?«
Tony untersuchte es näher. »Ähem, eine Art Zeitmaschine?«.
»Nein! Es ist ein Betamax-Videoplayer! Damit du darauf deine ganzen Betamax-Bänder anschauen kannst!«
»Ah«, machte Tony, während die Erkenntnis dämmerte. »Ah! Gut, Ness, das ist toll. Das ist so toll. Danke.« Und es war wirklich toll. Die Londons hatten in den Siebzigern einen Betamax besessen, als es niemand besser wusste, und Tony hatte ein paar

Jahre lang seine ganzen Lieblingssendungen eifrig aufgenommen, bis das VHS-System aufgekommen war und sie ihn losgeworden waren. Doch er hatte die ganzen Jahre seine Betamax-Bänder aufgehoben, entschlossen, sich eines Tages ein Gerät zu besorgen und sich damit in die Vergangenheit zu begeben.
»Wo, zum Teufel, hast du das her?«
»Na ja – es war tatsächlich ein bisschen ein Albtraum. Ich habe vor sechs Monaten angefangen zu suchen und habe fast einen bei einem Räumungsverkauf bekommen, aber er war völlig kaputt, deshalb musste ich im Internet suchen, aber es wurde alles ein bisschen kompliziert. Und dann habe ich diesen hier in einem Elektroladen in der Church Road bekommen. Bin einfach zufällig dran vorbeigefahren, ging hinein, und da war er.«
»Gott, Ness, danke«, er beugte sich zu ihr, um sie zu küssen, und sie drückte die Hände an seine Wangen und gab ihm einen dicken Schmatzer auf die Lippen.
»Wirklich keine Ursache.« Sie grinste ihn glücklich an, und Tony empfand ein wachsendes Gefühl des Unbehagens in seinen Gedärmen. Sie hatte sich so viel Mühe gegeben, hatte so viel nachgedacht und ihm die beste Art von Geschenk gekauft: das Geschenk, das man wirklich wollte, von dem man aber nicht wusste, dass man es wollte. Ein Geschenk, das zeigte, dass sie ihm zuhörte, dass sie sich an Dinge erinnerte, die er gesagt hatte, dass das, was ihm wichtig war, auch ihr wichtig war.
Ein Geschenk, das zeigte, dass ihr etwas an ihm lag.
Viel zu viel.
Tony spürte, wie ein Band aus Schuldgefühlen sich um seine Brust legte. »Los«, forderte er sie auf und steckte den Betamax wieder in seine Ananas-Kiste, »wir machen uns besser auf den Weg. Wir kommen sonst zu spät.«

Der einsamste Pinguin

Mum hatte das Wohnzimmer hübsch hergerichtet – Kerzen, ein großes Feuer, Sinatra, der im Hintergrund spielte. Im Moment waren sie nur zu fünft: Mum, Dad, Ned, Ness und er. Hände schossen in Schalen mit Nüssen und Bombay-Mischungen und wieder heraus. Dad warf Pistazienschalen ins Feuer, wo sie zischten und krachten, Mum saß strahlend vor Freude da bei der Aussicht, ihre ganze Brut wieder unter ihrem Dach versammelt zu sehen.
Tony hockte auf der Sofalehne und achtete nicht auf das Gefühl von Ness' Arm, der über seinen Schoß fiel und voller Zuneigung seine Kniescheibe drückte. Er nahm ein Glas Wein von seiner Mutter entgegen und trank einen großen Schluck, ließ ihn in seinem Mund herumspülen und die lauwarme Flüssigkeit in jeden Winkel dringen, so dass er ganz betäubt wurde.
Das Feuer im Kamin gab viel zu viel Hitze ab, und Tony spürte, wie er in seinem Fleece zerschmolz. Er wollte ihn gerade ausziehen, als es an der Tür klingelte. Himmel. Das waren sie. Er zog seinen Fleece-Pullover wieder herunter, berührte sein Haar, nahm Haltung an und versuchte sein Bestes, natürlich dreinzuschauen – was so gut wie unmöglich war, denn jeder Nerv in seinem Körper bebte vor Vorfreude.
Er beäugte lässig die Wohnzimmertür und trommelte mit den Fingerspitzen beiläufig gegen die Seite seines Weinglases. Und dann war sie da, stand in der Tür genau hinter Sean. Alles andere schien da zu verblassen – die Vorstellung, das Lachen, die

reine fröhliche Freude der Familienzusammenkunft. Er war taub für alles. Er war sich nur noch dieser schönen, vollkommenen Gestalt bewusst, die unsicher in der Tür stand, das Geschehen vor ihr anlächelte und so aufgeregt wie alle anderen im Zimmer aussah, obwohl sie eine Fremde war.
»Also, ihr alle, das ist Millie. Millie, das sind alle.«
»Sean, ehrlich, was ist denn das für eine Vorstellung?«, schimpfte Bernie, die Millie bei der Hand nahm und sie mit allen richtig bekannt machte. Tony konnte kaum atmen. Sie sah sogar noch besser aus, als er sie in Erinnerung hatte, mit einem bestickten Wildlederrock, Lederstiefeln und einem engen roten Pullover. Ihr Haar war zurückgebunden, und ein paar mahagonifarbene Strähnen hingen ihr lose ins Gesicht. Und sie trug roten Lippenstift.
»Und Tony und Ness kennst du schon, oder?« Bernie duzte sie ganz selbstverständlich.
»Doch. Natürlich. Hallo noch mal«, sie strahlte beide an, beugte sich dann zu Tony, packte seine Schulter und küsste ihn richtig auf die Wange, so dass er an seiner Haut die Poren ihrer Lippen spüren konnte. »Herzlichen Glückwunsch!«
»Danke«, murmelte er und atmete tief ein. Sie roch nach frischer Luft und Londoner Regen.
Ehrfurchtsvoll sah er zu, wie sie sich noch mal vorbeugte, um Ness zu küssen. Alles war noch da, genau wie er es in Erinnerung hatte: die Augen mit den Flecken, das dicke Haar, die vollen Lippen, die braune Haut, die runden Nägel, die Silberringe … Aber, halt, ein Silberring mehr als beim letzten Mal. Ein schmaler, silberner Ring mit einem großen Diamanten am dritten Finger der linken Hand. Derselbe Finger, an dem er acht Jahre lang einen Ring getragen hatte. Ein Erbstück, nahm er abschätzend an, ein Großmutterring, etwas, das sie zu besonderen Gelegenheiten trug, wahrscheinlich am einzigen Finger, an den er passte.

»Schön, dich wiederzusehen«, sagte sie, und das Geräusch ihrer Lippen an Ness' Wangen hallte in Tonys Kopf wider.

Sean beugte sich vor, um ihn zu umarmen – ein schneller Klaps auf den Rücken, herzlichen Glückwunsch, Kumpel, irgendein Geschenk, das ihm in die Hände geschoben wurde – doch er war sich nur der Tatsache bewusst, dass *sie* im Raum war. Die Frau, über die er seit fast zwei Wochen Fantasien hatte. Sie saß dort drüben, trank mit übergeschlagenen Beinen im Haus seiner Eltern Wein. Und sie würde den ganzen Abend da sein.

Jemand machte einen Witz über Goldies Zustand. »O nein«, sagte Millie und streichelte ihn heftig, »ich finde, er ist hübsch.«

Goldie rollte sich auf den Rücken und bot seinen furchtbaren alten Bauch dar, den Millie gehorsam kitzelte, und Tony hätte sich niemals vorstellen können, dass der Tag kommen würde, an dem er sich mehr als alles andere auf der Welt wünschen würde, ein seniler, schlecht riechender Golden Retriever zu sein.

»Zumindest ist er über das Alter der unwillkürlichen Erektionen hinaus«, sagte Sean, und alle lachten.

Tony lachte auch, hörte jedoch abrupt auf, als er sein Spiegelbild in den Glastüren eines Schranks zu sehen bekam und sich fast selbst nicht erkannte. Und dann erinnerte er sich – das war er jetzt, ein fetter und nun fast ein Mann mittleren Alters, der in zu vielen Klamotten leicht schwitzte, dessen Wangen rot vom Feuer und dem Wein waren, dessen Haar ungekämmt und wollig an der Stelle war, wo er sein T-Shirt über den Kopf gezogen hatte, als er sich fertig gemacht hatte.

Sein Dad wanderte mit einer Flasche Wein im Zimmer umher, und eine Selbstgedrehte hing ihm im Mundwinkel.

»Nachschenken?«, fragte er Tony.

»Ja, bitte.« Er ließ seinen Dad sein Glas bis zum Rand auffüllen und trank dann einen großen Schluck.

»Tony?«

»Was?« Er erwachte ruckartig aus seiner Träumerei, als er fühlte, wie Ness auf seine Kniescheibe klopfte.
»Komisch, nicht?«
»Was?«
»Das mit der Karte?«
»Welche Karte?«
Ness verdrehte die Augen. »Aufwachen, aufwachen«, neckte sie. »Millie hat gerade gesagt, dass die erste Karte, die sie für Sean gekauft hat, eine von deinen war.«
»Nein. Wirklich? Welche?«
Millie setzte sich auf dem Sofa auf und machte sich daran, ihm die Karte zu beschreiben. »Sie hat diese Form«, sagte sie und beschrieb ein schmales Rechteck, »und darauf ist ein Cartoon von einem Pinguin, ein wirklich winziger ...« – sie zeigte die Winzigkeit mit Daumen und Zeigefinger an – »...kleiner Pinguin mit diesem traurigen Gesichtsausdruck, und er sitzt ganz allein auf diesem Gletscher, meilenweit ist nichts um ihn herum, und darauf steht ...«
»›Ich fühle mich einsam‹«, beendete Tony.
»Ja«, bestätigte sie, »genau. Aber nicht weil ich einsam war oder so. Mir gefiel einfach der Ausdruck in dem Gesicht des kleinen Pinguins. Der – ist mir einfach nahe gegangen. Hast du ihn gezeichnet, Tony?«
»Nein«, antwortete Tony und wünschte sich dabei mehr als alles auf der Welt, er hätte es getan. »Nein. Ich habe ihn aber in Auftrag gegeben. Tatsächlich stammt er von einer Frau – einer Frau namens ... namens ...« Er schnalzte mit den Fingern und versuchte sich verzweifelt an den Namen der Künstlerin zu erinner. »Sibyl? Oder so? Etwas Französisches. Mit S ...« Er zermarterte sich das Hirn, weil er Millie die Information, die sie suchte, geben wollte, weil er ihr alles geben wollte, alles geben musste.
»Oh«, sagte sie und beobachtete ihn bei seinem Kampf, »mach

dir keine Sorgen – es wird hinten auf der Karte stehen. Ich schaue es mir an, wenn wir wieder bei Sean sind.«

»Du bleibst heute Nacht bei Sean?«, fragte er überrascht. Er konnte sich einfach nicht vorstellen, wie Millie in Seans Haus marschierte, den Aluminium besetzten, mit Graffiti beschmierten Aufzug hinauf zu seiner schäbigen kleinen Wohnung nahm, die immer nach schalen Bettlaken roch.

»Ja«, sie nickte und lächelte, »ich war auch Mittwoch dort, nicht wahr, Sean?« Sie zwinkerte ihm zu.

»Ganz sicher warst du das, Millie«, bestätigte er und zwinkerte zurück.

»Sollen wir …?« Sie wackelte mit den Augenbrauen, als sie ihn ansah.

»Ich weiß nicht«, meinte er, »glaubst du …?«

»Es liegt an dir«, sagte sie.

»Lass es uns tun«, gab er zurück.

Und sie hielten sich an den Händen und drehten sich zu allen um, damit sie sie ansehen konnten, und sie sahen aus, als ob ihre Gesichter vor Aufregung bersten sollten, und Sean drückte Millies Hand, und Millie strahlte, und er sagte: »Wir möchten euch etwas sagen.«

»O ja.« Bernie setzte sich aufrecht hin und schenkte ihnen ihre ungeteilte Aufmerksamkeit.

»Nun«, begann Sean und wechselte einen widerlichen komplizenhaften Blick mit Millie, »Mittwochabend habe ich Millie gefragt, ob sie mich heiraten möchte …«

Mum schrie auf und erstarrte, und ihre Hände flogen zu ihrem Gesicht, um ihren Mund zu bedecken.

»… und sie hat ja gesagt. Wir werden heiraten!«

Eine Sekunde lang fiel der Raum in angespanntes Schweigen. Tony sah sich nervös um. Es sah aus wie »Die Reise nach Jerusalem«.

»Siehst du!«, bemerkte Ned triumphierend und zeigte mit dem

Finger auf Tony. »Habe ich es dir nicht gesagt – habe ich es nicht gesagt?«

Und dann explodierte das Zimmer. Alle sprangen auf, um ihnen zu gratulieren und sie zu küssen. Mum schickte Gerry zu dem Spätverkauf über der Straße, um eine Flasche Champagner zu holen. Ness fing an zu weinen. Ned ging nach oben, um seine Kamera zu holen. Aber nicht einer sagte: »Wartet mal eine Sekunde, ihr zwei kennt euch doch kaum – findet ihr nicht, dass ihr alles ein wenig überstürzt?« Nicht einer handelte verantwortungsvoll. Es war erbärmlich, diese verzweifelte Suche nach Aufregung – Ooh, wundervoll, jemand heiratet, das hebt mein langweiliges kleines Leben für ein, zwei Minuten aus seiner Trübsal, wen schert es schon, ob sie den größten Fehler ihres Lebens machen oder nicht. Jesus.

Jemand reichte ihm ein Glas Champagner, und er kippte die Hälfte hinunter. »Tony«, mahnte seine Mutter, »warte auf den Trinkspruch! Also, ehrlich …«

Alle redeten von Terminen und Anträgen und Ringen und Kleidern, Ness fuhr mit der Hand seinen Schenkel hinauf und hinunter, und Tony blieb nur, auf sein Spiegelbild in den Türen des Schranks zu starren und sich zu fragen, wann genau sich sein Leben so entwickelt hatte.

Er war ein echter Fang gewesen. Er. Tony. Er war der große Bruder gewesen, der gut aussehende, der erfolgreiche Geschäftsmann. Er war derjenige mit der schönen Frau und dem großen Haus gewesen, mit dem Jeep und dem Bankkonto, das nie in den roten Zahlen war. Sean war nur sein kleiner Bruder gewesen, der Spitzbube, das Sorgenkind seiner Mutter, derjenige, der bei nichts bleiben konnte.

Doch nun war Sean »der Autor«, und »der Autor« zu sein hieß, dass alles, was vorher als negativ an ihm gesehen worden war, irgendwie nun passte. »Der Autor« zu sein hieß, dass ein schlampiger, fauler Kerl mit stinkenden Turnschuhen, der in

einer Sozialwohnung in Catford wohnte, eine Frau wie Millie dazu überreden konnte, ihn zu heiraten. Und »der Autor« zu sein bedeutete, dass *er* nun der Fang in der Familie war, nicht Tony. Nicht mehr. Jesus.
Tony wartete düster auf den Trinkspruch, hob halbherzig sein Glas und kippte noch mehr Champagner herunter. Es war nicht richtig. Es gab Konstanten im Leben, wichtige Konstanten, Dinge, mit denen man in der Welt verankert war – Dinge wie die Tatsache, dass die Mutter einen immer lieben würde, egal, was passierte, und dass man eines Tages sterben musste. Und dass man immer, was immer auch im Leben geschah, der große Bruder sein würde. Doch Tony fühlte sich nicht mehr wie der große Bruder. Er fühlte sich wie der leicht übergewichtige, dümmliche jüngere Bruder, der nie von zu Hause weggehen und heiraten würde. Er sah Sean an, der strahlte und triumphierte, und er sah Ned an, das geliebte, verlorene Baby der Familie. Er sah Ness wieder an, seine »Retterin«, wie sie sich mit seiner Mutter verbündete, und ihm fiel ein, dass seine Mutter wahrscheinlich Ness ihm vorziehen würde, wenn sie sich je entscheiden müsste. Und dann, als ob sie diese erbärmlichen Gefühle der Unsicherheit über seine zuvor unstrittige Position in der Familie noch steigern wollte, tauchte plötzlich eine skelettartige Gestalt in der Tür auf.
»Gervase! Komm rein, mein Lieber, komm rein. Du kommst gerade rechtzeitig. Wir haben wunderbare Neuigkeiten gehört. Gerry, hol Gervase ein Glas für seinen Champagner. Tony, mein Lieber, rutsch ein bisschen rüber, lass Gervase sich setzen.«
Tony rutschte rüber und klammerte sich nun ganz an den Rand der Versammlung. Er trank noch einen Schluck Champagner und wurde fast überschwemmt von Abneigung.
Er kam sich unbedeutend vor. Er fühlte sich befangen. Er fühlte sich so einsam, ausgestoßen und abgetrennt von allen wie der kleine Pinguin auf Millies Karte.

Er passte nicht mehr her. Er wollte wieder neu anfangen.
Er wollte eine neue Chance.

Ness blieb in dieser Nacht nicht bei ihm. Tony konnte die Aussicht darauf wirklich nicht verkraften. Er wollte nur in sein eigenes Bett kommen, allein, an Millie denken und sich selbst bemitleiden. Er wollte Ness nicht dort haben, wie sie ihre endlosen Beine um ihn schlang, versuchte, ihn aufzuheitern, wie sie so höllisch beschwingt wäre – seine so genannte verdammte *Retterin* wäre. Sie winselte ein wenig, doch er tat so, als hätte er rasende Kopfschmerzen und müsste früh aufstehen, und er bestellte ihr ein Minicab und spürte, wie er vor Erleichterung zusammenbrach, als er die Tür hinter ihr schloss. Und während er sie vom Schlafzimmerfenster aus beobachtete, wie sie ihre langen Beine in das Minicab hievte und mit dem Fahrer flirtete, während er ihrem rauen Lachen lauschte, das sogar bei geschlossenen Autotüren durch die Gassen hallte, war er plötzlich wütend auf sie. Mehr als das – völlig fuchsteufelswild. Ness, so empfand er plötzlich, war das Problem bei allem. Sie war das Symbol seines auseinander fallenden Lebens und des abrupten Endes seiner Jugend. Wenn man eine Linie durch die Mitte von Tonys Leben ziehen wollte, um es in »gute Zeiten« und »schlechte Zeiten« zu trennen, würde sie direkt an dem Punkt gezogen werden, an dem Ness aufgetaucht war.
Er war noch dünn gewesen, als Jo und er sich getrennt hatten, war noch für alles bereit und positiv im Hinblick auf die Zukunft gewesen. Und dann war Ness in sein Leben getreten und hatte ihn zum Lachen gebracht. Sie war auch für alles bereit gewesen – sie beide waren jeden Abend ausgegangen, hatten sich bis zur Bewusstlosigkeit betrunken, hatten gelacht, gegessen, Geld ausgegeben. Sie hatte ihn abgelenkt von den latenten Ängsten, die er vielleicht in Bezug auf seine Zukunft als Single gehabt hatte, und hatte ihm ein gutes Gefühl verschafft. Und

der Sex war nach so langer Zeit mit derselben Frau eine Offenbarung gewesen. Ness' Appetit auf Sex kam ihrem Appetit auf Essen und Trinken mehr als gleich, und sie war für alles bereit. Tony hatte sie im Laufe der Monate ziemlich lieb gewonnen, hatte sich darauf gefreut, sie immer öfter zu sehen. Und dann, auch wenn es nichts Ernstes hätte sein sollen, waren sie irgendwie plötzlich ein Paar geworden, weil all seine Freunde sich auch gepaart hatten. Die Freunde fühlten sich besser dabei, Zeit mit Tony zu verbringen, wenn er Teil eines Paares war, und sie liebten alle Ness, dachten, sie sei *so* gut für Tony. Also wurde sie Teil der Clique und Teil seines Lebens. Und niemand hatte ihn je gefragt, ob er etwas dagegen hatte. Sie waren so darauf aus, dass sie beide zusammen waren, dass sie ein TonyUndNess-Paar wurden, dass es irgendwie passierte. Und er hätte es nicht passieren lassen sollen, dachte er nun, er hätte es nicht zulassen sollen, dass sich Ness so eng in sein Leben verstrickte, denn sie hatte ihn blind gemacht für andere Möglichkeiten. Die Möglichkeit wahrer Liebe und einer echten Zukunft. Er hatte zehn Jahre lang einen Kompromiss gelebt, hatte gedacht, dass das Leben nicht mehr zu bieten hatte. Er hätte seine Chance ergreifen sollen, als Jo gerade gegangen war, genauso wie sie es getan hatte, hätte die Gelegenheit ergreifen sollen, wahre Liebe zu finden, zu finden, was Sean gefunden hatte. Millie zu finden, Millie zu lieben, Millie zu heiraten. Anstatt nur von ihr zu träumen.

Jo zu heiraten war kein Irrtum gewesen, erkannte Tony, und sich scheiden zu lassen auch nicht, doch zuzulassen, dass Ness ihn liebte, war einer der größten Irrtümer seiner Lebens gewesen.

Millies Geständnis

Gott sei Dank ist es vorbei«, seufzte Sean im Taxi auf dem Heimweg von Mickey's, allerdings mehr um Millie die Gelegenheit zu geben, ihm zu sagen, dass es ein Albtraum gewesen war, als weil er froh war, dass es vorbei war. Er hatte einen ausgezeichneten Abend verbracht. Er war schon immer gerne mit der Familie ausgegangen, vor allem jetzt, da Ned wieder da war. »Danke, dass du wegen mir das alles mitgemacht hast.«

»Gott, Sean«, Millie sah ihn ungläubig an, »sei nicht dumm. Es war ein wahres Vergnügen. Deine Familie ist fantastisch.«

Er drehte sich zu ihr. »Wirklich?«

»Wirklich. Ich hatte einen tollen Abend. Deine Mum ist wunderbar. Und so schön. Und dein Vater ist hinreißend.« Millie lächelte, schmiegte sich an Seans Schulter und kuschelte sich in seine Armbeuge. »Ich möchte sie besser kennen lernen. Deine Familie. Möchte sie richtig kennen lernen. Du verstehst?«

Sean sah sie an und küsste sie auf den Scheitel und liebte sie noch mehr, als er sie am Morgen geliebt hatte, mehr, als er jemals jemanden in seinem Leben geliebt hatte, und musste sich zurückhalten, ihr noch mal einen Antrag zu machen.

»Ich komme aber nicht darüber hinweg, wie verschieden ihr drei Brüder seid.«

»Was meinst du damit?«

»Na ja, ihr seid euch in mancher Hinsicht wirklich ähnlich; ihr habt alle das gleiche Kinn und die Ohren und die Gesichtsform. Aber Ned ist irgendwie ganz der Hippie und sanft und scheint

viel jünger zu sein, als er wirklich ist. Und Tony ist ganz puritanisch und erwachsen und wirkt älter, als er ist. Ich kann es nicht glauben, er ist ungefähr so alt wie ich.«
»Stimmt. So ist unser Tony. Frühzeitig gealtert.«
»Ich denke aber, er ist wirklich süß. Wie ein großer Teddybär.«
»Gott, er würde sich die Pulsadern aufschneiden, wenn er dich hören könnte. Er hat wirklich Probleme mit seinem Gewicht.«
»Warum? Er ist doch nicht fett.«
»Doch, ist er. Er ist völlig in die Breite gegangen.«
»Gott – Männer sind so *unhöflich* zueinander! Er ist nicht fett. Er ist nur knuddelig. Ganz rosa und kuschelig in seinem Fleece-Pullover. Ich finde, dass er tatsächlich ziemlich gut aussieht.«
Sean warf ihr einen Blick gespielten Entsetzens zu. »Bist du scharf auf ihn oder was?«
»Nein, natürlich nicht! Ich bin im ganzen Weltall auf niemanden scharf außer auf dich, mein Geliebter, das weißt du sehr wohl. Nein – er ist auf diese Teddybärenart gut aussehend. Du weißt schon. Ich mag ihn wirklich. Und ich mag Ness auch wirklich.«
»Ja, Ness ist cool, nicht wahr?«
»Tony weiß sie aber nicht zu schätzen, oder?«
Sean zuckte die Achseln. »Nein«, antwortete er, »wahrscheinlich nicht – nicht wie ich dich zu schätzen weiß, ja?«
Millie lächelte ihn an und kuschelte sich noch näher an seine Schulter. »Niemand hat mich je so zu schätzen gewusst wie du.«
»Das kann ich kaum glauben.« Sean drückte sie fest und atmete tief ein, genoss es, wie dieser Augenblick schmeckte, denn genau jetzt, als er auf dem Rücksitz eines Peugeot 406 mit Millie saß an einem Samstagabend im April, wusste Sean, dass er vollkommenes und völliges Glück erfuhr.

Es klopfte leise an der Badezimmertür. »Sean? Kann ich reinkommen?«
»Ich pinkle nur, Millie, ich bin in einer Sekunde draußen.«

Sean fuhr leicht zusammen, als er hörte, wie die Tür hinter ihm aufging und er Millies Hand spürte, die seinen Pullover streifte.
»Millie!«
»Ach, sei nicht so dumm«, schimpfte sie, »wir sind verdammt noch mal verlobt. Es wird langsam Zeit, dass wir uns die Tatsache eingestehen, dass wir aufs Klo gehen, oder? Außerdem muss ich dir was sagen, und wenn ich es jetzt nicht sage …« Sie atmete tief und hörbar ein. »Es tut mir Leid.«
»Leid? Was, um Himmel willen?« Seans Pinkeln klang plötzlich außergewöhnlich laut, weshalb er versuchte, auf die Seite der Schüssel zu zielen.
»Ich glaube, ich muss dir ein Geständnis machen.«
Sean wollte sich verzweifelt umdrehen und sie ansehen, doch er pinkelte unerklärlicherweise immer noch.
»Okay – raus damit.« Sean war nun ziemlich überzeugt, dass dies nicht nur das längste Pinkeln war, das er jemals fertig gebracht hatte, sondern dass es auch wahrscheinlich das geruchintensivste war.
»Ich muss dir etwas sagen. Etwas Wichtiges. Etwas, was du wahrscheinlich nicht erwartest, und etwas, das alles verändern wird. Und zwar ziemlich.«
»Gut.« Jetzt kommt es, dachte er, sie wird mich sitzen lassen. Während ich pisse. Tatsächlich dabei bin, zu pissen.
»Die Sache ist die – und ich habe mich noch nicht entschieden, ob es etwas Gutes oder etwas Schlechtes ist, aber ich hoffe wirklich, dass es etwas Gutes ist …«
Etwas Gutes, dachte Sean, wie konnte man sich nur vorstellen, dass ich denken könnte, es sei etwas Gutes, wenn du mich sitzen lässt, während ich pisse?
»Sean – ich bin schwanger.«
Der letzte Tropfen Urin traf endlich die Schüssel und klang wie eine Bombe, die in den Atlantik fiel.
Dann herrschte Stille im Bad.

Charmante Gefühle aus Übersee

Ich bin voll«, stöhnte Ned, warf sich aufs Sofa und schaltete den Fernseher ein, »absolut und beschissen voll.« Es war das erste Mal, seit er wieder zu Hause war, dass er überhaupt Appetit gehabt hatte, und bei Mickey's hatte er wirklich reingehauen. Houmous und Tara mit ungefähr vier ganzen Pitta-Broten, ein paar gebratene knusprige Dinger, gefüllt mit Lammhack, eines von Mums gefüllten Weinblättern, die gemischte Grillplatte, die wirklich absolut riesig war, Eis und Liköre. Ganz zu schweigen von den sechs Flaschen zypriotischem Lager und dem ganzen Champagner, den sie getrunken hatten, bevor sie das Haus verließen.

Er zog sein T-Shirt hoch und streichelte zärtlich seinen geschwollenen Bauch.

Gerry kam mit einer großen Pappkiste voller grün schimmernder Kerzenständer aus Silber und seinem Reinigungsset herein. Er legte Zeitungen aus, drehte sich eine Zigarette, zog seine rauen Baumwollhandschuhe an und begann mit dem Polieren; dabei griff er nur ab und zu nach seiner Selbstgedrehten, die er dann zwischen den von Baumwolle umhüllten Fingerspitzen hielt und an der er nachdenklich sog.

»Möchtest du mir helfen?«, fragte er Ned nach einiger Zeit.

Ned sah ihn auf eine Weise an, die eindeutig besagte, dass er verrückt war.

»Ich gebe dir einen Fünfer.«

Ned dachte an sein schnell dahinschwindendes Bankguthaben.
»Pro Gegenstand?«
»Bist du irre?«, gab Gerry zurück. »Nein – für die Hälfte von allem.«
»Die Hälfte? Du machst wohl Witze. Da drin sind ungefähr zwanzig Ständer.«
»Okay, einen Zehner.«
»Kommt nicht infrage – drei Mäuse pro Ständer. Das ist mein letztes Angebot.«
»Einen.«
»Zwei fünfzig.«
»Eins fünfzig.«
»Zwei.«
»Abgemacht.«
»Cool.«
Ned hievte sich von seinem Platz hoch und wanderte zu seinem Vater hinüber. Er wühlte eine Zeit lang in den Kerzenständern herum und suchte nach welchen, die nicht zu viele Verzierungen und Kram aufwiesen, und trug sie dann zu seinem Sitzplatz vor dem Fernseher hinüber.
»Also, erzähl mir mehr über die große Überraschung für Mum«, forderte Ned seinen Vater auf.
»Pscht!« Gerry legte einen Finger an die Lippen und sah Ned streng an.
»Ist schon in Ordnung – sie ist in der Küche.«
»Nun«, begann Gerry, beugte sich zu Ned und flüsterte, »ich werde ihr sagen, ich würde sie schick zum Essen ausführen, sie solle sich aufmotzen, werde am Ritz vorbeifahren, dabei ganz feuchte Augen kriegen, du weißt schon, mich an unsere erste Verabredung erinnern, so in der Art. Sie zu einem schnellen Cocktail drinnen verführen, und dann – Überraschung, Überraschung – tata!« Er rieb sich die Hände und zwinkerte Ned zu.
»Wer wird dort sein?«

»Ihr natürlich. Der Rest der Familie. Freunde der Familie. Ungefähr fünfzig. Champagnerempfang. Kanapees. Dinger mit Kaviar und Wachteleiern. Hab keine Ausgabe gescheut.«

»Cool«, meinte Ned, »und wer wird übernachten?«

»Nur wir. Ich gebe doch nicht ein Heidengeld für die anderen aus – du machst wohl Witze. Ich habe vier Zimmer gebucht. Und deins ist ein Doppelzimmer, also beeilst du dich besser und suchst dir eine neue Freundin.« Gerry lachte Ned an und riss sich dann zusammen, als er Mums Schritte den Flur entlang kommen hörte. »Pscht«, machte er wieder, »sie kommt.«

Bernie kam mit einem Kreuzworträtselmagazin und einer Tasse Kaffee herein. Es erstaunte Ned immer, dass Mum eine Tasse starken kolumbianischen Kaffees um Mitternacht trinken und dann eine halbe Stunde später ins Bett gehen und in einen tiefen, undurchdringlichen Schlaf sinken konnte. Ned musste einen Teebeutel nach sechs Uhr nur anschauen, um sicher zu sein, dass er bis in die frühen Morgenstunden wach liegen und seinem Herzen lauschen würde, das wie eine Lokomotive in seiner Brust hämmerte. »Ah«, gurrte sie und blieb auf der Schwelle stehen, um die Szene vor sich in Augenschein zu nehmen. »Schaut euch nur beide an. Beim Polieren. Wie früher.«

Sie fiel neben Ned aufs Sofa, zog die Füße unter sich hoch, streichelte liebevoll ihre Kaffeetasse und seufzte wohlig. »Das nenne ich einen schönen Abend. Alle meine Jungs da, gutes Essen, guter Wein und noch dazu ein paar gute Nachrichten.«

Ned und Gerry brummten zur Antwort, und fuhren mit dem Polieren und Fernsehen fort. Bernie griff nach ihren Ultras und zündete sich eine an. Eine Weile starrte sie ihre Zeitschrift an, doch Ned konnte erkennen, dass sie sich nicht konzentrierte. Sie wollte etwas sagen – sie hatte diesen gewissen Ausdruck.

»Also«, sagte sie schließlich ein paar Minuten später, »was meint ihr?«

»Wozu, meine Liebe?«, fragte Gerry.

»Zu den Neuigkeiten! Millie und Sean. Was meint ihr dazu?«

»Hübsches Mädchen«, antwortete Gerry geistesabwesend, »wirklich hübsches Mädchen.«

»Ned«, sie stieß ihn sanft mit dem Ellbogen an, »was ist mit dir?«

Ned zuckte die Achseln. »Ja«, sagte er, »ich mag sie.«

Bernie legte die Zeitschrift hin. Ned konnte hören, wie sie den Atem einsog und sich darauf vorbereitete, zu sagen, was ihr wirklich im Kopf herumging. »Ihr denkt nicht … ihr denkt nicht, dass es ein bisschen schnell geht? Dass sie es ein bisschen überstürzen?«

Ned stellte seinen Kerzenständer ab. »Nun ja«, antwortete er, »ich nehme an, es ist ein bisschen schnell. Aber sie mögen sich wirklich, das kann man erkennen, wenn man sie nur sieht.«

»Ja«, erwiderte Bernie nachdenklich, »aber das hat mich ja beunruhigt. Ich meine, wenn man am Anfang mit jemandem geht, dann *sollte* man denjenigen wirklich mögen. Das ist ja der Sinn der Sache. Man hat die ganze Chemie, die rumschwirrt im Körper und sicherstellt, dass man denjenigen wirklich mag. Was danach passiert, stellt das Problem dar. Ich habe immer gedacht, man sollte sich nicht verloben, wenn man denkt, der andere sei perfekt – dass man warten sollte, bis man weiß, dass er es nicht ist, man ihn aber trotzdem noch liebt. Ich meine, versteht mich nicht falsch, mir hat Millie wirklich gefallen – ich denke, sie ist wirklich ein tolles Mädchen. Aber sie und Sean, na ja, sie sind ziemlich *verschieden*, oder?«

»Du meinst, sie ist der verdammt noch mal vornehmste Mensch, der dir je im Leben begegnet ist?«, spottete Ned.

»Nun ja, sie ist ziemlich schick. Aber das ist es nicht. Sie ist nur einfach nicht sein üblicher Typ, oder? Und dann ist da der Altersunterschied – sie wird bald Babys haben wollen. Glaubt ihr, Sean ist bereit für Babys? Gerry?«

Gerry sah sie durch eine Wolke aus Tabakrauch an. »Natürlich ist er das«, antwortete er. »Dreißig Jahre alt – ich hatte schon drei, als ich in seinem Alter war.«
»Ja, aber die Jungs heutzutage. Sie werden nicht so schnell erwachsen. Und Seany war schon immer ein bisschen – verantwortungslos. Du weißt doch …«
»Dann wird's doch Zeit, dass er ein bisschen Verantwortung trägt, oder?«, fragte Gerry.
Bernie seufzte. »Vielleicht lässt er sich nur von der Romantik hinreißen – ihr wisst doch, wie er ist.«
Ned schnaubte verächtlich. »Sean ist kein Romantiker«, widersprach er.
»Nein – aber du weißt, was ich meine. Vielleicht ist er nur ein bisschen überwältigt von dem Gedanken, in die Art von *Gesellschaft* einzuheiraten.«
Ned schnaubte wieder. »Mum, im Grunde sagst du, dass dein Sohn ein seichter, doofer Aufsteiger ist, der einfach nur in die Oberklasse einheiraten will.«
Bernie sah einen Moment verwirrt aus. »Nein – das meine ich nicht.«
»Andersrum, wenn überhaupt«, murmelte Gerry. »Sie versucht wahrscheinlich, ihren Alten zu ärgern, indem sie ins Proletariat einheiratet.«
»Ach, ich weiß nicht – sie ist ein bisschen zu alt, um sich gegen ihre Familie aufzulehnen, oder? Außerdem ist Seany im Augenblick alles andere als ein Prolet, oder, Gerry? Mit seinem Buch und allem.«
»Egal«, meinte Ned, »ihr beiden müsst wirklich gerade reden, oder? Netter jüdischer Junge, der ein braves katholisches Mädchen heiratet. Und schaut euch nur die Katastrophe an, die aus eurer Ehe geworden ist, häh?«
Bernie und Gerry lächelten sich an. »Du hast Recht, du hast Recht«, gab Bernie zu, »aber daneben ist da noch diese über-

stürzte Heirat. Ich weiß nicht, es passt einfach nicht zu Sean, oder?«

Ned nickte. Das konnte er nicht leugnen. Aber dann wieder passte es auch nicht sehr zu Sean, einen Bestseller zu schreiben, einen Haufen Geld zu verdienen und der heißeste junge Autor in der Stadt zu werden.

»Vielleicht wird er einfach nur erwachsen«, meinte Ned. »Ihr wisst schon – er ist dreißig; es wird langsam Zeit.«

»Ja«, gab Bernie zu und pulte an ihren Fingernägeln, »das nehme ich an.«

»Ich meine, schau dir Tony und Jo an – sie kannten sich seit Jahren, als sie geheiratet haben, es sah aus, als seien sie füreinander geschaffen. Und trotzdem ist es schief gegangen.«

»Hmm«, stimmte Bernie mit einem Nicken zu.

»Und ich und Carly – zehn Jahre lang waren wir zusammen, und es hat nicht geklappt.«

»Ja. Ich weiß, was du sagen willst, aber etwas beunruhigt mich einfach daran. Ich habe einfach das Gefühl, dass Sean emotional nicht reif ist für diesen Grad an Bindung. Wenn du es wärst oder, sagen wir, Tony, wäre mir wohler. Aber Sean – er war immer so ein einsamer Wolf. Er hat immer alles alleine gemacht, musste vorher nie an jemand anderen als an sich selbst denken. Ich sehe einfach nicht, dass er schon so weit ist, sein Leben mit jemandem zu teilen.«

»Du sagst also, dass Sean den Rest seines Lebens allein verbringen sollte, oder was?«

»Nein, das sage ich nicht. Ich sage nur, dass sie zumindest versuchen sollten, eine Weile zusammen zu leben, bevor sie so etwas Wichtiges tun, wie zu heiraten. Ich sage nur, Sean ist noch nicht bereit. Das ist alles.«

»Nun, ich denke schon«, widersprach Ned, der seinen älteren Bruder plötzlich verteidigen musste. »Ich glaube schon, dass er so weit ist. Ich glaube, er wird ein toller Ehemann. Und er wird

eines Tages auch ein toller Vater sein.« Er hörte ein vertrautes Summen von seinem Handy, das in seiner Jackentasche im Flur lag. Eine SMS. Wer, zum Teufel, sollte ihm um diese Nachtzeit eine SMS schicken? Ein Schaudern überlief seinen Rücken, und er verließ das Wohnzimmer, um das Handy zu holen.
Ein unschuldiges Umschlag-Icon blitzte munter auf dem Display auf und versuchte ihn davon zu überzeugen, dass es ein Symbol von etwas Schönem und Gutem sei. Ned dachte anders.
Er drückte auf OK, und die Nachricht öffnete sich:

SchweinSchweinSchweinSchwein
SchweinSchweinSchweinSchwein
SchweinSchweinSchweinSchwein
SchweinSchweinSchweinSchwein
SchweinSchweinSchweinSchwein
SchweinSchweinSchweinSchwein

Er seufzte, schaltete sein Handy aus und ging wieder zurück ins Wohnzimmer, um Kerzenständer zu polieren.

Schwanger?

»Schwanger?«
»Mmh.«
Sean zog langsam seine Hosen wieder hoch und wandte sich zu Millie um. Sie sah zu ihm auf wie ein kleines Mädchen, das sich nicht sicher war, ob die Filzstiftzeichnung, die sie direkt auf die Wand des Wohnzimmers gemalt hatte, etwas Gutes oder etwas Schlechtes war.
Sean spürte, wie etwas in ihm im selben Moment vereiste – und es war genau derselbe Teil von ihm, der eigentlich hätte schmelzen sollen.
»Was meinst du damit, du bist schwanger?«
Millies Gesicht fiel in sich zusammen, als sie den Ärger in seiner Stimme hörte. »Es tut mir wirklich Leid, Sean.«
»Wie ist das passiert? Ich meine, wir haben doch immer Kondome benutzt.«
»Ich weiß es nicht, Sean, ich weiß es wirklich nicht.«
Seans Geist raste schnell zu jedem einzelnen frühmorgendlichen Kuscheln mit saurem Atem, zu jedem spätabendlichen, kichernden, betrunkenen Herumfummeln, zu jedem Quickie auf dem Sofa und zu jedem genüsslichen Sonntagsnachmittags-Marathonakt, bis er an einem Punkt vor zwei Wochen ankam, als Millie ihn davon abgehalten hatte, nach den Kondomen zu greifen. »Noch nicht«, hatte sie gesagt, »zieh ihn später drüber. Ich will einfach nur fühlen, du weißt schon …«
»Nein«, hatte er gescherzt, »was denn?«

»Du weißt schon.«
»Nein«, hatte er gelacht, »tu ich nicht! Sag es mir – sag mir, was du fühlen willst.«
»Dich«, hatte sie geantwortet. »Ich will dich fühlen. Richtig. In mir. Okay?«
Und es war ganz sicher okay gewesen. Fantastisch. Wunderbar. Seidig. Warm, weich und wie geschaffen für ihn. Und eine schöne, schöne Entwicklung in ihrer Beziehung, wie Sean meinte. Schließlich war es das doch, oder? Sobald man das Stadium des Kondoms in der letzten Minute erreichte, gab es kein Zurück. Es war alles Teil des natürlichen Vorwärtsdrangs in einer gesunden Beziehung – genauso wie man seine Zahnbürste da ließ, sich gegenseitig als Freund und Freundin bezeichnete, »Ich liebe dich« sagte. Es gehörte zu jenen Übergangsriten, die besagten, dass es nun kein Zurück mehr gab.
»Jesus«, murmelte er, »es sind die Kondome, nicht wahr, dass wir sie erst in letzter Minute benutzt haben. Scheiße! So blöd. So blöd.«
»Sean! Es hat nichts damit zu tun, wie wir Kondome benutzen. Ich bin in der siebten Woche. Es ist vor Wochen passiert.«
»Sieben Wochen? Aber wir sind doch erst seit achteinhalb Wochen zusammen!«
»Ich weiß. Ich weiß.«
»Aber ich verstehe nicht. Was haben wir getan?«
Millie hob die Augenbrauen. Sean empfand wieder blitzartigen Ärger. »Nein – in Gottes Namen – ich meine, in welcher Nacht? Wo waren wir? Was haben wir anders gemacht?«
»O Gott, Sean. Was zählt das schon? Ich bin schwanger.«
»Es zählt, weil … weil … ich es nicht verstehe! Ich habe mein ganzes Leben lang Kondome benutzt, und ich habe noch niemals jemanden geschwängert. Bist du sicher, dass es von mir ist?«
»Was?!«

Sean begriff, dass er eine Grenze überschritten hatte. Er streckte die Hand aus, um ihren Arm zu berühren. Sie zuckte zusammen. »Schau. Es tut mir Leid. Das habe ich nicht gemeint. Aber vielleicht hast du ja mit jemandem geschlafen, kurz bevor wir zusammengekommen sind. Du weißt schon ...«

Er seufzte. »Lass uns ins andere Zimmer gehen, ja? Richtig darüber reden.«

Sie gingen ins Wohnzimmer und setzten sich verlegen an die entgegengesetzten Enden des Sofas. Sean fühlte sich überwältigt von Traurigkeit, als er auf den Raum zwischen ihnen blickte, der ein volles Kissen einnahm. Das war, dachte Sean traurig, ihr erster Streit. Er hatte nie gedacht, dass er und Millie sich streiten könnten. Nie. Es hatte in den zwei Monaten zwischen ihnen auch nicht ein böses Wort gegeben. Aber dies hier – das war *schlimmer* als ein Streit. Das war eine Katastrophe. Denn egal, was der eine dachte oder sagte, Sean wollte kein Baby, und die einzige Faser der Hoffnung, an die er sich klammern konnte, war, dass Millie auch keins wollte.

»Also«, brach Millie das Schweigen.

»Also«, seufzte Sean und umklammerte seine Kniescheiben.

»Was denkst du?«

»Was ich denke?« Die verärgerte Note schlich sich wieder in Seans Stimme, und er lachte heiser. »Ich denke, es ist ein verdammter Albtraum.«

»Oh.«

Sie schwiegen beide wieder. Seans Kiefer war so fest zusammengepresst, dass seine Ohren wehtaten.

Er warf Millie einen schnellen Blick zu. »Was denkst *du*?«

Er hörte sie Luft holen. »Ich weiß es nicht. Ich bin verwirrt.«

»Na ja, willst du es?«

»Sean.«

Er drehte sich zu ihr. Tränen schimmerten in ihren Augen.

»Warum bist du so?«

»Wie?«
»So … *kalt*?«
»Na ja, du hast doch nicht erwartet, dass ich *erfreut* wäre, oder?«
»Nein. Doch. Nun ja. Ich dachte nur, du wärst … *netter*. Ich dachte, du wärst netter.«
»Ich bin nett.« Er spuckte das Wort aus, als ob er die Liebe zu ein paar flauschigen Kätzchen gestände. »Ich bin nur ein bisschen schockiert, das ist alles. Ich meine, wir sind erst seit ein paar Monaten zusammen. Und nun – ein Baby. Es ist nur … es ist …«
»Ich weiß. Ich bin auch schockiert. Aber, Sean …«
Jetzt kommt es, dachte er, jetzt kommt es. Der Satz aus vier Worten, der mein Leben für immer zerstören wird.
»… ich will es behalten.«
Da war er. Sean grunzte und schlug sich mit den Handflächen auf die Schenkel. »Ich wusste es«, sagte er. »Ich *wusste* es.«
»Sean, du benimmst dich, als ob ich das absichtlich getan hätte. Als ob ich absichtlich schwanger geworden wäre, um dein Leben durcheinander zu bringen.«
Sean grunzte wieder. Sie hatte Recht. Er tat wirklich so, als ob sie etwas falsch gemacht hätte, aber er konnte einfach nicht anders. Sie war diejenige mit der Gebärmutter, sie war diejenige, die die Macht der Entscheidung hatte, die Macht, den Lauf des Lebens unwiderruflich zu ändern. Er kam sich völlig hilflos vor.
»Nun, Millie, *ich* will nicht. Ich will kein Baby. Ich nicht. Ich will es, *will* es nicht.« Seans Ohren summten vor Adrenalin. Er wartete auf Millies Reaktion. Das Schweigen dauerte an.
Schließlich drehte sich Millie zu ihm um. »Ich muss dir etwas erklären. Ich bin sechsunddreißig Jahre alt. Und ich habe immer gesagt, dass, wenn ich Kinder bekommen würde, ich sie spät in meinem Leben bekäme, weil ich mich in meiner Jugend zu sehr amüsiert habe. Ich dachte, es sei eine Verschwendung der eigenen Jugend, wenn man Kinder aufzog, wo man doch jede Nacht Tequila-Cocktails in einer Bar voller schöner Männer trinken

konnte. Also habe ich nie wirklich darüber nachgedacht. Um ehrlich zu sein, habe ich in meinem Leben nie den Drang verspürt, Mutter zu werden. Und dann bin ich dir begegnet, und ich dachte: Aha, das könnte man perfektes Timing nennen, Mr. Right, gerade rechtzeitig, wo ich wirklich über diesen Babykram nachdenken sollte. Und ich dachte, wir könnten einige Jahre, du weißt schon, einfach rumhängen. Uns ein bisschen amüsieren und uns dann vielleicht dazu zwingen, ein Baby zu machen. Aber hier ist es nun, Sean – ich bin jetzt schwanger. Jetzt. Und wenn mir das vor zehn Jahren passiert wäre, Scheiße, wenn es mir vor fünf Jahren passiert wäre, weiß ich, was ich getan hätte. Ich hätte es wegmachen lassen. Aber wenn man sechsunddreißig und verlobt ist, redet man wirklich nicht mehr über einen Haufen Möglichkeiten. Oder?«

Sean atmete heiße Luft in seine geballten Fäuste. Sein Mund war trocken vor Angst und schalem Champagner. Er stand auf und ging zur Küche.

»Wohin gehst du?«

Ihre Stimme klang schon anders in seinen Ohren; schriller, durchdringender. »Wasser holen.« Er hielt den Atem an. »Willst du auch welches?«

»Nein.«

Sie starrte auf ihre Finger, als er wieder hereinkam. Schweigend setzte er sich.

»Warum fühlt es sich an, als ob wir Streit hätten, Sean?«

»Ich weiß nicht«, gab er grob zurück.

Millie stand plötzlich auf und wirbelte zu ihm herum. »Es tut mir wirklich Leid, Sean«, schrie sie. »Es tut mir wirklich Leid, dass du mich geschwängert hast. Und es tut mir wirklich Leid, dass ich dich genug liebe, um ein Baby von dir zu wollen. Es tut mir verdammt, verdammt Leid, okay!«

Durch Millies plötzlichen und untypischen Wutausbruch brach Seans Verteidigunghaltung. Er erhob sich und packte ihre Handgelenke. »Millie, Millie«, beruhigte er sie, »es tut mir Leid. Es tut mir Leid. Ich bin ein Schwein. Es tut mir wirklich Leid. Komm her. Komm her.«

Er schlang einen Arm um sie, und sie barg ihr Gesicht an seiner Schulter, während sie schluchzte, und Sean roch ihr Haar und versuchte sich verzweifelt daran zu erinnern, wie sein Leben noch vor fünfzehn Minuten gewesen war.

Ein Baby.

Sean wollte kein Baby. Er wollte Millie. Für sich. Er wollte *eines Tages* ein Baby. Eindeutig. Tatsächlich mehr als ein Baby. Einen ganzen Stall voller Babys. Schöne fette Babys überall. Aber nicht jetzt. Er wollte zuerst seine Zeit mit Millie, wollte, dass sie nur zu zweit wären.

Sie hatten nur zwei Monate gehabt.

Sie redeten bis zwei Uhr morgens. Sean beruhigte sie, dass alles in Ordnung sei, dass das mit dem Baby in Ordnung sei, dass sie in Ordnung wären. Alles würde einfach in Ordnung kommen. Doch nachdem das Gespräch verebbte und Millies Atmung schwer und gleichmäßig wurde, fuhr Sean mit dem Finger über ihre Schulter und küsste ihre Finger, die an ihrer Wange ruhten, und lag dann bis fünf Uhr hellwach. Und während er dort lag, starrte er auf die gedämpften Lichter der Wohnungen gegenüber, Wohnungen, in denen Leute schliefen und zufrieden waren, in denen Leute die Kontrolle über ihr Leben hatten, und er wünschte sich mehr als alles andere und zum ersten Mal in seinem Leben, dass er jemand anderer sein könnte.

Es gibt gute Nachrichten, und es gibt schlechte Nachrichten

Gervase betrat an einem Montagmorgen Neds Zimmer und sagte: »Da ist ein Mädchen namens Carly für dich am Telefon.«

Ned war noch nie in seinem ganzen Leben so schnell aus dem Bett gestiegen. Er schoss den Flur entlang, warf sich auf Mums und Dads Bett und nahm den Hörer von Gerrys Nachttischchen.

»Hallo«, grüßte er atemlos.

»Na ja, hi«, zog jemand, der lächerlich sexy klang, die Worte lang.

»Carly?"

»Ned?«

»Ja.«

»Gott, Ned. Das klang gar nicht nach dir.«

»Nach dir auch nicht. Klang nicht nach dir. Gott. Carly. Woher weißt du, dass ich wieder zu Hause bin?«

»Ich bin gestern Abend in Soho auf Mac gestoßen. Er hat es mir erzählt. Schau, Ned, ich bin im Moment auf der Arbeit, und kann nicht richtig reden. Aber es wäre wirklich gut, dich zu sehen. Treffen wir uns. Ja?«

Sie verabredeten sich, sagten bis bald, und Ned legte auf.

»Ja!« Er stieß mit der Faust in die Luft und ließ sich rückwärts in Mums und Dads zerwühlte Kissen fallen. Endlich. Das erste Gute, das ihm passierte, seit er nach Hause gekommen war. Gott sei Dank. Er und Carly. Wieder zusammen. Es musste so sein. Es war erst neun Uhr – sie wusste erst seit gestern Abend, dass er zurück war, und sie hatte ihn als Erstes angerufen. Sie war scharf auf ihn. Und sie würden sich nächste Woche treffen. Fantastisch.

Er verschränkte die Finger hinter seinem Kopf und starrte eine Weile zur Decke. Ein Lächeln spielte um seine Lippen, als er sich die ganze Wiedersehensszene vorstellte. Er fragte sich, wie lange es wohl dauern würde, bis sich zwischen ihnen alles regeln würde, wie lange es dauern würde, bis alles wieder normal wäre. Gott, er konnte es wirklich nicht erwarten, bis alles wieder normal war.

»Ned!«, hörte er Gervase die Treppe hoch rufen.

»Was?!«

»Päckchen für dich!«

Und dann traf es ihn. Das Leben war alles andere als normal. Das Leben war eine gute lange Zugfahrt entfernt davon, normal zu sein.

Ned spürte, wie ein eisiger Schauder seinen Rücken herunterlief, und wickelte sich die Oberdecke seiner Eltern um die Schultern; dabei atmete er den Duft ihrer Nachtkörper ein, um sich zu trösten. Er rollte sich in einen Bettpfannkuchen ein und schloss die Augen; langsam zählte er rückwärts bis zehn. Und dann ging er hinunter.

Da war es. Noch eine Schachtel. Kleiner als die letzte. Diese war per Luftfracht geschickt worden, wie das grüne Zolletikett erklärte, und zwar von jemandem namens Tallulah d'Oignon in Crispee Towers, Sydney.

Ned seufzte. Zumindest hatte sie ihren Sinn für Humor nicht verloren.

Er schälte das braune Papier von dem Päckchen und zog die kleine braune Schachtel heraus, auf der wieder mit rotem Marker »SCHWEIN« stand, diesmal begeistert über die gan-

ze Schachtel, wie keckes, billiges Geschenkpapier. Schweren Herzens öffnete er sie. Drinnen lag ein durchsichtiger Plastikbeutel, wie solche, die Joints enthielten. Zuerst schien nichts drin zu sein, doch dann hielt er ihn ans Licht und erkannte, dass er voll von winzigen dunklen Haaren war, die ungefähr einen halben Zentimeter lang waren. Kleine halbmondförmige Haare.
Er ließ ein paar in seine Handfläche fallen und starrte auf sie. Wimpern.
Mons verdammte Wimpern.
O Jesus. Er ließ sie wieder in den Beutel fallen, steckte ihn in die Schachtel zurück und verschloss sie. »Mon«, murmelte er leise, »was, zum Teufel, spielst du da für ein Spiel?« Er stellte sie sich dort vor, in Sydney, ohne Haare, ohne Wimpern. O Gott. Sie zerbrach. Er hatte es gewusst – er hatte gewusst, dass es nicht möglich war, dass sie seinen Weggang verkraften könnte. Sie würde sich nicht nur mit ihren Freundinnen betrinken, sich in den Schlaf weinen und eine Menge Gewicht verlieren wie ein normales Mädchen.
Er dachte daran, sie anzurufen. Er sollte es wirklich tun. Kate und Jamie waren bei ihr in der Wohnung, doch sie stand ihnen nicht nahe. Ned war der einzige Mensch, der sie wirklich kannte. Er sollte sie anrufen – mit ihr reden.
Aber nein – genau das war es, was sie ja wollte, dachte er. Wenn er anrief, würde sie gewinnen, wie sie immer gewann.
Das war alles ein Trick, dachte Ned, ein Trick, damit er sich Sorgen machte. Sie war süchtig danach, dass er sich Sorgen um sie machte – und das war seine Schuld. Er hatte es zugelassen, dass sie im Laufe ihrer drei gemeinsamen Jahre abhängig von ihm wurde. Jedes Mal, wenn sie dem Schlussmachen nahe kamen, sogar wenn er Schluss gemacht *hatte*, zerrte sie ihn zurück, indem sie ihn emotional unter Druck setzte. Er hatte schon vorher fliehen wollen, wenn es chaotisch wurde, doch er hatte sich nie

dazu in der Lage gefühlt, hatte immer dieses riesige Ziehen der Verantwortung gegenüber Monica gespürt. Wenn er nicht da war, um ein Auge auf sie zu haben, wer würde es sonst tun? Ned achtete nicht auf die nervige Stimme in seinem Hinterkopf, die sagte: »Wer kümmert sich um sie, Ned? Wer stellt sicher, dass sie in Ordnung ist?« Nein, dachte er, Monica war nicht dumm; sie war tatsächlich unglaublich schlau. Sie wusste, was sie tat. Sie spielte mit ihm. Das waren nicht mal alle Wimpern, und sie hatte seit einer Ewigkeit davon geredet, sich die Haare abschneiden zu wollen.

Er reckte das Kinn und wickelte die Schachtel wieder ein. Er trug sie hinauf in sein Zimmer und steckte sie unters Bett zu ihrem Haar, und dann ging er zum Frühstücken wieder hinunter.

Gervase aß in der Küche ein Sandwich. Ein anständig aussehendes Sandwich, das diagonal aufgeschnitten war, wie eine Mutter es machen würde, wenn man um eines bat. Er aß es von einem Teller mit einer gefalteten Küchenrolle darauf. Gervase war sehr anständig, hatte Ned bemerkt. Er benutzte die Kanne mit der Teehaube, wenn er sich Tee machte, er sprach am Telefon wie eine alte Dame und nun die Sache mit dem Sandwich. Es passte alles so gar nicht zu seiner Erscheinung. Und es war seltsam anrührend.

»Morgen, Ned.«

»Morgen.«

»Wie geht es dir heute?«

»Schon in Ordnung. Du?«

»Fantastisch. Wie es nur sein kann.«

»Ach wirklich – warum?«

»Die Sonne scheint. Ich habe den ganzen lieben Tag frei. Und meine Robert-Gordon-Tickets sind gerade mit der Post gekommen.«

»Robert wer?«
»Gordon. Du erinnerst dich? Der Typ, von dem ich dir letzte Woche im Pub erzählt habe?«
»Ach ja. Der Rock-and-Roll-Typ. Ja.«
»Ich habe zufällig eines übrig. Willst du mitkommen?«
»Äh …«
»Freitag in einer Woche. Es ist oben in Wood Green. Aber es ist okay – mein Kumpel Bud wird mich fahren.«
»Du hast einen Kumpel, der Bud heißt?«
»Ja. Bud. Er ist ein guter Kerl, der Bud. Also – was meinst du?«
Ned wollte schon eine überzeugend klingende Entschuldigung aus dem Hut zaubern, als Gervase plötzlich ganz schnell aufstand, auf ihn zuging und ihm die Hände auf die Schultern legte. Und dann passierte wieder dieses Schokoladenartige in Neds Magen, und Gervase starrte ihn an.
»Du hast nichts daran geändert, oder?«, fragte er, und seine Hände hielten immer noch Neds Schultern umklammert.
»Was?«
»An deinem Problem. Das Chaos, das du hinterlassen hast. Es kneift dich immer noch, oder?«
»Jesus«, meinte Ned, »wovon redest du?«
»Ich weiß nicht, wovon ich rede, Ned. Nur du kannst wissen, wovon ich rede. Ich kann dir nur sagen, was ich fühle.«
»Was bist du?«, fragte Ned. »Eine Art Gedankenleser?«
»Nein. Ich bin mehr ein Vibrations-Leser, Ned. Ich kann deinen Schmerz spüren.«
»Meinen Schmerz?«
»Ja, deinen Schmerz. Er ist wie ein unsichtbarer Mantel, den du trägst. Aber ich kann ihn sehen.«
»Und wie sieht dieser Mantel aus?«
»Nun, es ist eigentlich kein Mantel. Es ist mehr wie ein Umhang.«

»Ja, ja. Wie auch immer. Wie sieht er aus?«
»Er sieht – *verängstigt* aus.«
»Mein Umhang sieht verängstigt aus?«
»Ja. Verängstigt und verwirrt«, er lockerte seinen Griff um Neds Schulter. »Willst du darüber reden?«
»Über meinen verängstigten, verwirrten Umhang?«
»Ja.«
»Nein, eigentlich nicht.«
»Gut. Ich bin nicht so gut im Reden über Kram.«
»Warum bringst du denn dann das Thema überhaupt auf?«
»Ich weiß nicht. Ich kann nicht anders. Ich sehe einfach diese Dinge, und sie sind irgendwie schwer zu ignorieren. Weißt du, was ich meine?« Er setzte sich wieder hin, starrte eine Sekunde zum Fenster hinaus und begann dann die zweite Hälfte seines Sandwichs zu essen. »Es ist noch ein schönes Stück Schinken im Kühlschrank, wenn du eins willst.« Er drehte den Kopf zum Kühlschrank.
Ned sah ihn erstaunt an. Er war wirklich der seltsamste Mensch, dem er je begegnet war. Er war die Art Mensch, die man normalerweise in einem etwas zwielichtigen Pub traf, wenn man gerade einen Joint geraucht hatte und am Ende ein wirklich surreales Gespräch mit ihm führte. Nur, dass Gervase keine verschwommene und bekiffte Erinnerung an einen fremden Pub war – er aß sein Frühstück in Neds Küche.
»Also«, sagte Gervase, »diese Carly. Wer ist sie denn?«
»Weißt du das nicht?«, fragte er scherzhaft. »Trage ich nicht einen unsichtbaren *Hut*?«
»Nein. Keinen Hut. Aber du bist verdammt schnell aus dem Bett gestiegen. Sie ist offenbar jemand *Bedeutsames*.«
Ned spürte, wie er weicher wurde, und setzte sich hin und goss sich eine Tasse Tee aus der Kanne ein. »Ja. Das ist sie. Sie ist meine Ex.«
»Aahh.« Gervase nickte.

»Ja. Wir sind zehn Jahre miteinander gegangen, und dann habe ich sie sitzen lassen, um mit Mon nach Oz zu gehen.«

»Und du bereust es?«

»Ja. Sehr. Aber ich denke, es könnte trotzdem noch klappen. Du weißt schon?«

»Gut. Gut. Ich wünsche dir Glück, Kumpel.«

»Danke.«

Es herrschte Schweigen, während Ned in seinem Tee rührte.

»Also«, begann er, »was ist mit dir? Jemand Besonderes in deinem Leben?«

Gervase legte sein Sandwich hin und überlegte sich die Frage.

»Nö«, sagte er endlich, »eigentlich nicht. Da sind Mädchen, du weißt schon? Aber niemand Besonderes.«

Ned nickte und betrachtete das Design auf seiner Teetasse.

»Woher kommst du?«

»Von nirgendwo im Besonderen. Irgendwo in London geboren. Bin ein bisschen rumgezogen. Hier geendet.«

»Wo hast du gewohnt, bevor du hier geendet bist?«

Gervase reinigte sehr lautstark seine Nebenhöhlen und spülte den Inhalt dann hinten seine Kehle hinunter. Ned tat so, als hätte er es nicht bemerkt.

»In Vauxhall. Mit einer Puppe.«

Einer Puppe. Ned gefiel das – es war lange her, seit er gehört hatte, dass ein Mann eine Frau als »Puppe« bezeichnete. Es erinnerte ihn an seine Kindheit.

»Ja, ich dachte, sie wäre diejenige welche. Sie hatte alles, du weißt schon, alles, was man sich an einer Frau wünschen kann.«

Ned stellte sich vor, dass das, was sich Gervase an einer Frau wünschte und was er sich an einer Frau wünschte, zwei völlig verschiedene Dinge waren.

»Intelligent. Sauber. Schöne Wohnung. Keine Kinder. Du weißt schon.«

Genau, dachte Ned, völlig andere Dinge.
»Trotzdem. Sie lag im vierten Stock.«
»Was?«
»Ihre Wohnung. Ohne Lift.«
Ned nickte wieder und kam zu dem Schluss, dass er mit dem Kopf gegen eine Mauer rannte. Er stand auf und füllte sich eine Schüssel Shreddies ein.
»Macht nichts, es bringt nichts, sich mit der Vergangenheit aufzuhalten, Ned. Lebe den Tag, sage ich immer. Und genau das habe ich heute vor. Ich werde mir die Haare schneiden lassen, dann fahre ich rauf nach Camden Town, um mir ein paar neue Klamotten anzuschaffen, dann besuche ich ein paar Kumpels im Osten, trink ein paar, schau mir eine Band an. Schön.« Er wischte sich den Mund mit dem gefalteten Küchentuch ab und stellte den Teller in den Geschirrspüler. »Willst du mitkommen?«
»Häh?«
»Nun ja, du hängst nur den ganzen Tag hier rum und fühlst dich wegen allem Möglichen schlecht. Warum hängst du nicht mit mir rum?«
So gerne Ned Zeuge der geheimen Kunstfertigkeit gewesen wäre, die hinter Gervases außerordentlicher Frisur steckte, und so gerne er herausgefunden hätte, wo er seine irren alten T-Shirts kaufte, der Gedanke, einen ganzen Tag mit ihm zu verbringen, war einfach zu bizarr, um ihn auch nur in Erwägung zu ziehen.
»Äh, nein. Danke, Kumpel. Ich habe, äh, versprochen, ich werde heute einiges für Dad erledigen.«
»In Ordnung also. Was ist mit dem Robert-Gordon-Gig? Häh?«
»Äh, ja. Ja. Warum nicht?«
Ned hatte keine Ahnung, wo das hergekommen war. Es war offensichtlich ein Trick. Gervase hatte ihm die unerquicklichere Alternative von zwei Möglichkeiten zuerst angeboten, so dass

er, als er ihm die zweite anbot, gezwungenermaßen ja sagen musste. Scheiße.
»Cool«, erwiderte Gervase und fuhr mit den Fingern über seinen flachen Bauch. »Bis später.«
Und dann wanderte er aus der Küche hinaus, die Hände in den Taschen, pfiff »The Wonder of You« und tanzte fast dazu.

Hormone wahrscheinlich

Das London College für Kunst und Design befand sich in einem imposanten Art-déco-Gebäude am Woburn Place, an dem Tony wahrscheinlich mehr als hundertmal in seinem Leben vorbeigegangen war und das er niemals bemerkt hatte. Er fand die Abteilung für Innenarchitektur und wanderte eine Zeit lang ziellos herum, sah die Ausstellung von studentischen Projekten in den Schränken an, bis er auf jemanden traf, der älter aussah als er, und fragte ihn, ob er wisse, wo er Millie finden könne. Sie sei schnell hinausgegangen, um sich etwas zum Mittagessen zu holen, wie jene sehr hilfsbereite Frau ihm berichtete, doch sie wäre in ein paar Minuten wieder zurück. Als er der hilfsbereiten Frau erzählte, dass er der Bruder von Millies Freund sei, leuchtete ihr Gesicht auf. »Oh«, sagte sie und strahlte ihn an, »Sie meinen, Sie sind der Bruder ihres *Verlobten.*«

»Ja«, murmelte er, »das stimmt.«

»Gut. Warum warten Sie denn dann nicht in ihrem Büro auf sie?«

Sie führte ihn zum Ende des Ganges und ließ ihn in einem Raum zurück, auf dessen Tür Millies Name stand. Tony setzte sich einen Augenblick auf einen sehr teuer aussehenden Stuhl aus Stahlröhren, stand dann aber fast sofort wieder auf, um sich umzusehen. So, dachte Tony, das war es also – Millies Büro. Und was für ein schönes Büro es war. Tony setzte sich einen Moment auf ihren Stuhl und genoss das Gefühl, wie sein Hintern die Wölbungen streichelte, die ihrer im Polster hinterlassen hatte.

Er blätterte eine Zeit lang nebenbei durch ihre Papiere – Beurteilungen, Stundenpläne, Fotos von Stühlen und Vorhängen, langweilig, langweilig, langweilig. Und dann fiel sein Blick auf einen kleinen geschmückten Bilderrahmen. Er nahm ihn in die Hand und sah ihn an. Es war ein Foto von Millie und Sean, Sean, der im Vordergrund grinste wie ein Blöder, und Millie gleich hinter ihm, die die Arme um seinen Hals geschlungen und ihre Wange an seine gepresst hatte und wie eine Göttin aussah. Er ließ den Rahmen düster wieder fallen. »Bruder des Verlobten«, brummte er bei sich, »um Himmels willen.«

»Tony!«

Er sprang vom Stuhl hoch.

»Millie!«

»Äh – hi.«

Sie trug einen knielangen roten Filzrock, einen schwarzen Mohairpullover mit Perlen und enge Lederstiefel mit Reißverschluss. Ihr Haar war zurückgesteckt und wies in der Mitte einen Scheitel auf. Und sie trug eine Brille. Die Brille schaffte Tony völlig. Sogar noch mehr als die engen Lederstiefel.

»Nun«, sagte sie und lächelte leicht, »das ist aber eine nette Überraschung – was machst du denn hier?« Sie ließ eine Papiertüte auf ihren Schreibtisch fallen und beugte sich vor, um ihm einen ihrer dicken, ehrlichen Küsse auf die Wange zu geben, diese Küsse, die man tatsächlich spüren konnte.

»Ich bin, äh …« Er grinste dümmlich. »… äh, ich wollte dir etwas geben.« Er wedelte ein bisschen mit einem großen Pappumschlag herum. »Die Post ist in letzter Zeit in unserer Gegend ein bisschen unzuverlässig, und ich kam gerade vorbei, deshalb …«

Millie lächelte ihn an, ein warmes, entspanntes Lächeln, das besagte, dass sie seine Gegenwart nicht so beunruhigend fand, wie sie es eigentlich sollte. »Also«, sie hob den Finger, um ihre Brille ihre schmale Nase hoch zu schieben. »Was ist es?«

»Was?«

»Das da. Für mich?« Sie zeigte auf den Umschlag.
»Oh. Oh! Natürlich. Ja.« Er reichte ihr das Päckchen.
»Wow«, sie drehte es ein wenig in ihren Händen. »Soll ich – kann ich es aufmachen?«
»O Gott, ja. Sicher.«
Tony beobachtete sie genau, wollte keine einzige winzige Nuance verpassen. Sie holte den Druck heraus und sah ihn an – eine auf Pappe montierte Illustration eines kleinen einsamen Pinguins auf einem Gletscher. 250 Pfund. Und jeden Penny wert. »Ha! Ich glaube es nicht. Ist das für mich? Wirklich?«
»Mmh.«
»Oh – das ist so … so … nett, Tony. So unglaublich süß von dir. Ich kann nicht glauben, dass du dir solche Mühe gemacht hast. Ich weiß nicht, was ich sagen soll. Ich … ich …«
Und dann zerfiel ihr Gesicht plötzlich, und sie fing an zu weinen.
»Scheiße, Millie. Es tut mir Leid. Ich wollte nicht …«
Millie schüttelte den Kopf und hob die Brille an, um sich die Augen zu wischen. »Das bist nicht du, Tony. Du bist es nicht. Es ist … es ist … o Gott, wie peinlich. Ich kann nicht glauben, dass ich das hier tue.«
»Hier«, sagte Tony, nahm sie am Ellbogen und führte sie sanft zu einer Chaiselongue aus Samt. »Setz dich.« Er suchte erfolglos in seinen Taschen nach dem großen weißen Baumwolltaschentuch, das er nie in seinem Leben besessen hatte. »Geht es dir gut? Kann ich dir etwas bringen?«
»Mm«, antwortete sie, »ein neues Leben, bitte.«
Tony sah sie überrascht an. »Was?«
»Nichts«, gab sie zurück und vergrub den Kopf in ihren Händen, »nichts.«
»Millie. Ist alles in Ordnung?«
Sie nickte, schüttelte den Kopf, nickte wieder.
»Rede mit mir, Millie. Bitte. Sag mir, was los ist.«

»Ich kann nicht«, erwiderte sie, »ich kann, verdammt noch mal, nicht mit dir reden.«
»Warum nicht?«
»Weil – weil alles verdammt topsecret ist und es mit deinem Bruder zu tun hat und blablabla.«
»Schau«, sagte Tony und hob die Hände in einer Geste der Unparteilichkeit, »ich bin neutral. Ehrlich. Du kannst mir vertrauen. Alles, was du hier sagst, wird nicht aus diesem Raum hinausgehen. Versprochen.«
»Schwör vor allem, dass du Sean nichts sagen wirst.«
»Ich schwöre vor allem das«, sagte er.
»Ich bin schwanger«, sagte sie.
Die ganze Welt schien um ihn herum zusammenzufallen, und das ganze Blut stieg in Tonys Kopf. »Was?«, fragte er und ließ die Hand von seiner Brust fallen.
»Ich bin schwanger«, sagte sie wieder, »es klingt immer noch komisch, wenn ich es sage. Und ich hatte mich doch gerade erst daran gewöhnt, zu sagen, ich bin verlobt. Ich bin mir tatsächlich nicht sicher, was seltsamer ist …«
»Schwanger?«, sagte Tony wieder.
»Ja. Wunderbar, nicht wahr? Sechsunddreißig Jahre alt, dachte, ich würde allein und kinderlos enden, und ich habe es geschafft, mich innerhalb von zwei Monaten zu verloben und schwängern zu lassen. Ich sollte eine Inspiration für die Bridget Jones dieser Welt sein.«
»Aber – vom wem ist es?« In der Minute, in der die Frage über Tonys Lippen drang, wollte er sie schon wieder ungeschehen machen. Natürlich wusste er, von wem das Baby war. Es war einfach von … *Sean*. Würg. Es war der irgendwie ekelhafte, unwiderrufliche Beweis, dass er und Millie … und dass Sean fähig war … Und das mit einer so tollen Frau wie Millie. Oder mit irgendeiner Frau, wenn man es bedachte. Er fühlte sich leicht schwach vor Ekel, während die Wahrheit durch ihn hindurch-

sickerte. Er sah auf Millies Bauch hinab und versuchte sich vorzustellen, was da drin passierte, wie sich die Zellen und Gene seines Bruders verdoppelten und verdoppelten und einen kleinen Sean produzierten. In Millie. O Gott. Wie scheußlich.

»Nun«, sagte Tony und suchte nach einer höflichen Antwort auf solche schockierenden Neuigkeiten, »das ist wirklich … Gott, das ist wirklich toll. *Herzlichen Glückwunsch.*« Da war es, das Wort, nach dem er gesucht hatte.

»Danke«, schniefte sie.

»Wann kommt denn das Baby?«

»Am ersten Dezember.«

»Das ist Mums Geburtstag.«

»Ich weiß«, entgegnete sie, »was für ein Zufall, nicht wahr? Ich sollte es eigentlich noch keinem erzählen. Wollte warten, bis der dritte Monat vorbei ist. Du weißt schon, um auf der sicheren Seite zu sein. Also versprich mir, dass du nichts sagen wirst, wie sehr du es auch willst.«

In Tonys Kopf drehte sich alles. Sean. Ein Papa? Es schien nicht möglich zu sein. Es war schwer genug gewesen, sich damit auszusöhnen, dass Sean ein zukünftiger Ehemann war. »Also. Sean – ist er aufgeregt?«

Sie zuckte die Achseln. »Ja«, antwortete sie, »ich glaube schon. Ich meine, ich glaube, er ist ein bisschen schockiert, um ehrlich zu sein. Es ist nicht ganz das, was er sich vorgestellt hatte. Aber er wird es schließlich verdauen.«

Tony gefiel nicht, wie das klang. Seans schöne, wunderbare, völlig unerreichbare Verlobte war schwanger mit seinem Kind. Was genau gab es da zu verdauen?

»Nun«, sagte Tony und wappnete sich, um eine empfindliche Frage zu stellen, »warum dann das ganze …?« Er fuhr mit den Fingerspitzen seine Wangen entlang, um ihre Tränen anzudeuten.

»O Gott. Ich weiß es nicht. Wahrscheinlich die Hormone.«

»Er will doch, dass du dieses Baby bekommst, oder?«
Millie zuckte die Achseln, schniefte und fing wieder an zu weinen. »Er sagt es zwar, aber, ich weiß nicht – er wirkt ein bisschen … ein bisschen … nichts.«
»Ein bisschen nichts?«
»Schau – ich möchte lieber nicht darüber reden, Tony, wenn es dir recht ist.« Sie legte eine Hand auf seine und sah flehend zu ihm auf. »Es gibt mir das Gefühl, illoyal zu sein. Du weißt doch, wie Sean ist … *völlig verschlossen* ist, glaube ich, ist der korrekte Ausdruck dafür.«
»Willst du, dass ich für dich mit ihm rede?«
»Nein! Auf keinen Fall.«
»Schau, Millie, was immer hier vorgeht, ich bin sicher, dass Sean tief drinnen wirklich begeistert darüber ist.« Er zeigte auf ihren Bauch. »Ich meine, wenn ich es wäre, wäre ich im siebten Himmel, ich wäre so entzückt. Ich kann einfach nicht glauben, dass er negative Gefühle wegen etwas haben könnte, das so fantastisch ist.«
»Ach, Tony – du bist wirklich süß, ja?«, sagte sie und lachte. »Du bist so ein süßer Kerl.«
»Ich bin in Ordnung, denke ich«, sagte er und widerstand der Versuchung, ihr eine Haarsträhne von der Wange zu streichen.
»Schau«, sagte sie, »kannst du einfach vergessen, dass dieses Gespräch jemals stattgefunden hat? Ich hätte dir nichts sagen sollen. Schließlich und endlich ist es meine Entscheidung. Meine und Seans. Ich bin sicher, er wird es schon noch packen … Aber danke.«
»Wofür?«
»Dafür, dass du unangekündigt aufgetaucht bist und ich ein bisschen Dampf ablassen konnte. Ich hab es wirklich gebraucht. Oh – und danke auch für den Pinguin.« Sie zeigte auf den Druck auf ihrem Schreibtisch. »Das war unglaublich aufmerksam von dir.«

Er zuckte nur die Achseln.
»Hast du zu Mittag gegessen?«, fragte sie.
»Äh, tatsächlich nicht.«
»Möchtest du mein Panini mit mir teilen? Mit Emmentaler und Schinken?«
Tony blickte hinüber auf die fettige Papiertüte, die immer noch auf ihrem Schreibtisch lag.
»Ist es ein großes?«, fragte er.
»Riesig. Viel zu groß für mich allein.«
»Dann ist es okay«, sagte er, obwohl er keinen Hunger hatte und Emmentaler nicht besonders mochte. Er sah zu, wie sie das Panini aus der Tüte nahm und mit ihren Fingern zerteilte. Dieselben Finger, von denen er jede Nacht träumte, wie sie in seine Leinenhose glitten, ihn hielten, ihn streichelten. Er sah zu, wie sie das Sandwich zerteilte, und war einen Augenblick wie verzaubert. Himmel noch mal. Sie war unglaublich. Sie war komisch und stark und schön und witzig und verletzbar und sexy. Sie war alles, was er sich je in einer Frau gewünscht hatte.
Und sie war verlobt mit seinem Bruder und von ihm schwanger.
Er kaute an einer Ecke des lauwarmen Panini herum, doch als er versuchte, es herunterzuschlucken, blieb es ihm im Halse stecken.

Seans psychotischer Papagei

Am Freitagabend gingen Sean und Millie zum Essen zu ihrem trendigen Italiener in der Nähe. Sean aß Prosciutto und Feigen, gefolgt von Papardelle mit Hühnerleber. Millie nahm das Risotto mit Wildpilzen und dazu einen riesigen Rucolasalat mit Parmesan und Tagliatelle mit geräuchertem Schweinefleisch, Sahne und Bohnen. Sie teilten sich zum Nachtisch eine große Pannacotta, doch in Wirklichkeit aß Millie fünfundsiebzig Prozent davon allein. Zusätzlich zum eigentlichen Mahl aß sie drei Scheiben Ciabatta mit dick gestrichener, ungesalzener Butter und nicht nur die Biscotti, die auf der Seite der Untertasse ihres eigenen Kaffees lagen, sondern Seans noch dazu. Sie behauptete, sie habe einen Heißhunger auf Kohlehydrate, und umfasste ihren angeschwollenen Bauch, während sie auf die Rechnung warteten.

Sean konnte nicht umhin, sich ein wenig Sorgen über die plötzliche Verdoppelung des Appetits seiner Freundin zu machen. Es war doch sicher nicht normal für eine Frau, nicht mal für eine Schwangere, so viel zu essen? »Also«, sagte er, während er sich vom Anblick ihres erweiterten Bauchumfangs losriss und den Rest des Weins austrank, »wohin jetzt? Paradise Paul's?«

Paradise Paul's war eine halb legale, im Keller liegende Nachtbar in der Brewer Street, die spätabends aufmachte und von einem Typen um die fünfzig mit wildem Blick und gefärbtem Haar betrieben wurde, der tatsächlich Paradise Paul hieß – er hatte im Alter von einundzwanzig seinen Namen offiziell ändern lassen.

Als Millie in den achtziger Jahren als Teenager mit pink gefärbten Haaren das erste Mal in der Bar gewesen war, war Paradise Paul offenbar ein farbiger, lebhafter, exzentrischer Charakter, doch nun hatte er etwas an Farbe verloren, wie ein Foto, das man zu lange in der Sonne hatte liegen lassen. Er sagte nie etwas, was auch nur irgendeinen Sinn ergab, und er roch ein bisschen nach schmutzigen Hemdkragen, doch er betrieb eine fantastisch charismatische Nachtbar, und Sean gefiel es dort sehr.
Manchmal tauchten sie nach dem Abendessen dort auf und tranken ein paar Biere oder plauderten auf surreale Art mit Paradise Paul und gingen dann. Dann wieder waren ungefähr Dutzende von Millies anscheinend niemals endenden Freundeskreisen dort, und sie blieben bis zum frühen Morgen, tranken Rum, Whisky und Champagner, und wenn Millies Freundin Ruth dabei war, zogen sie auch schon mal eine oder zwei Linien Koks durch. Es war eine echt bohemehafte Welt, voller einzigartiger Charaktere und leicht merkwürdiger Begegnungen, und da Sean niemals nüchtern dort gewesen war und sicher nur sehr verschwommene Erinnerungen daran hatte, wie sie gegangen waren, fragte er sich manchmal, ob es die Bar wirklich gab. Und er war unglaublich überrascht gewesen, als er einmal in der Mittagspause darauf gestoßen war, nachdem er eine Nebenstraße zum Büro seines Agenten genommen hatte. Tagsüber jedoch war sie nur ein heruntergekommen aussehendes Untergeschoss voller Unrat und ohne irgendeine Art von Schild. Dies gab Sean ein beunruhigendes Gefühl, ähnlich jenem Mal, als er in Croydon im Einkaufszentrum Whitgift auf seinen Schuldirektor getroffen war, der einen roten Trainingsanzug trug.
Die Freitagabende bei Paradise Paul waren für Sean und Millie ein Ritual, und ohne sie wäre Seans Einblick in die menschliche Psyche allein von seiner Familie, Robert Kilroy-Silk und dem Mann im Zeitungsladen um die Ecke geprägt gewesen. Es war ein Teil seines Lebens, nach dem er bereits leise Sehnsucht

empfand, noch während er dort war – er konnte schon die Gespräche hören, die er und Millie in der Zukunft führen würden. Erinnere dich an Paradise Paul's, würden sie zueinander sagen, was das für eine Zeit war! Und sie würden beide einen wehmütigen und sehnsüchtigen Blick in den Augen haben und sich an die magische Zeit erinnern, als sie noch neu füreinander waren und die Welt ganz glänzend und vollkommen war.

Doch als er nun Millie anschaute, wie sie ihm gegenüber am Tisch saß und dramatisch hinter vorgehaltener Hand gähnte, graue Schatten unter den Augen und ein unberührtes Glas Wein vor sich, hatte Sean ganz deutlich das Gefühl, dass eine wilde Nacht in Paradise Paul's ganz sicher nicht angesagt wäre.

Sean sah geistesabwesend auf seine Uhr. Es war Viertel vor neun. Er hatte die ganze Woche allein verbracht, an Millies Fenster gesessen und nur darauf gewartet, dass sie zurückkäme und ihn aus seiner Isolation befreite. Er konnte die Aussicht nicht ertragen, jetzt nach Hause zu gehen, Fernsehen zu schauen und verdammt noch mal früh ins Bett zu gehen; und so sehr er auch wusste, dass er jetzt Millies Bedürfnisse vor seine eigenen stellen sollte, er wollte es einfach nicht. Sie war die ganze Woche kaputt gewesen, hatte gesagt, sie wolle nur noch »schlafen, schlafen, schlafen«. Sie war am Mittwoch um sieben heimgekommen, hatte Seans Vorschlag, ins Kino zu gehen, abgewehrt und war um halb neun ins Bett gekrochen; dabei hatte sie behauptet, sie sei noch nie in ihrem Leben so müde gewesen. Seans Sympathiereserven waren rasch aufgebraucht. Ich meine, wie erschöpfend konnte es wirklich sein, eine kleine Ansammlung von Zellen mit sich herumzutragen? Man sah noch nicht mal etwas, warum also war sie die ganze Zeit so verdammt müde?

Als ob sie seine Gedanken lesen konnte, gähnte Millie wieder. »Ich bin sooo kaputt. Hast du was dagegen, wenn wir einfach nach Hause gehen?«

Eine sieben Jahre alte Version von Sean schlängelte sich ihren Weg an die Oberfläche und schmollte sie an. »Was – *wirklich?*«

»Ja, Sean, wirklich. Ich bin völlig fertig.«

Er sah ihren leeren Gesichtsausdruck und die Säcke unter ihren Augen an und empfand einen Riesenanfall von Abneigung. Er zwang sich zu einem munteren Lächeln. »Nun, ich nicht«, gab er zurück. »Ich quelle über vor überschüssiger Energie.« Er klatschte in die Hände, um seine überquellende Energie zu demonstrieren. »Wie wär's mit einem schnellen Glas?«

»O Sean ...«

»Komm schon. Es wird lustig. Nur ein ganz schnelles, Mitternacht zu Hause. Ich verspreche es.«

»Mitternacht? Ich wollte um zehn Uhr eigentlich im Bett liegen.«

»O Millie«, schmeichelte er ihr, »komm schon. Ich bin die ganze Woche drinnen gewesen. Ich brauche eine Belebungsspritze.«

»Sean«, sagte sie mit deutlicher Verärgerung in der Stimme, »ich gehe nicht ins Paradise Paul's – oder irgendwo sonst hin. Ich bin völlig erschöpft, der Zigarettengeruch bringt mich zum Heulen, und ich kann nicht mal was trinken. Ich werde mich elend fühlen.«

»Ach – so ist es also? Bleiben wir die nächsten acht Monate einfach zu Hause?«

»Sieben Monate.«

»Egal – werden wir nicht mehr ausgehen?«

»Nein. Natürlich nicht. Nur im Augenblick, wo ich so müde bin.«

»Aber warum?«, jammerte Sean, der genau wusste, dass er verbale Brennflüssigkeit auf einen Gesprächsgrill sprühte, jedoch einfach nicht aufhören konnte. »Warum bist du so müde? Ich begreife es nicht.«

»O Jesus, Sean. Ich bin schwan-ger«, brachte sie die Silben

langsam und getrennt heraus. »Ich bin damit beschäftigt, hier drin ein menschliches Leben zu nähren«, sie zeigte auf ihren Bauch, »für den Fall, dass du es nicht bemerkt haben solltest.«
»Ja, aber warum macht es dich so müde?« Er befand sich jetzt auf der offenen Straße zur Selbstzerstörung, doch inzwischen war er weit davon entfernt, dass es ihn kümmerte.
»Ich weiß es nicht, Sean. Ich habe keine Ahnung. Ich war noch nie schwanger. Es ist alles für mich ein verdammtes Rätsel.«
Er atmete tief durch, rieb sich mit der Hand übers Kinn und bereitete sich darauf vor, die Exocet-Rakete von einer Frage zu schleudern, die er ihr die ganze Woche hatte stellen wollen. »Bist du sicher, dass diese Müdigkeit nicht nur in deinem Kopf existiert – du weißt schon, psychosomatisch?«
Millie machte den Mund auf und starrte ihn fassungslos an. »Sean«, sagte sie, und ihre Stimme klang eisig und wie Stahl, »was, zum Teufel, ist dein Problem?«
»Mein Problem«, antwortete Sean, »ist, dass ich an einem Freitagabend mit meiner Freundin zu Paradise Paul's gehen, ein paar Drinks zu mir nehmen, lachen und dann nach Hause gehen will, und dass ich es nicht kann wegen dieser so genannten Müdigkeit, die unser ganzes Leben übernommen zu haben scheint.«
»Ich sag dir was, Sean«, meinte Millie, schob ihren Stuhl zurück und ließ ihre Serviette auf den Tisch fallen, »warum gehst du nicht zu Paul's, hm? Du gehst alleine und amüsierst dich. Aber versprich mir eines: Komm erst nach Hause, wenn du erwachsen bist – du *Kind.*«
Und dann nahm sie ihre Jacke von der Stuhllehne, warf ihm eine Zwanzig-Pfund-Note hin und stolzierte aus dem Restaurant.

Sean saß nachdem sie fort war eine Zeit lang da, und schätzte seine Gefühle ab.
Erleichtert: ja, ein bisschen. Er hatte die ganze Woche Millies

»Müdigkeit« infrage stellen wollen, war überzeugt gewesen, dass es alles nur Teil eines weiblichen Tricks war, »schwanger« zu wirken, damit man großes Aufheben um sie machte.
Reuevoll: ein bisschen. Er hatte den Abend verdorben und Millie alleine nach Hause gehen lassen. Er war unsensibel und egoistisch gewesen. Aber das hier war auch sein Leben. Er durfte doch Dinge infrage stellen, oder? Er musste nicht jede Veränderung hinnehmen, die diese Schwangerschaft seinem Leben aufzwang. *Er* zählte immer noch, selbst wenn das Wesen, das in seiner Freundin wuchs, andere Vorstellungen hatte.
Verwirrt: sehr. All seine natürlichen Instinkte sagten ihm, dass er sich verändern, ein weniger egoistischer Mensch werden sollte. Aber auf seiner Schulter saß dieser verdammte, großartige psychotische Papagei und schrie: »Selbsterhaltung! Selbsterhaltung!«, morgens, mittags und abends. Er mochte sein Leben sehr, und er sollte verdammt sein, wenn er zuließ, dass etwas, über das er keine Kontrolle hatte, alles für ihn durcheinander brachte.
Frustriert: äußerst. Weil es letztlich nichts gab, das er tun konnte, um diesen erschreckenden, unkontrollierbaren Prozess zu stoppen.
Traurig: sehr. Es war erst eine Woche her seit Millies Geständnis, und schon hatte sich ihre Beziehung bis zur Unkenntlichkeit verändert. Wenn ihm jemand vor einer Woche erzählt hätte, dass er und Millie bei ihrem Lieblingsitaliener einen Riesenkrach haben würden, der darin gipfelte, dass Millie davonstürmte und er sie ließ, hätte er diesem ins Gesicht gelacht. Auf keinen Fall, hätte er gesagt, doch nicht ich und Millie. Wir kommen so gut miteinander aus. Wir streiten uns nie. Und Freitag ist unser Lieblingsabend …
Sean spürte, wie ein erdbebenähnlicher emotionaler Schock durch seinen Körper lief, bei dem Gedanken daran, was sie letzte Woche um diese Zeit getan hatten, und er knirschte heftig mit

den Zähnen, um die Tränen zurückzuhalten, die plötzlich wie aus dem Nichts aufgetaucht waren.
Er räusperte sich, nahm die Rechnung und Millies Zwanzig-Pfund-Schein in die Hand und dachte daran, einen Zeitungsladen zu finden, eine große Tüte Haribos und ein paar billige Zeitschriften zu kaufen, zurück zu Millie gehen und sie mit Fußmassagen und Kopfstreicheln zu verwöhnen und den heutigen Abend hinter ihnen zu lassen und neu anzufangen.
Aber dann begann der große, hässliche Papagei wieder zu kreischen: »Selbsterhaltung, Sean, Selbsterhaltung – lass es nicht gewinnen!« Und fünf Minuten später befand er sich auf dem Rücksitz eines schwarzen Taxis und auf dem Weg in die Brewer Street.

Käse essen im Mondschein

Tony dachte zuerst, alles gehöre zu seinem Traum. Er hatte besonders schön von Millie geträumt – diesmal keine Pferde, nur er und Millie, die zusammen in einer Hängematte lagen, Millie, die Essenshäppchen für ihn zerteilte und ihn damit fütterte, während sie seine Lenden … womit massierte? Mit ihrer dritten Hand? Na ja, jedenfalls mit irgendetwas. Eine große Eidechse war herangekrochen und hatte sie angegrinst. Sie hatte einen goldenen Zahn und begann seltsame Geräusche von sich zu geben, als ob ein Telefon klingelte. Sie hatten zuerst darüber gelacht über diese Eidechse und ihre komischen Telefonklingel-Geräusche, bis es nervend geworden war. Und dann hatte er die Hand ausgestreckt, um der Eidechse das Maul zu stopfen, und die Eidechse war ihm dauernd ausgewichen, hatte sich geduckt und war abgetaucht und hatte ihn dabei angegrinst. Und dann erwachte Tony und erkannte, dass sein Telefon klingelte.

Er sah auf seinen Wecker: 3.58 morgens.

Himmel.

Er zog den Hörer zu sich. »Hallo.«

»Doby«, ertönte eine erstickte Stimme, »hier ist Miwi.«

»Tut mir Leid«, sagte er, »aber ich glaube, Sie haben sich verwählt.«

»Nein! Nein – ich bin's, Millie.«

»Millie!« Er setzte sich kerzengerade auf und fuhr sich mit der Hand durchs Haar. »Bist du in Ordnung? Ist alles in Ordnung?«

»Ja. Nein. Ich … ich …«, sie schniefte. »Bist du allein?«

Tony sah auf das Kissen neben seinem, nur um sicherzugehen. »Ja. Allein. Völlig. Was ist los?«

»Es tut mir wirklich Leid, dich zu wecken, Tony. Wirklich. Ich weiß, es ist spät, aber ich bin in so einem furchtbaren Zustand und wusste nicht, mit wem ich reden sollte. Ich mache Schluss, wenn du das willst ...«

»Nein, nein, nein. Nicht. Bleib dran. Rede mit mir. Sag mir, was los ist.«

»Es tut mir so Leid, Tony. Ich habe mich einfach so aufgeregt. Zu sehr aufgeregt, um schlafen zu können. Und ich kann keine Tablette nehmen wegen des Babys. Und ... Scheiße. Ich bin so eine verdammte Chaotin.«

»Was ist passiert? Was ist los?«

»Ich und Sean hatten einen Krach. Ich bin losgestürmt, und jetzt ist er irgendwohin abgehauen und immer noch nicht zu Hause.«

»Einen Krach? Weshalb?«

»Gott – ich weiß nicht, wo ich anfangen soll. Er ist einfach – er ist einfach ... er ist so ein *Kind*, Tony.«

»Nun ja«, meinte Tony, »Sean kann ein bisschen kindisch sein.«

»Es geht um die Schwangerschaft. Er sagt, er ist glücklich darüber, aber er scheint auch etwas verärgert über mich zu sein. Als ob, du weißt schon – du hast dich in diesen Schlamassel reingeritten, erwarte also nicht, dass ich es dir leichter mache. Du weißt schon, als ob ich ohne Jacke in die Kälte hinausgegangen wäre und nun eine Erkältung hätte und das nur mir selbst zuzuschreiben hätte.«

Tony gab empörte Geräusche von sich und schüttelte den Kopf. »Jesus«, sagte er, »was für ein Blödmann. Ich kann nicht glauben, dass er sich so aufführt. Willst du, dass ich mit ihm rede? Hm? Ihn mir vorknöpfe?«

»Nein! Auf keinen Fall. Er ist mein Problem, und ich werde da-

mit fertig, Tony. Aber es ist nur so, verstehst du, Sean ist aus dem Nichts zu mir gekommen, aus heiterem Himmel – verstehst du? Ich habe keinen Zusammenhang, in den ich ihn stellen kann. Ich weiß wirklich nichts von ihm. Ich meine, er hat mir erzählt, dass er noch nie zuvor eine wirklich ernsthafte Beziehung hatte, aber das habe ich auch nicht, und das heißt nicht, dass ich unfähig bin, eine zu führen. Und ich habe mich nur gefragt, weißt du, vielleicht kannst du mir Sachen über ihn erzählen, Sachen, ich weiß nicht, zum Beispiel, wie seine Exfreundinnen waren und warum die Beziehungen endeten und was er jemals über Babys gesagt hat. Solche Sachen. Aber nur, wenn es dir nicht das Gefühl gibt, schrecklich unloyal zu sein.«
»Unloyal?«, fragte Tony. »Nein. Gar nicht. Ich werde dir alles erzählen, was du wissen musst.«
Und das tat er. Er erzählte ihr von Seans Mittlerem-Kind-Komplex und wie er immer im Mittelpunkt stehen musste und in Panik geriet, wenn er glaubte, er bekäme nicht genug von allem, ob es nun um Fischstäbchen oder Mutterliebe ging. Er erzählte ihr alles von den Blonden und den Tränen und dem Kummer. Er erzählte ihr, wie überrascht die ganze Familie sei, dass Sean jemanden gefunden hatte, den er genug liebte, um sich zu binden, weil es so ausgesehen hatte, als ob er allein enden würde. Er erzählte ihr auch, dass Sean einen Hauch von Frauenfeindlichkeit an sich hatte, dass er ungeduldig, egoistisch und kurzsichtig war. Dass er sich niemals emotional wirklich entwickelt hatte und möglicherweise nicht dafür gerüstet sei, mit den Vielschichtigkeiten einer richtigen Erwachsenenbeziehung umzugehen.
»Er ist verwöhnt«, schloss er, »das ist Seans Problem. Er musste niemals für etwas arbeiten. Hat eine Sozialwohnung gekriegt. Die Mädchen standen bei ihm Schlange. Und natürlich haben ihm Mum und Dad jahrelang alles durchgehen lassen, seine Rechnungen gezahlt, seine Wäsche gewaschen, ihn in den Ur-

laub mitgenommen, nie infrage gestellt, was, zum Teufel, er mit seinem Leben anfängt. Und jetzt, da er dieses Buch geschrieben hat und das ganze Geld und auch diesen ganzen Erfolg hat, nun, du weißt schon …«

Millie schniefte am anderen Ende der Leitung. »Du sagst also, mein Verlobter ist ein emotionaler Krüppel?«

»Nein. Kein Krüppel. Aber er hat ein leichtes emotionales Hinken, wenn ich es so ausdrücken darf.«

»Aber Babys, Tony, hat er jemals mit dir über *Babys* gesprochen?«

Tony dachte ernsthaft über die Frage nach. »Nein«, sagte er schließlich, »ich habe ihn nie etwas über Babys sagen hören, weder etwas Gutes noch etwas Schlechtes.«

»Oh«, machte Millie und klang leicht enttäuscht. »Aber warum sollte er mich bitten, ihn zu heiraten, wenn er keine Babys will? Ich meine, ist das nicht der Sinn vom Heiraten?«

»Nun ja«, gab Tony zurück, »ich hätte es gedacht.«

»O Gott, Tony. Ich – ich verstehe ihn einfach nicht. Ich weiß nicht, was ihm durch den Kopf geht.«

»Schau«, beruhigte Tony sie, »Sean ist ein vielschichtiger Typ. Ich glaube nicht, dass ihn irgendjemand wirklich versteht. Aber du darfst es ihm nicht durchgehen lassen, ja? Lass ihn nicht denken, dass er sich so benehmen kann. Er ist ein verzogenes Balg und braucht Disziplin. Er muss erkennen, dass er jetzt ein erwachsener Mann ist und dass er Verantwortung hat.«

»Oh, ich habe nicht die Absicht, ihm irgendetwas durchgehen zu lassen, das kann ich dir versichern. Das liegt nicht in meiner Natur.«

»Das ist gut für dich.«

»Und ich sage dir eines sicher, was immer passiert, ich werde ihn heute Nacht nicht in mein Bett lassen. Auf keinen Fall.«

»Völlig richtig«, stimmte ihr Tony zu, »lass ihn nicht in deine Nähe.«

Es gab eine lange Pause, bevor Millie etwas sagte, und Tony lauschte dem Geräusch ihres verrotzten Atmens am anderen Ende und fühlte sich ihr unglaublich nahe. Es lag etwas ungeheuer Intimes darin, mitten in der Nacht mit jemandem am Telefon zu reden, in der Dunkelheit, ganz nackt und eingehüllt in Gänsedaunen und Baumwolle wie ein Baby.

»Egal, Tony. Das war alles. Ich brauchte nur ein bisschen *Zusammenhang*. Du kannst jetzt wieder schlafen gehen.«

»Nein – nein. Ehrlich. Mir geht es gut. Ich bin jetzt hellwach.«

»Gott – das tut mir Leid. Ich wollte dir wirklich nicht deinen Nachtschlaf ruinieren ...«

»Wirklich, Millie, dazu besteht kein Anlass. Ich schlafe überhaupt nicht gut. Ich wäre wahrscheinlich sowieso in zehn Minuten aufgewacht. Es ist schön, zur Abwechslung jemanden zum Reden zu haben. Tatsächlich«, sagte er, denn der Gedanke kam ihm plötzlich, »warte eine Sekunden. Geh nicht weg. Ich hole nur das andere Telefon.« Er legte den Hörer hin, zog seinen Bademantel an und schlurfte über den weichen cremefarbenen Teppich ins Wohnzimmer, wo er das schnurlose Telefon fand.

»Hallo«, sagte er.

»Hallo, worüber haben wir gerade gesprochen?«

»Über Sean.«

»Ach ja. Sean. Will nicht mehr über Sean reden. Langweile mich, über Sean zu reden. Er ist ein dicker, großer Kindskopf und mehr nicht.«

»Also – worüber reden wir dann?«

»Hmmm ...«, machte Millie auf katzenhafte, aufreizende Weise, die Tony sie sich nackt auf Seidenlaken und mit zerwühlten Haaren vorstellen ließ. »Babynamen?«

»Äh?«

»Mir gefällt Nat für einen Jungen. Oder vielleicht Theo. Und wenn es ein Mädchen wird, gefällt mir Mathilda. Lois gefällt mir auch, aber Lois London klingt irgendwie seltsam, oder?«

»Ich denke schon.«
»Was für Namen gefallen dir?«
»Gott«, er fuhr sich mit der Hand durchs Haar, »darüber habe ich niemals wirklich nachgedacht. David?«
»David? Du kannst ein Baby nicht David nennen. Man wird ihn schließlich Dave nennen und er wird Pickel und fettiges Haar haben. Was ist mit Mädchennamen?«
»Äh ... ich weiß nicht. Amanda?«
»Amanda! Ich habe den Namen Amanda geliebt, als ich klein war. *Amanda* ...«, sie dehnte die Silben, »Amanda London. Hmm, weißt du, das gefällt mir ziemlich. Es hat einen gewissen postmodernen Charme, nicht wahr?«
»Hmm«, machte Tony und wünschte, sie würden über etwas sprechen, zu dem er irgendeine Meinung hätte. Er wanderte in die Küche, während Millie weiter über Babynamen redete, und öffnete geistesabwesend den Kühlschrank. Ein großes Stück guten Cheddars blinzelte ihm zu, und er nahm es heraus, holte ein Messer aus einer Schublade und begann Scheiben abzuschneiden; dann steckte er sie sich in den Mund und ließ sie auf der Zunge zergehen. Er brachte das Stück Käse und ein Glas Orangensaft ins Wohnzimmer und legte sich aufs Sofa, während sie plauderten. Durch das Glas in der Decke über ihm konnte er den Himmel sehen, der von Schwarz zu einem bernsteinfarbenen, getönten Marineblau wechselte, und die Sonne ihren langsamen Aufstieg irgendwo am Horizont begann. Der Mond über ihm war groß und fett, und Millies Stimme klang wie rauchiger Honig in seinem Ohr, als sie ihm Babynamen aus einem Buch vorlas: Albert, Amber, Anastasia, Astrid ... Tony antwortete mit »Hmms« und »Nein« und »Ganz schön« und starrte den Mond an, während Millie sang – Bathseba, Bella, Boris, Bruce und Bryony. Babynamen hatten noch nie so sexy geklungen.
»Isst du etwas?«, fragte Millie plötzlich.

»Nöö«, antwortete Tony und versuchte ein Stück klebrigen Käse von seiner Zunge zu lösen, »trinke nur Orangensaft.«
»Gott – machst du *so* etwas?«
»Was?«
»Dir mitten in der Nacht was aus dem Kühlschrank holen?«
»Manchmal.«
»Ha. Ich dachte immer, das machen nur Leute in amerikanischen Filmen. Also – was machst du sonst?«
»Nichts. Liege nur hier auf meinem Sofa. Trinke Saft. Rede mit dir.«
»Wie sieht dein Haus aus?«
»Mein Haus?«
»Ja-a. Beschreibe es mir.«
»Na ja. Es ist tatsächlich eine Duplex-Wohnung. Auf einem Gelände, wo früher Stallungen standen. Sie ist wirklich schön, weißt du. In einem Barratt-Haus. Von Architekten entworfen und so …«
»Vom Architekten entworfen, hä? Im Gegensatz zu einem Haus, das von einer Gastgeberin entworfen wurde?«
»Hahaha.«
»Erzähl mir von dem Sofa.«
»Was?«
»Schau – ich bin Innenarchitektin. Ich muss das Sofa von jemandem kennen, um *ihn* wirklich zu kennen.«
»Na ja, was willst du wissen?«
»Farbe. Material. Ausmaße. Polsterung.«
»Nun. Es ist irgendwie zitronencremefarben. Und es ist aus einer Art geripptem Baumwollstoff. Es ist ein großer Dreisitzer mit einer niedrigen Rückenlehne und vielen Kissen.«
»Von?«
»Ikea.«
»*Ikea?*«
»Ist das schlimm?«

»Es ist schrecklich, Tony, absolut entsetzlich. Gott – du lebst in einem Barratt-Haus und hast ein Sofa von Ikea. Du bist ganz anders als deine Eltern, oder?«
»Ja, ich nehme an. Ich kann Unordnung nicht ausstehen.«
»Also – wie viel von deinen Möbeln hast du von Ikea? Ehrlich?«
»Äh … alle?«
»O Tony.«
»Nun ja – es sind schöne Dinge und sie sehen gut zusammen aus.«
»Es passt alles, meinst du?«
»Ja. Es passt.«
»Tony, Möbel sollen nicht *passen*. Sie sollen *entwickeln* und inspirieren und miteinander kommunizieren. Sie sollen den Leuten von dir erzählen – erzählen, wer du bist.«
»Na ja, vielleicht tun sie das ja. Vielleicht bin ich ein Pass-Typ.«
»Also – deine Unterhosen und deine Socken passen auch …?«
Tony lachte. »Bei Gelegenheit«, antwortete er, »aber nie mit Absicht. Aber schau«, fuhr er fort, als ihm ein ziemlich aufregender Gedanke in den Sinn kam, »meine Wohnung. Ich habe wirklich nie etwas daran getan, und es ist eine schöne Wohnung. Sie hat viel Potenzial. Könntest du dir jemals einen Auftrag in der Wildnis des Londoner Südens vorstellen?«
»Wo wohnst du?«
»Anerley.«
»Anerley – wo, zum Teufel, liegt das?«
»Die andere Seite von Crystal Palace Park. Nicht weit weg von meiner Mum und meinem Dad.«
»Mm, ich werde darüber nachdenken. Ich bräuchte jedoch ein paar Bilder, bevor ich mich den ganzen Weg hinaus nach Twin Peaks schleppe … Oh, hallo, Süßer.«
»Bitte?«
»Meine Katze ist gerade ins Zimmer gekommen. Hallo, Schöner …«

»Du hast eine Katze?«
»Tatsächlich habe ich *vier* Katzen. Das habe ich dir doch erzählt, oder? Der klassische Single. Ich habe mich mit allen wichtigen Bestandteilen für mein unausweichliches, einsames Schicksal ausgerüstet. Hatte sogar einen schwulen Freund, bis Sean mit seinen Verlobungsringen und seinem Gummi sprengenden Sperma daher kam.«
Tony lachte wieder. »Also«, sagte er, »wenn allein stehende Frauen um die dreißig Katzen und schwule Freunde haben, was haben dann allein stehende Männer?«
»Eine sehr gute Frage«, lobte Millie. »Sportwagen und weibliche beste Freunde, nehme ich an.«
»Scheiße«, gab Tony zurück und schlug sich an die Stirn, »du hast mich erwischt. In beider Hinsicht.«
»Ja, aber das zählt nicht, weil du nicht allein stehend bist.«
»Doch.«
»Äh – wer ist dann diese sehr nette blonde Frau mit den erstaunlichen Beinen, die überall mit dir hingeht?«
O ja. Er hatte sie ganz vergessen.
Ness.
Allein der Gedanke ließ ihn am ganzen Körper erschauern. Er hatte alles Mögliche getan, um Ness in den letzten Wochen aus dem Weg zu gehen. Es hatte viel Migräne und langes Arbeiten im Büro und familiäre Verpflichtungen gegeben. Er sollte einfach mit Ness Schluss machen, dessen war sich Tony bewusst. Er sollte sich wie ein Erwachsener mit ihr hinsetzen, ihre Hand halten, ihr in die Augen sehen und sagen: »Ness, du bist ein wirklich tolles Mädchen, und wir hatte wirklich gute Zeiten miteinander, aber …«, und dann mit den Folgen zurechtkommen. Aber er konnte es einfach nicht. Er wartete, nahm er an, unbewusst darauf, dass sie etwas falsch machte, damit er sich dann auf eine völlig annehmbare Ausrede stürzen konnte, sie sitzen zu lassen. Doch sie tat es nie. Es dämmerte Tony ganz

langsam, dass Ness tatsächlich vollkommen war. Sie war die perfekte Freundin. Aber Ness hatte einen großen Fehler. Einen riesigen, unüberwindbaren Fehler.
Sie war nicht Millie.
»Mist«, sagte Millie.
»Was?«
»Die Haustür ist gerade gegangen. Er ist wieder da«, flüsterte sie. »Ich muss jetzt Schluss machen.«
»Oh«, erwiderte Tony, und alle Luft entwich aus ihm. »Okay.«
»Vielen Dank für das Gespräch. Es war wirklich schön.«
»Bitte, bitte. Es war mir ein Vergnügen.«
»Du hast mich wirklich beruhigt. Ich weiß nicht, was ich ohne dich getan hätte. Danke.«
»Jederzeit. Wirklich jederzeit. Versprich mir nur eines.«
»Ja.«
»Lass es ihm nicht durchgehen. Okay?«
»Oh, glaube mir, Tony. Ihm wird nichts durchkommen. Scheiße. Er kommt. Schlaf gut, Tony.«
»Ja – du auch. Schlaf gut.« Aber es war zu spät. Sie hatte schon aufgelegt.
Tony schaltete sein Telefon ab, und es fühlte sich ein bisschen an, als ob er eine lebenserhaltende Maschine abschaltete. Er versuchte sich vorzustellen, was gerade in Millies Schlafzimmer passierte. Schrie Millie Sean an, warf mit Kissen nach ihm? Oder weinte sie wieder und Sean tröstete sie? Er wünschte, er könnte es sein. Er würde ihr übers Haar streichen und ihre Tränen abwischen und ihr sagen, dass alles gut würde, dass sie die beste Mama und er der beste Papa der Welt sein würden. Und dann würde er zu ihr unter die Laken schlüpfen und ihr die ganze Nacht über Geschichten erzählen, wie toll ihr Leben werden würde.
Er seufzte und presste das Telefon an seine Brust, während er wieder hinauf durch das Glas starrte. Er starrte den Mond an, bis

er außer Sichtweite glitt und von der frühmorgendlichen Sonne ersetzt wurde, und als er endlich ins Bett ging, war es heller Tag, und er hatte fast ein halbes Pfund Käse gegessen.

Paradise Paul's ohne Millie, erkannte Sean bald, war nur ein enger, überfüllter Keller voller kreischender, voll gekokster Blödmänner darin. Paul sah ihn kaum zweimal an, und Millies Freunde schienen unerreichbare Fremde zu sein, wenn sie nicht dabei war, um sich ihnen anzuschließen. Um sein Gefühl der Entfernung von allen zu kompensieren, trank Sean nahezu eine halbe Flasche Rum, zog drei Linien Koks durch und kam erst um halb fünf Uhr morgens zu Millie zurück.
Auf dem Sofa im Wohnzimmer lagen ein Federbett, drei Katzen und eine große handgeschriebene Nachricht mit den Worten »Dein Bett«.
»Ja, in Ordnung«, murmelte er bei sich.
Er streichelte die Katzen, nahm die Nachricht und ging auf Zehenspitzen zum Schlafzimmer. Millie lag zusammengerollt auf ihrer Seite, und ihre vierte und Lieblingskatze schmiegte sich in ihre Kniekehle. Der Kater sah hochmütig auf, als er Sean hereinkommen hörte, und beäugte ihn verächtlich, als ob er sagen wollte: »Wenn du glaubst, du kannst dich meiner geliebten schlummernden Herrin auch nur nähern, bekommst du es mit mir zu tun.«
Er beachtete den Kater nicht und schlich sich leise zum Bett. Millies Haar lag halb über ihrem Gesicht, und ihr nackter Arm schimmerte olivfarben im Licht, das vom Flur hereinschien. Er sah ihren schönen Mund an, der aufgeworfen war wie der eines kleinen Mädchens, und eine kurze Sekunde lang empfand er so etwas wie einen väterlichen Stich, als er sich vorstellte, wie es wohl wäre, wenn Millie ein Mädchen bekäme. Würde sie die Stupsnase ihrer Mutter erben, ihre zum Fressen schöne Haut, den vollen, eigenwilligen kleinen Mund? Er stellte sich vor, wie

er nach einer Nacht unterwegs ein Kinderzimmer betrat, auf seine schöne, dunkle Tochter blickte, ihre Decke zurechtzupfte und sich fragte, wovon sie wohl träumte. Ja, dachte er, er konnte sich das vorstellen. Er lächelte zärtlich und streckte eine Hand aus, um das Haar von Millies glatter Wange zu streichen.

»Hau ab.«

Er zog die Hand zurück, drehte sich um und verließ das Zimmer.

Stadt der Täuschung

Tone, ich bin's.«

»Sean!« Tony war nicht an Anrufe von seinem jüngeren Bruder gewöhnt, vor allem nicht um zehn Uhr an einem Samstagmorgen.

»Schau – ich kann nicht lange reden. Ich spreche von meinem Handy aus, gehe nur schnell einkaufen, um Preiselbeersaft für Millie zu besorgen.«

»Oh. Ja.«

»Du, ich muss mit dir reden. Etwas ist passiert.«

O Gott, dachte Tony, Stadt der Täuschung, ich komme.

»Das ist jetzt aber topsecret, ja? Du musst versprechen, es keinem zu erzählen. Nicht mal Mum, keinem.«

»Okay.«

»Millie ist schwanger.«

Tony brachte all seine begrenzte Macht an künstlerischem Ausdruck auf, um überrascht über die Neuigkeit zu klingen.

»Ja. Es ist wirklich ein bisschen ein Schock. Nicht geplant oder so – na ja, offensichtlich nicht geplant. Ich meine, wir sind erst seit ein paar Wochen zusammen. Aber das Problem ist, sie will es behalten.«

»Problem?«, echote Tony.

»Ja. Ich meine, ich verstehe warum, wirklich. Sie ist sechsunddreißig, und sie ist in dem Alter, du weißt schon. Und ich will echt glücklich darüber und der ›Neue Man‹ und verständnisvoll sein. Aber ich kann nicht.«

»Warum nicht?«

»Ich bin nicht bereit. Ich bin nicht bereit, sie zu teilen. Ich bin nicht bereit, meine Freiheit aufzugeben. Ich bin nicht bereit dafür, dass sie sich verändert.«

»Verändert?«

»Ja. Du weißt schon, nicht zu trinken, nicht zu rauchen, nicht ausgehen zu wollen. Wir hatten diesen tollen Lebensstil, und es war alles neu und frisch, und nun ist es so, als lebte ich mit der verdammten Geri Halliwell zusammen oder so. Sie will nur noch zu Hause bleiben und schlafen, und ich fühle mich wie ein Freak, wenn ich ein paar getrunken habe. Weißt du, es gibt nichts Peinlicheres, als mit jemand Nüchternen auszugehen, wenn man selbst beschwipst ist und … nun ja, ich habe sie gestern Abend wirklich genervt.«

»Himmel – ich bin nicht überrascht darüber, wenn das deine Haltung ist. Was ist passiert?«

»Na ja, ich wollte nach dem Essen noch weggehen, und sie hat gesagt, sie sei müde und wolle nach Hause. Also habe ich ihr gesagt, wie ich mich deshalb fühle, und sie ist abgehauen. Einfach so. Also bin ich trotzdem weg …«

»Was – du hast sie alleine nach Hause gehen lassen?«

»Ja. ich weiß, ich bin ein Schwein. Aber ich habe mich einfach so … machtlos gefühlt. Ich weiß, ich klinge jämmerlich, aber ich hatte einfach das Gefühl, wenn ich mit nach Hause gegangen wäre, hätte es gewonnen.«

»Was hätte gewonnen?«

»Das Baby. Das Baby hätte gewonnen.«

»Sean, das hier ist kein Wettbewerb. Es ist dein Kind, das sie austrägt.«

»Ich weiß. Ich weiß es. Aber ich kenne es nicht. Es wächst nicht in mir, weißt du. Es ist ihr Baby. Weißt du, wenn es geplant gewesen wäre, wenn wir seit Jahren zusammen wären und mit Absicht keine Verhütungsmittel mehr benutzt hätten und sie dann

schwanger geworden wäre, das wäre etwas anderes. Wir hätten es zusammen getan. Ich könnte damit umgehen. Aber das – das fühlt sich einfach an, als ob ein Alien sich in meiner Freundin breit gemacht hätte. Als hätte es nichts mit mir zu tun. Gar nichts. Weißt du, was ich meine?«
Und auf eine seltsame Weise wusste Tony, was er meinte. Doch es kam überhaupt nicht infrage, dass er es seinem Bruder sagte. Er war auf Millies Seite. Völlig. »Schau, Sean«, sagte er, »ich weiß, es ist wahrscheinlich ein echter Schock für dich und das Letzte, was du erwartet hast. Aber du hast Millie einen Antrag gemacht – vergiss das nicht. Du hast dich bereits endgültig an sie gebunden, und ist dir vielleicht mal in den Sinn gekommen, dass sie auch Angst hat? Hä? Dass sie vielleicht geschockt ist? Dass sie vielleicht auch lieber gewartet hätte?«
»Na ja, sie hat gesagt, sie wäre glücklicher gewesen, wenn es in ein paar Jahren passiert wäre.«
»Genau. Siehst du. Du hast da eine unglaubliche Frau. Sie ist viel zu gut für dich, und das weißt du auch. Sie ist schwanger. Du bist der Vater. Du bist ein erwachsener Mann, also hör auf, ein Wichser zu sein, kauf ihr ein paar Blumen und fang an, damit zurechtzukommen. Weil, wenn du wirklich nicht damit umgehen kannst, ist es wohl besser für dich, wenn du jetzt abhaust, während sie noch andere Möglichkeiten hat.«
»Was?«
»Ich meine – wenn du sie nicht mit dem Baby willst, dann verlasse sie. Zumindest kann sie sich so entscheiden abzutreiben, falls sie das will, und ihr Leben weiterleben. Aber wenn du nur weiter herumhängst und sie elend machst und ihr Schuldgefühle einredest wegen etwas, was nicht ihre Schuld ist, dann tust du ihr keinen Gefallen. Entweder du stellst dich der Sache oder du gehst weg. Okay?«
»Ja«, antwortete Sean, dessen Stimme man anhörte, dass ihm die Erkenntnis dämmerte, »du hast Recht. Das weiß ich. Es ist

nur echt schwer. Ich meine, ich halte eine Menge von Millie. Ich will sie nicht verlieren. Aber ich bin so durcheinander, und auch wenn ich weiß, was ich tun *sollte*, finde ich es immer noch echt schwer. Mist, Tone …«

»Ich meine es ernst, Sean. Du musst einfach erwachsen werden. Treffe deine Entscheidung, so oder so.«

»Ja. Ja. Siehst du. Ich bin gerade an der Kasse. Ich muss jetzt aufhören. Aber danke, Tone. Ich werde jetzt wirklich versuchen, damit zurechtzukommen.«

»Du musst über einiges ernsthaft nachdenken.«

»Das muss ich. Ich werde es. Danke. Danke fürs Zuhören. Und denk dran: Zu keinem ein Wort, ja?«

»Ja. Oh – eines noch. Nur aus Interesse. Warum hast du mich angerufen? Ich sage damit nicht, dass ich mich nicht darüber freue. Aber normalerweise rufst du mich nicht an, um mich um Rat zu fragen.«

»Na ja, normalerweise brauche ich auch keinen, nehme ich an. Und außerdem bist du mein großer Bruder – wen sonst sollte ich anrufen?«

Tony legte den Hörer auf, nachdem Sean das Gespräch beendet hatte, und starrte eine Zeit lang auf seine Füße; er hatte Schuldgefühle, kam sich wie ein Verräter vor, und gleichzeitig war ihm nach Jubeln.

Purpurfarbene Sofas, Mojitos und Handytaschen aus Leopardenfell

Am Montagabend um acht Uhr befand sich Ned in einer sehr lauten, fast völlig purpurroten Weinbar hinter der Oxford Street. Zuerst war er sich sicher, dass er die falsche Adresse hatte oder am falschen Ort war. Die Bar war voller geschwungener Sofas, Chrombeleuchtung und der Art von Leuten, die er in Sydney drei Jahre lang zu meiden versucht hatte. Männer mit gegeltem Haar trugen Hemden und Schlipse in derselben Farbe. Mädchen in engen Hosen und asymmetrischen Lycra-Tops. Leute, die aussahen, als ob sie in den niedrigeren Rängen der Medien arbeiteten. Schummrige Beleuchtung. Laute Musik. Teure Cocktails. In jeder Hinsicht das Gegenteil von dem, was Carly gefiel. Carly gefielen Pubs und Cafés und Lokale, die Bier mit lustigen Namen und mindestens vier Variationen von Walkers-Chips servierten. Lokale, wo man sich einfach hinsetzen und sich selbst denken hören konnte. Sicher tat sie das alles von vorne bis hinten, dachte Ned. Sicher sollte man mit den lauten Lokalen mit den purpurroten Sofas anfangen und sich bis zu den Altmänner-Pubs hocharbeiten, wenn man sich den Dreißigern näherte. Er durchsuchte den Ort nach Carly, doch sie war nirgends zu sehen, weshalb er sich eine stark überteuerte Flasche Bier bestellte und versuchte, einen Sitzplatz zu finden. Er wollte sich schon auf die Ecke eines riesigen purpurfarbenen Sofas hocken, als ein leicht orangefarbenes Mädchen mit einer Masse

aus gefärbtem blonden Haar und einem fuchsiafarbenen Hemdchen ihm einen Blick zuwarf, der besagte »Mein Leben wäre perfekt, wenn es dich nicht gäbe«, und zu ihm sagte: »Da kannst du dich nicht hinsetzen.«
»Bitte?«
»Du. Kannst. Dich. Da. Nicht. Hinsetzen.«
»Warum nicht?«
»Es ist besetzt.« Und dann wandte sie sich ab auf eine Art, die zeigte, dass sie das Gefühl hatte, ihm schon zu viel von ihrem kostbaren Leben gewidmet zu haben, indem sie mit ihm gesprochen hatte. Es war ihr offenbar nicht in den Sinn gekommen, dass er ihre Befehle nicht befolgen könnte.
Und natürlich hatte sie Recht. Ned nahm seine Bierflasche und schlich sich davon; er fühlte sich, als hätte er Haarläuse und gelbe Zähne.
Man stelle sich nur vor, dachte er, während er versuchte, eine Ecke zum Verstecken zu finden, wenn man die Art Typ wäre, der tatsächlich auf solche Mädchen stand, die Mädchen mit der blonden Haarmasse, die Mädchen mit den hohen Wartungskosten, von denen man nicht erwarten konnte, dass sie in einen Bus stiegen. Wie erschütternd musste es sein, sein Leben damit zu verbringen, zu versuchen, jemandem zu gefallen, dem zu gefallen unmöglich war – nur damit man mit jemand Hübschem am Arm ausgehen konnte.
Er spielte mit seinem Haar, während er wartete. Es war außerordentlich heiß hier drinnen, und sein Bart juckte. Und sein Haar eigentlich auch. Er empfand den plötzlichen Drang, sich am ganzen Körper zu kämmen.
Dann wurde sein Blick von einem süß aussehenden Mädchen angezogen, das gerade die Bar betrat. Sie hatte blondes, welliges Haar, das ihr bis zu den Schultern ging, rosige Wangen, einen roten Mantel, einen Rucksack und Schnallenschuhe wie eine riesige Vierjährige. Sie blieb auf der Schwelle stehen, zog sich

die gestreiften Handschuhe Finger für Finger aus, während sie mit den Augen den Raum durchsuchte. Und dann fiel ihr Blick auf Ned, und sie strahlte ihn an. Und da dämmerte es Ned. Das war Carly! Er stellte sein Bier ab und ging auf sie zu.

»Carly. Hi.«

»Ned.«

Sie umarmten sich, Ned mit seinem Ziegenbart und Carly mit ihrem roten Mantel und Rucksack, und Ned wusste sofort, dass alles anders war. Sie hatte früher immer nach Kirschen und Talkumpuder gerochen. Jetzt roch sie nach irgendeinem echten, aber nicht unangenehmen Parfüm.

»Schau dich nur an«, sagte sie, hielt seine Hand und sah ihn von oben bis unten an. »Der Bart gefällt mir.«

»Ja?« Ned fuhr mit der Hand über den weichen Flaum und spürte einen Hauch von Vergnügen über das erste Kompliment über seinen Ziegenbart, das er bekommen hatte, seit er wieder zu Hause war.

»Ja, passt zu dir. Lässt dich … interessanter aussehen.«

»Willst du damit sagen, dass ich früher langweilig aussah?«

»Tödlich langweilig, Süßer.«

Süßer? Carly sagte nicht so etwas wie *Süßer*.

»Und du«, sagte er und zeigte auf ihr blondiertes Haar und ihren trendigen Mantel, »du siehst toll aus.«

Sie grinste und tänzelte hin und her. »Danke.«

Sie gingen zur Bar. »Was willst du«, fragte Ned, »ein Bier?«

»Nein«, antwortete sie geistesabwesend, nahm die Cocktailkarte zur Hand und überflog sie, »ich nehme einen … einen Mojito.«

»Wirklich?«, fragte er, und seine Stimme klang so sorgenvoll, als ob sie um einen Pint Stinktiermilch gebeten hätte.

»Ja.«

Als die zwanzig Limonen, die Carlys Drink zu erfordern schien, abgemessen und zerkleinert waren, war ein Tisch hinter der Bar frei geworden, und sie trugen ihre Drinks hinüber und setzten sich.

»Also«, begann Carly, legte ihr Gesicht auf tolle Hände mit manikürten Nägeln und gewährte ihm einen raschen Einblick in ein ziemlich volles Dekolleté, »es ist toll, dich zu sehen.«

Und Ned dachte: Das ist so verrückt, so unglaublich verrückt. Das hier war Carly – eindeutig, dessen war er sich sicher –, aber gleichzeitig war sie es nicht. Dies hier war Carly Deluxe. Carly mit Make-up und glänzenden Fingernägeln und einem Dekolleté und einem Selbstvertrauen, das wie flüssiges Gold aus ihr herausströmte. Sie machte ihm ein bisschen *Angst*.

»Also, egal – *du*!« Er klang plötzlich wie ein Showmaster im Fernsehen. »Lass uns über dich reden. Ich meine, neuer Job, neue Haare, alles neu. Sieht so aus, als ob alles wirklich gut für dich läuft. Erzähl mir alles.«

Carly lächelte und spielte mit dem Reißverschluss ihres Rucksacks, während sie redete.

Nachdem Ned sie verlassen hatte, war sie auf Reisen gegangen, hatte ihre Ersparnisse abgehoben, ihre Wohnung vermietet und war ein Jahr lang weg gewesen, hatte eine höchst erstaunliche Zeit verbracht. Der Amazonas – *erstaunlich*. Die Aztekenpaläste – *erstaunlich*. *Fantastische* Wohnung auf den Bahamas, wo sie auf den Shi-Tsu eines Millionärs aufpasste. San Francisco – die *beste* Stadt auf der Welt, ganz ohne Zweifel. So *schrecklich*, nach Hause zu müssen, hätte ewig bleiben können. Hatte so viele neue Freunde gewonnen, so viele Erfahrungen gemacht. Und die *Jungs*. Jungs, Jungs, Jungs. Blonde mit Tattoos und Bermudashorts. Dunkle, fast Schwarze mit Vespas und Rennbooten. Amerikanische, dänische, australische. Sie hätte es schon vor Jahren machen sollen. Hatte ihr Selbstvertrauen *ohne Ende* aufgebaut, all das Flirten und Nachlaufen. Aber das bedeutete es schließlich, jung zu sein. Ich meine, wenn man es nicht machen kann, wenn man jung ist, wann dann, hä? Sooo deprimierend,

nach Hause zu kommen, das Wetter, der graue Himmel, das dreckige alte London und die ganzen elenden teigigen Gesichter. Igitt.
Trotzdem musste sie ja irgendwann in ihr altes Leben zurück. Hatte ein bisschen Zeitarbeit gemacht, war bei Mum und Dad eingezogen, hatte die Wohnung verkauft, ein Vermögen gemacht, sich diese fantastische Ein-Zimmer-Wohnung in Brixton gekauft. Natürlich ist Brixton jetzt so cool, eine Menge toller Bars und Restaurants – es liegt wirklich im Trend. Ihre Wohnung hat sich im Wert bereits um dreißig Prozent gesteigert in nur achtzehn Monaten. Alsooo – sie hatte einen Zeitarbeitsjob für diese wirklich coole Firma in der Eastcastle Street, und sie und der Boss, eine wirklich, echt coole Frau namens Marty – dreiundvierzig, sieht aber aus wie um die dreißig – nun ja, es passte einfach. Es war wirklich seltsam, als ob sie sich seit ewig kannten. Und Marty drehte sich eines Tages einfach um und sagte: »Ich habe den Chef-Musterschneider gehen lassen – der Job gehört dir.« Und es ist soooo toll. Ein Haufen Geld, ein Haufen Muster für umsonst, wirklich schöne Klamotten – sie hat keine Ahnung, wie sie es sooo lange bei Dorothy Day ausgehalten hat. Und es ist jetzt so toll, dass sie Größe 36 trägt, weil alle Muster passen – sie setzen sie sogar manchmal als Hausmodell ein. Sie hat also nun diesen tollen Job und diese tolle Wohnung und diese tolle Figur und dann stellt ihr Marty ihren Cousin Drew vor. Und Drew ist sooo super – ganz blaue Augen, ganz dunkles Haar, steinreich – und verdreht ihr den Kopf. Essen gehen, Urlaube – oh, sie waren schon auf Mallorca, Mauritius und Sansibar, und dabei gehen sie erst seit zehn Monaten miteinander. Er ist *wunder*voll. Und Carlys Leben ist *perfekt*. Einfach perfekt. Wie ein großes, dickes, verdammtes Märchen.
Ned nickte und lächelte grimmig, fast gelähmt vor Langeweile und Bitterkeit. »Toll«, erwiderte er und biss so fest die Zähne zu-

sammen, dass sie fast Funken schlugen, »das ist wirklich toll. Ich bin so froh, dass sich alles so gut für dich entwickelt hat.«
»Ja«, antwortete Carly, »ich hab wirklich Glück gehabt. Das Leben ist im Moment so *gut*. Und was ist mit dir?«
»Na ja, du weißt schon, ich bin noch nicht so lange wieder wirklich zurück.«
»Was machst du? Arbeitest du?«
»Ja. Ja. Na ja, irgendwie. Ich habe ein bisschen Kram für meinen Dad gemacht.«
»Oh«, machte Carly und sah aus wie eine Stewardess bei schweren Turbulenzen, »ach ja, Das ist gut.«
»Nun, nein, eigentlich nicht. Ich habe vor, etwas daran zu ändern.« Und während er das sagte, wurde sein Kiefer kantig, weil er, obwohl er leise mit dem Gedanken gespielt hatte, seit er zurück war, nun absolut, hundertprozentig entschlossen war. Ein Job. Ja. Eindeutig. Er würde einen kriegen. Und dazu noch einen guten. Mit einem guten Gehalt. Ja.
»Immer noch zu Hause?«
»Mm. Ja.«
»Ist das nur … übergangsweise oder …?«
»Ja«, antwortete er brüsk. »Ja. Ich werde, äh … mir etwas suchen, sobald ich mich gesammelt habe, alles geordnet habe, du weißt schon …«
Carly nickte, und sie schwiegen. Ned betrachtete seine leere Bierflasche und erkannte, dass dies wohl das erste Mal war, dass Schweigen zwischen ihnen herrschte. Und er wusste warum. Weil es nun eine Kluft zwischen ihnen gab, die sich nie hatte entwickeln können, als sie noch zusammen gewesen waren. Carly war weiter gegangen. Und weiter. Und weiter. Sie hatte sich so weit weg von ihm bewegt, dass sie jetzt nur noch ein Fleck in der Landschaft war.
Er schluckte und fühlte sich traurig, verängstigt und sehr allein. Denn Carly war nicht die Einzige, die ihn hinter sich gelassen

hatte in den letzten drei Jahren. Auch seine anderen Freunde. Sie waren mit jemandem zusammengezogen, hatten sich mit Hypotheken belastet – manche von ihnen ließen jetzt sogar andere Leute für sich arbeiten. Das war in gewisser Weise das Verrückteste daran – oder zumindest das Unerwartetste. Seine Freunde hatten Personal, das sie einstellten und feuerten, sie leiteten Meetings, führten Abteilungen, waren das Thema von gehässigem Klatsch im Pub nach der Arbeit. Und es war alles so schnell passiert. Es fühlte sich an, als ob er nur ungefähr fünf Minuten weg gewesen wäre, doch in diesen fünf Minuten hatte Mac vierzig Prozent seiner Haare verloren, hatte Sarah Colin sitzen lassen, mit Mac geschlafen und war mit John zusammengezogen – wer, zum Teufel, John auch sein mochte. Mike war zum Bezirksmanager gemacht worden, Rob hatte Sam einen Antrag gemacht, und Michelle hatte geheiratet, sechs Wochen nachdem sie jemanden namens Tizer kennen gelernt hatte, hatte zwei Fehlgeburten, hatte sich zwei Jahre später scheiden lassen und war um zehn Jahre gealtert.

Und Carly – Carly hatte sich völlig in diese glamouröse, leicht seltsame blonde Person verwandelt, und ihm fiel nichts ein, was er ihr sagen könnte.

»Willst du noch was zu trinken?«

»Mmm«, sie nickte und trank den Rest ihres Mojitos aus. »Danke.«

Als Ned mit weiteren Drinks zurückkam, telefonierte Carly mit ihrem Handy. Ihr Handy besaß ein Futteral in Leopardenmuster. Ned schauderte.

»Okay, Süßer«, sagte sie gerade. »Ja. Nein. Nicht sicher, wann ich zu Hause bin. Oh. Stimmt. Okay. Nein, das ist in Ordnung, Mitternacht ist in Ordnung«, lachte sie, »mehr als in Ordnung. Wirklich in Ordnung. Okay – völlig fantastisch in Ordnung. Ach du! Okay. Ja. Ich liebe dich auch«, sagte sie, seufzte dann auf ärgerliche Weise und schaltete ihr Handy aus. Sie lächelte immer noch, als sie zu Ned aufsah. »So«, sagte sie, nahm ihren Drink und streckte ihn seinem Bier entgegen. »Auf unser Leben und Schicksal, und darauf, dass man weitergeht. Prost.«

Sie ließen die Gläser klingen. »Es ist so komisch«, fuhr sie fort, »denk nur – wenn du Monica nicht in dieser Bar getroffen hättest, dann wärst du nie gegangen, und ich wäre nie von Dorothy Day weggegangen und wäre nie gereist und hätte Marty nicht kennen gelernt und wäre nicht nach Brixton gezogen und hätte Drew nicht getroffen und alles wäre so anders gewesen. Es ist schon eine komische Welt, nicht wahr?« Sie sah äußerst erregt darüber aus, wie komisch die Welt war, und Ned schluckte. Denk nur, dachte er, wenn ich Monica nie in dieser Bar getroffen hätte, hätte ich schließlich nicht in Sydney mit der unglücklichsten Frau auf der Welt zusammengelebt und wäre nie drei Jahre später nach Hause gekommen und hätte entdeckt, dass alle meine Freunde mich hinter sich gelassen haben und dass meine geliebte Exfreundin und beste Freundin nun eine Blondine mit einem Handy in Leopardenfellfutteral und einem Freund namens Drew und einem Hang zu trendigen südamerikanischen Cocktails … Wo war die echte Carly?, dachte er. Was war mit dem runden, apfelbäckigen Mädchen passiert, das Make-up nur auf Partys trug und sich im Winter nie unter den Achseln rasierte?

Sie überstanden den Abend in der guten alten Tradition – indem sie sich betranken. Ned kapitulierte schließlich vor Carly und begann auch Mojitos zu trinken. Er mochte sie. Sie schmeckten wie altmodische Limonade und ließen ihn in Rekordzeit mächtig blau werden. Seine Zunge löste sich nach ein paar Gläsern, und obwohl er und Carly nie ganz ihren alten Bezug zueinander wiederfanden, fanden sie doch Dinge, über die sie reden konnten – vor allem gemeinsame Freunde. Ned informierte sie über all den Klatsch und sie informierte ihn über ihren. Um zehn Uhr lachten sie tatsächlich miteinander, und

obwohl es in keiner Weise so war wie früher – wenn Ned seine Augen geschlossen und so getan hätte, als ob er mit jemand ganz anderem tränke –, zum Beispiel mit einem Mädchen, mit dem er zur Schule gegangen war und die er unerwartet im Bus wieder getroffen hätte – müsste er zugeben, dass er einen wunderbaren Abend genoss. Um elf Uhr oder kurz davor oder danach zogen sie sich ihre Mäntel und Handschuhe an und traten hinaus in die feuchte Nachtluft.
»Also«, sagte Ned und zwängte die Hände in seine Manteltaschen.
»Also«, entgegnete Carly und wickelte sich den Schal fester um den Hals.
»Ich gehe zum Bus.«
»Die Nummer drei?«
»Ja. Die gute alte Nummer drei. Was ist mit dir?«
»Ach, ich nehme die U-Bahn. Das geht schneller.«
»Oh. Ja. Bist du sicher?«
»Mmh. Ja«, sie senkte den Blick. »Ich, äh, habe mich mit Drew in meiner Wohnung um Mitternacht verabredet. Ich will nicht zu spät kommen.«
»Gut. Nein. Natürlich.«
»Also, danke für einen schönen Abend.«
»Dir auch. Dir auch. Es war wirklich nett.«
»Ja. Wirklich. Dann okay«, sie stellte sich auf die Zehenspitzen, um ihn zu küssen, dann ein kurzes, warmes Streifen ihrer Wange über seine, zu schnell für Ned, um auf irgendeine Weise zu reagieren oder zu antworten. »Tschüs. Ich ruf dich an.«
»Ja. Tu das. Das wäre toll.«
Und dann lächelte sie ihn an, ein angespanntes, undurchschaubares Lächeln, winkte ihm steif zu und ging davon. Was wirklich blöd war, da die U-Bahn und die Bushaltestelle in derselben Richtung lagen. Aber Ned hatte das Gefühl, es wäre zu peinlich gewesen, jetzt hinter ihr herzulaufen, also drehte er sich um 180

Grad und begann in die andere Richtung zu gehen. Und während er ging, spürte er, wie etwas wirklich Seltsames mit ihm passierte. Es begann als ein Schmerz in seinen Eingeweiden, verwandelte sich in einen pochenden Schmerz hinten in seiner Kehle und dann in ein Kitzeln in den Augen. Tränen. Er hatte Tränen in den Augen. Er schluckte schwer und versuchte sie zurückzudrängen. Und dann hörte er etwas.

»Ned!«

Er drehte sich um. Carly stand an der Ecke der Great Portland Street, die Hände um den Mund gelegt.

»Was?«

»Ich ... ich ...«

»Was?«

Und dann ließ sie die Hände von ihrem Gesicht fallen und steckte sie in ihre Taschen. »Nichts«, schrie sie. »Nichts. Nur – willkommen zu Hause.«

Ned zuckte die Achseln und schrie: »Danke.«

Und dann wandte sich Carly wieder ab und verschwand um die Ecke.

Als er nach Hause kam, wartete ein weiteres Päckchen von Monica auf ihn.

Er machte sich nicht mal die Mühe, es zu öffnen.

www.mittelgegenmorgendlicheuebelkeit.com

Oh. Hallo. Ist Millie da, bitte?«

»Am Apparat.«

»Millie. Hier ist Tony. Du klingst furchtbar. Geht es dir gut?«

»Nein. Mir geht es furchtbar.«

»Was? Was ist los?«

»Ach, nur ein Anfall von der wirklich entzückenden Phase meiner Schwangerschaft mit morgendlicher Übelkeit.«

»Ach du liebe Zeit«, erwiderte Tony, »musstest du dich übergeben?«

»Nein. Noch nicht. Fühle mich nur die ganze Zeit so, als müsste ich es gleich. Einmal esse ich wie ein bulimisches Pferd und dann kann ich gar nichts mehr essen. Alles, was ich schlucke, macht, dass ich mich nur noch schlechter fühle.«

»Scheiße. Kannst du irgendetwas dagegen nehmen? Medikamente oder so?«

»Leider nein. Sie haben es mit Thalidomid probiert, aber es hat nicht richtig funktioniert. Nein – ein weiterer wunderbarer Aspekt der Schwangerschaft ist, dass du es erst erkennst, wenn es zu spät ist. Ich meine, du weißt, du musst mit Trinken und Rauchen und weichen Drogen aufhören. Aber niemand erzählt dir von den anderen Dingen, die du plötzlich nicht mehr zu dir nehmen darfst. Zum Beispiel Mayonnaise, um Himmels willen. Und Weichkäse und weiche Eier und Sushi und rohes Fleisch und Schalentiere. Schalentiere, Scheiße noch mal. Stell dir nur vor, Tony – sieben Monate lang keine Garnelen. Es ist tragisch. Und dann ist da die ganze Sache mit den Pharmazeutika. Kein Nurofen, kein Paracetamol, keine Rennies, keine Mittel gegen Husten oder Erkältungen – ich darf nicht mal eine verdammte Halstablette lutschen, zum Teufel noch mal. Muss nur die Zähne zusammenbeißen und es tragen wie ein Mann.«

»Zur Hölle«, erwiderte Tony, der schon beim leisesten Anzeichen von Schmerz oder Unwohlsein eine halbe Supertablette schluckte. »Kannst du denn gar nichts nehmen?«

»Nichts. Ich sag dir, es ist so eine Ironie. Wir haben uns so bemüht, um sicherzugehen, dass unsere ungeborenen Kinder nicht durch etwas auch nur annähernd Chemisches oder Ungesundes befleckt werden, um sie vollkommen und ganzheitlich auf die Welt zu bringen, so dass sie den Rest ihres Leben so viel Mist in ihren Schlund schaufeln können, wie reinpasst. Ich weiß nicht, warum wir uns überhaupt Sorgen machen. Vielleicht sollten wir sie gleich von Anfang an an den harten Kram gewöhnen.«

Tony lachte unsicher.

»Gott – hör mich doch an«, sagte sie. »Ich klinge total daneben. Du wirst wahrscheinlich die Sozialfürsorge auf mich hetzen.«

»Nein«, widersprach Tony, »aber du klingst nicht sehr heiter.«

»Es tut mir Leid«, erwiderte sie, »es ist nur so, ich bin so müde und so krank und habe es so satt. Und diese verdammten Stimmungsschwankungen – sie sind so lästig.«

»Warum gehst du nicht nach Hause, Millie. Schlaf etwas.«

»Hmm. Ich weiß nicht. Ich habe in einer halben Stunde eine Vorlesung. Ich wollte mich da durchkämpfen und dann sehen, wie ich mich fühle.«

»Vielleicht könnte Sean dich ja abholen?«, wagte sich Tony vorsichtig und, wie er dachte, ziemlich raffiniert, vor.

»Hmpf«, machte Millie. »Mit was denn? Auf seiner Fahrradstange? Egal – er ist sowieso der Letzte, nach dem mir im Moment ist.«

»Wirklich? Ihr habt also am Samstag nicht alles geklärt?«

»Äh, nein. Nicht ganz. Heute Morgen war er eine Zeit lang supersüß. Ganz knuddelig und ist für mich einkaufen gegangen und hat mir Tee gebracht, und ich war ganz die Eiskönigin …«

»Hat er sich entschuldigt?«

»Hmm. Hat gesagt, er sei ein egoistischer Penner, verdiene mich nicht, hat angefangen, über Babynamen zu diskutieren, über die Hochzeit geredet, du weißt schon, war richtig *toll*. Aber ich konnte nur wenn ich ihn ansah erkennen, dass er es wirklich schwierig fand, Begeisterung aufzubringen, dass er die Rolle des glücklichen werdenden Vaters nur spielte. Und dann am Montag, als mir schlecht wurde und ich nicht mit ihm ins Kino wollte, wurde er wieder richtig beschissen. Du weißt schon, er ist gestern Morgen in seine Wohnung gefahren, um Wäsche zu waschen und so, und normalerweise kommt er dann abends wieder. Aber als ich heimkam, war er nicht da, also habe ich ihn in seiner Wohnung angerufen, und er war ganz lässig und sagte: ›Ach, tut mir Leid, mir war nicht klar, dass du erwartet hast, dass ich wiederkomme.‹ Hat gesagt, er habe mit dem Schreiben angefangen und sei ganz drin vertieft. Was natürlich gut ist, weißt du, das verstehe ich, es ist schließlich sein Job. Aber es ist nur so, dass er es geschafft hat, sich so zu vergraben, und er ist so weit weg von mir, und er hat uns tatsächlich ganz vergessen. Mich. Alles. Und … äh …«

»Was? Geht es dir gut?«

»Igitt. Tut mir Leid. Nur eine neue überwältigende Welle der Übelkeit. Schau. Es tut mir Leid. Ich wollte dich nicht so volljammern. Ich meine, zurzeit scheine ich nichts anderes zu tun – kaue dir dein armes kleines Ohr ab. Und ich weiß, du bist sein Bruder. Ich bringe dich wahrscheinlich in eine ziemlich peinliche Lage …«

»Nein, nein, nein«, versicherte Tony, »gar nicht.«
»... Aber ich habe niemanden, mit dem ich reden kann, ja? Ich meine, meine Hormone sind in der Luft, und Sean ist schrecklich, und ich muss es einfach loswerden.«
»Es ist gut, Millie, ehrlich. Es macht mir wirklich nichts aus.«
Millie seufzte tief auf. »Egal. Schau. Ich mache besser Schluss. Ich muss mich auf die Vorlesung vorbereiten.«
»Ach ja. Stimmt«, antwortete Tony, der gerade erst angefangen hatte, sich bei dieser Auf-den-Bruder-Schimpferei in Schwung zu bringen. »Nun, egal – ich wollte mich nur nach dir erkundigen. Sichergehen, dass es dir gut geht.«
»Danke, Tony. Du bist ein echter Schatz. Ich weiß nicht, was ich ohne dich täte.«
»Jederzeit. Alles, was du willst. Du weißt, wo ich bin.«
»Absolut, Tony.«
»Nun, dann tschüs.«
»Tschüs, Tony. Alles Liebe.«
»Dir auch.«
Tony legte den Hörer auf und lächelte, er fühlte sich innerlich ganz warm. Und dann wandte er sich seinem Computer zu, wählte sich ins Internet ein und tippte »Mittel gegen morgendliche Übelkeit« als Suchbefehl ein. Er klickte auf eine Website namens .com und dachte nicht zum ersten Mal, was das Internet doch für eine fabelhafte Sache war. Er las rasch die Ratschläge auf der Website durch. Viel Schlafen. Kühle Räume. Kein scharfes Essen. Bla, bla, bla. Und dann fand er den Weg in den Chatroom, der voller Frauen namens Kimberley und Teena war, die aus Orten wie Minocqua, WI, und Columbus, OH, kamen.

»Ich bin in der 9. Woche schwanger«, sagte Ilena aus Berkeley, CA, *»und leide jeden Tag und den ganzen Tag an morgendlicher Übelkeit. Letzte Woche ist mein Mann ins Reformhaus gegangen, und ihm wurden*

›Newton Homeopathic Morning Sickness Drops‹ empfohlen. Ich ließ sechs Tropfen auf meine Zunge fallen, als meine Symptome sich wirklich verschlechterten, und ungefähr eine Stunde später ließen die Symptome nach. Trotzdem machte ich mir ein bisschen Sorgen, als ich las, dass unter den Zutaten auch 15% Alkohol war. Ich werde dieses Mittel also nur nehmen, wenn es absolut notwendig ist.

Oh, bitte, dachte Tony. Sechs Tropfen. Sechs Tropfen, fünfzehn Prozent Alkohol. Man würde mehr Stoff zu sich nehmen, wenn man die Zunge in ein Glas Shandy steckte, in Gottes Namen. Kein Wunder, dass Elternsein heutzutage so viel Stress bereitete, wenn die Leute sich schon in die Hose machten wegen eines mikroskopisch kleinen Tropfens Alkohol. Er konnte sich Ilena aus Berkeley auch richtig gut vorstellen. Ein neurotischer Haufen aus Haut und Knochen, alles gefaltet und gebügelt, der Ehemann durfte keine Kraftausdrücke gebrauchen, Schuhe aus an der Haustür, Sex bei ausgeschaltetem Licht. Bäh. Er notierte sich trotzdem Newton Homeopathic Morning Sickness Drops in seinem Notizbuch, trotz des Risikos, das es für das Wohlergehen von Millies ungeborenem Kind barg, und scrollte hinunter zu jemandem, der etwas vernünftiger klang.

»Ingwerkekse«, empfahl Jackie aus Cherry Hill, J.

»Lutsch eine Zitrone aus«, riet Tannita aus Hawaii.

»Iss einen Graham-Keks, wenn du aufwachst«, meinte Sherri aus Milwaukee.

Tony kritzelte beim Lesen alles auf. Ingwertee. Vitamin B6. Zitronenölessenz. Pfefferminztee. Apfelessig und Honig. Frischen Ingwer. Zitronenschale.

Und dann, um ein Uhr ging er, anstatt Anne-Marie hinunter in den Sandwichladen nebenan zu schicken, um ihm sein übliches Eier-und-Schinken-Baguette zu holen, die Straße hinunter zum nächsten Reformhaus und verbrachte fast eine ganze Stunde damit, mühsam die Gänge nach den Punkten auf seiner Liste abzusuchen, wie ein potenzieller Freier, von dem verlangt wurde, eine unmögliche Aufgabe zu erfüllen, bevor er für würdig erachtet wurde, die Hand einer schönen mittelalterlichen Prinzessin zu erringen.

Seans Hetzschrift

Sean sah auf die Uhrzeit auf seinem Laptop: 17.35. Er streckte die Hände hinter seinem Kopf aus und spürte, wie seine Muskeln in erlesenem Schmerz sangen. Seit elf Uhr morgens hatte er sich über seinen Computer gebeugt. Er hatte nicht aufgehört, um zu Mittag zu essen, und hatte sich nur zweimal von seinem Stuhl erhoben, um zu pinkeln. Er scrollte sein Dokument zurück und lächelte bei sich. Fünfunddreißig Seiten Text. Fünfunddreißig große, fette, schöne Seiten. Er ging mit dem Cursor auf »Tools« und klickte »Wörter zählen« an:

Wörter zählen	
Seiten	35
Wörter	8485
Zeichen (ohne Leerzeichen)	38401
Zeichen (mit Leerzeichen)	46544
Absätze	153
Zeilen	680

Eine der schönsten Statistiken, die Sean jemals zu Gesicht bekommen hatte. Endlich. Er hatte es geknackt. Er war durch die Mauer gebrochen, gegen die er in den letzten drei Monaten angelaufen war. Stoff bahnte sich endlich den Weg aus seinem

Kopf auf seine Tastatur. Guter Stoff. Stoff, der sich anfühlte, als ob er auf etwas hinauslief.
Er war gestern um die Mittagszeit in seine Wohnung zurückgekommen, angeblich um Wäsche zu waschen, doch hauptsächlich und in Wahrheit um sich Abstand von Millie zu verschaffen. Er hatte Tonys Rat vom Samstag angenommen, sein Bestes versucht, um positiv an die Dinge heranzugehen, Millie zu beruhigen, Aufheben um sie zu machen. Doch dann, am Sonntagabend, hatten sie im Fernsehen einen Film mit vielen Kindern darin angeschaut, und es hatte zwischen ihnen ein unbehagliches Schweigen geherrscht, als die TV-Kinder auf dem Bildschirm herumrannten, als ob sie beide plötzlich nicht mehr atmeten. Was sie beide gedacht hatten, war offensichtlich gewesen: Das werden wir bald sein, wir werden wie die Leute im Fernsehen sein, mit den ungebändigten Kindern und dem Chaos und den Spielsachen und den Streitereien. Er war an diesem Abend zu Bett gegangen und hatte kaum ein Auge zugetan, während all seine guten Absichten, in die Papa-Stimmung zu kommen, seinem Bewusstsein entflohen waren. Er konnte es nicht tun, dachte er, er konnte einfach nicht.
Am Montagabend hatte er vorsichtig einen Gang ins Kino vorgeschlagen, dachte, dass Millie vielleicht Schokolade zum Frühstück sehen mochte, dachte, er sei aufmerksam und selbstlos. Doch sie reagierte, als ob er einen Abend in einer Crackhölle vorgeschlagen hätte. Also hatte er beschlossen, dass er Zeit für sich selbst brauchte, hatte heute Morgen seine Zahnbürste und seinen Rasierschaum eingepackt und war nach Hause gekommen.
Die Sonne hatte geschienen, als er zurückkam, also hatte er einen Notizblock mit auf den Balkon genommen, genauso wie damals, als er mit Half a Man angefangen hatte. Er hatte nur geplant, ein paar Aufwärmübungen zu machen, wirklich nur ein bisschen herumzuspielen, sich Notizen zu machen, etwas zu tun.

Und plötzlich war es zu ihm gekommen. Eine ganze neue Geschichte. Neue Figuren. Ein neuer Plot. Alles. Er hatte so viele Wochen damit verbracht, immer über dasselbe schwülstige alte Material nachzugrübeln und zu brüten; und da das erste Buch so ziemlich in der Art angefangen hatte, wie es geendet hatte, war es ihm nie in den Sinn gekommen, sein ursprüngliches Konzept fallen zu lassen. Half a Man war reine Fiktion gewesen. Ein Page-Turner und ein Spannungsroman über Menschen und Situationen, die vollständig von den stechenden Reisfeldern seiner eigenen Fantasie zu ihm gekommen waren. Dieses zweite Buch, hatte er nun beschlossen, würde anders sein. Es würde autobiografisch werden.

Es sollte um einen Mann gehen, dessen Freundin schwanger wird, nachdem sie sich gerade kennen gelernt haben, und die darauf besteht, das Baby zu bekommen, obwohl der Mann noch nicht dazu bereit ist. Es sollte ein Lobgesang auf die Männer der ganzen Welt sein, die geknechtet wurden von der weiblichen Fähigkeit, sich fortzupflanzen und deshalb die wichtigsten Entscheidungen auf der Welt zu treffen. Frauen nörgelten ständig darüber, dass Männer Entscheidungen trafen, mit denen Kriege begonnen wurden, die zu Tod und Zerstörung führten, aber wessen Entscheidung war es denn, Uzis schwingende kleine Schufte überhaupt erst auf diese Welt zu bringen? Hä? Ja, genau: Frauen. Eine einseitige Entscheidung führte unausweichlich zur anderen. Natürlich gab es immer noch Frauen auf der Welt, die keine Wahl hatten, die nicht abtreiben oder verschieben oder vermeiden konnten, die keine andere Wahl hatten, als sich fortzupflanzen. Doch die Frauen im Westen, genau die Frauen, die sich am meisten über männliche Unterdrückung beklagten, über gleiche Rechte, über »Fairness«, waren auch die penetrantesten wenn es um ihr Recht ging, zu entscheiden, ob sie ein Kind in eine Beziehung und auf die Welt bringen wollten oder nicht. Die einzige Entscheidung, die dem Mann blieb, war die, ob er bleiben wollte oder nicht. Toll. Dableiben, während jemand anderer entscheidet, welchen Pfad dein Leben in den nächsten sechzehn Jahren beschreiten wird, oder abhauen, und dann stempelst du ein Kind als Bastard ab und wirst den Rest deines Lebens von dem Gedanken an ein Kind heimgesucht, das dich kaum kennt. Das nennt man eine Wahl.

Sean glaubte sehr ans Schicksal. Seine Herangehensweise ans Leben war die, sich zurückzulehnen, ein Bier aufzumachen, sich zu entspannen und zu sehen, was des Weges kam, und er hatte herausgefunden, dass diese Laissez-faire-Haltung seinem eigenen Los gegenüber ihm im Allgemeinen alles einbrachte, was er brauchte. Es brachte ihm Mädchen und Erfahrungen, und nun hatte es ihm Erfolg, Geld und auch wahre Liebe gebracht. Sean betrachtete die weniger idyllischen Kapitel seines Lebens nicht als Ergebnisse von »Fehlern«. Er glaubte nicht an Fehler. Er glaubte an einen vorbestimmten Weg, und bis jetzt hatte sich jeder Punkt auf diesem Weg richtig angefühlt. Jede schlechte Beziehung hatte sich richtig angefühlt, sogar jeder beschissene Job, den er gemacht hatte, hatte sich richtig angefühlt – weil er es sich ausgesucht hatte.

Aber diese – diese Sache mit dem Baby. Jemand anderes brachte seinen Lebensweg durcheinander, das natürliche Timing der Dinge, und das fühlte sich nicht richtig an. Millie hatte ihm seine Macht genommen, sein Leben auf gemächliche Weise entfalten zu lassen und sich nur vor sich selbst zu verantworten, und er hatte sich noch nie in seinem Leben so außer Kontrolle gefühlt.

Also würde er ein bisschen Kontrolle durch dieses Buch zurückerlangen. Den Männern eine Perspektive geben. Männer sollten heutzutage alles akzeptieren. Die ganze Zeit all diese Bilder in den Zeitungen von selbstgefälligen Promis, die sich ihre Kinder vor die Brust geschnallt hatten, wie ein blasses Abbild einer schwangeren Frau. Männer sollten die ganze Erfahrung heutzu-

tage teilen, zu Geburtsvorbereitungskursen mitgehen, Bücher lesen, mitfühlen. Komisch, dass von einem nicht erwartet wurde mitzufühlen, wenn die Frau ihre Tage hatte, dass nicht erwartet wurde, dass man alles wusste, was in und out war, nicht wusste, wie all diese seltsamen Teile aus weißer Baumwolle, Streifen, Flügel und Fäden tatsächlich funktionierten. Frauen kamen einfach selbst damit zurecht, und als Mann wurde von einem erwartet, dass man den Kopf gesenkt hielt und es vermied, etwas Dummes zu sagen. Man konnte aktives Interesse zeigen, wenn man es wünschte, doch keiner würde einen als unsensiblen Neandertaler bezeichnen, wenn man sich dagegen entschied.
Und genauso mit anderen Frauensachen – Vibratoren, Schwestern, Ausgehen unter Frauen, Weinen bei Werbung, komplizierten Schuhen, Ausfluss, Sekreten, Enthaarung und Brustoperationen. Als Mann wusste man, dass es diese Dinge gab und dass sie ab und zu im Leben auftraten, manchmal auf positive Weise, manchmal nicht, aber es wurde nicht erwartet, dass man daran teilnahm. Keine Frau würde sich darüber beklagen, wenn man keine Ahnung hatte, wie man mit ihrem Vibrator umging, oder sich weigerte, bei ihr zu sitzen und Händchen zu halten, wenn sie sich die Bikinizone mit Wachs enthaaren ließ. Doch Schwangerschaft und Geburt ... da wurde erwartet, dass man da war, bei jedem Schritt des Weges, dass man beruhigte, verstand, sympathisierte – teilnahm.
Die Männer aus der Generation seines Vaters hatten es da leicht. Ein bisschen kavalierhaftes Heben und Tragen für die Ehefrau, während sie schwanger war, und ein paar Pints im Pub mit den männlichen Verwandten, während sie das Kind bekam. Man kam auf der Geburtsstation voller Bier und Zigarrenrauch an und bekam ein sauberes pinkfarbenes Baby überreicht und keins, das über und über mit gelbem Schleim und Plazenta bedeckt war. Und dann wurde das Leben des Mannes wieder normal.
»Wir sind schwanger«, sagten die modernen Männer. Und das

war das Problem. Sie waren, verdammt noch mal, nicht schwanger. Ihre Partnerinnen waren es. Schwanger zu sein war etwas, das Frauen passierte und nur Frauen, und zusammen mit der körperlichen Unannehmlichkeit kam die fabelhaftestes Erfahrung, die ein menschliches Wesen jemals durchmachen konnte: Das Wunder, im eigenen Körper Leben zu nähren, jene unvergleichliche Verbindung mit einem anderen menschlichen Wesen aufzubauen, eine Erfahrung, die Männer niemals wahrhaftig begreifen würden, zu wie vielen Geburtsvorbereitungskursen sie auch gehen mochten. Frauen hatten das Monopol auf die ganze Erfahrung – sie trafen die Entscheidungen, sie erlebten das Wunder, sie bauten die endgültige Verbindung auf. Männer konnten nur immer armselige, Händchen haltende, den Rücken reibende Voyeure sein, deren einziger wirklicher Beitrag zum Wunder des Lebens das erfolgreiche Verschleudern eines einzigen entschlossenen Spermiums gewesen war.
Erst wenn das Kind geboren war, wenn es abgestillt war und laufen konnte, konnte der Vater überhaupt anfangen, ebenso wie die Mutter an dem Programm teilzuhaben. Irgendwann in der Entwicklung des Kindes konnte der Vater anfangen, Einfluss zu nehmen, und an diesem Punkt wäre Sean vielleicht bereit, seinen Lebensstil zu verändern. Aber jetzt im Augenblick war dies Millies Schwangerschaft. Ihr Körper wurde von einem Fremden bewohnt, um dessen Bekanntschaft Sean nie gebeten hatte und der ihre Beziehung ernsthaft behinderte. Millie hatte diesen Weg gewählt – es war ihre Entscheidung –, und wenn Sean ihr auch mit Freuden die Füße massierte, den Rücken rieb und Spaghetti Bolognese eimerweise verabreichte, so war er doch nicht bereit, zuzulassen, dass Millies Zustand Vorrang vor seinem eigenen Leben bekam.
Und dieses Buch – dieses Buch zu schreiben – fühlte sich so gut an. Es war gut, wieder zu Hause zu sein, an seinem Tisch zu sitzen, aus seinem Fenster zu schauen und über seine Gefühle zu

schreiben. Er fühlte sich wieder als Mann – und sogar noch besser, er fühlte sich wieder als Schriftsteller.
Er stand auf, streckte sich auf die Zehenspitzen und ließ die Arme kreisen. Er stellte die Café-del-Mar-Zusammenstellung lauter, die er gehört hatte, und stellte sich eine Zeit lang auf seinen Balkon. Der Himmel war von einem intensiven Türkis, und es war buchstäblich keine Wolke zu sehen. Es war frisch und kühl, doch die vorsichtigen frühlingshaften Sonnenstrahlen wärmten die Haut auf seiner Stirn und seinen Wangenknochen. Der Sommer war eindeutig auf dem Weg – Sean konnte ihn fühlen und riechen.
Er blickte sich in seiner Stadt um, und ein paar Sekunden lang genoss er das übliche Gefühl der Vorfreude zu Beginn seiner Lieblingsjahreszeit. Er stellte sich Liegestühle im Green Park vor, Kaffee in Straßencafés, Taxis mit offenen Fenstern, kaltes Lager in Biergärten und Softball in Mums und Dads Garten. Doch bald spürte er, wie die Luft aus ihm entwich, als ihm der fatale Fehler in all diesen Fantasien einfiel: Sie bezogen sich alle auf ihn und Millie – als Paar. Sie drehten sich alle darum, im Sommer in London jung und verliebt zu sein. Doch es würde für ihn und Millie keinen sorglosen Sommer geben. Es würde einen Sommer mit Umstandskleidung und Krankenhausbesuchen geben, keinen Sex und kein Trinken. Sein erster Sommer mit der Frau seiner Träume würde damit verbracht werden, dass er nachdenklich darauf wartete, wie sich sein Leben über Nacht veränderte. Alles würde sich um Millie und ihre Schwangerschaft drehen.
Mist.
Er wollte draußen in Millies von Kerzen beleuchtetem Innenhof sitzen und um Mitternacht Bier trinken, während sie zu den Sternen aufblickten, er wollte mit ihr einen Joint auf seinem Balkon rauchen, kurzärmelige Tops tragen, echt laute Musik hören und mit ihr auf ihre fantastische, aufregende Stadt

schauen, während sie Möglichkeiten für gute Zeiten und lange Nächte verströmten, Orte, wo man trinken, Leute, die man treffen, Drogen, die man nehmen, und Erfahrungen, die man machen konnte. Er wollte alles, die ganze magische Sache mit dem Sommer in der Stadt, und er wollte es mit Millie.

Das Baby sollte im Dezember kommen. Im nächsten Sommer wäre das Baby sechs, sieben Monate alt, und sie wären Eltern. Sie wären angebunden. Ihre Freiheit wäre fort, ihnen entrissen, und würde ihnen erst zurückgegeben werden, wenn sie mittleren Alters waren.

Himmel.

Es war so unfair.

Sean trat frustriert nach der Wand seines Balkons.

Verdammtes Leben.

Verdammte Babys.

Verdammte Kondome.

Verdammte Millie.

Zur Hölle damit.

Sean sah hinunter auf etwas zu seinen Füßen, auf etwas, das im Sonnenschein glitzerte. Es sah zuerst aus wie ein Stück Blattgold. Und dann bemerkte er, dass es die Folie von einem Champagnerflaschenhals war. Von der Flasche Louis Roederer, die er an dem Abend geöffnet hatte, als er Millie den Antrag gemacht hatte, um es genau zu sagen. Traurig befingerte er sie, glättete die Falten und dachte wieder an jene Nacht, die erst zwei Wochen zurücklag. Damals war Millie ein anderer Mensch gewesen, ein exzentrisches, warmherziges Energiebündel, eine unglaubliche, unberechenbare, freigeistige Frau. Sie hatte ihn zum Lachen gebracht, hatte ihn erregt, hatte ihn nervös gemacht, als ob sie ein schöner, heller, bunter Drachen wäre, den er nur mit Mühe festhalten konnte. Sean war voller Ehrfurcht vor ihr gewesen, voller Angst, sie könnte einfach von ihm wegschweben, wenn er seinen Griff lockerte.

Damals war sie alles gewesen, absolut alles.
Und jetzt – nun, jetzt war sie nur noch schwanger.
Sean rollte das kleine Stück Goldfolie zwischen Daumen und Zeigefinger zu einem Ball zusammen, ließ ihn auf der Mauer des Balkons balancieren und schnipste ihn dann traurig von dem Rand und in die Ferne.
Und dann ging er hinein und schrieb ein ganzes Kapitel darüber, wie es sich anfühlte, einen ganzen Sommer zu versäumen, weil die Freundin schwanger war.

Millies verzaubertes Königreich

Es war ein heller Nachmittag, als Tony aus seinem Taxi in Gloucester Terrace stieg, und die Sonne strahlte von den Stuckhäusern ab, die die Straße säumten. Tony war so oft in seinem Leben durch diese Straßen mit den riesigen, imponierenden weißen Häusern gefahren, doch es war ihm nie zuvor in den Sinn gekommen, dass echte Menschen tatsächlich darin wohnten.

Millies Haus war eines der schicksten in der Reihe – es war frisch gestrichen und hatte glänzende Türgriffe und Türklopfer, und in den Fenstern hingen gerüschte Vorhänge. Tony kam sich plötzlich sehr vorstädtisch vor angesichts solch offensichtlicher Raffinesse. Er sah hinab auf seine Schuhe und wünschte, es wären handgemachte italienische kalbslederne, statt dieser leicht abgetretenen Mokassins zu 69,99 Pfund von Jones the Bootmaker.

Millie kam zur Tür in einem lockeren bestickten Baumwolltop mit einem Schlitz am Nacken, das Tony an das erinnerte, was seine Mum in den Siebzigern immer getragen hatte. Ihr Haar hing herunter und war zottelig wie beim ersten Mal, als er sie gesehen hatte, und sie trug dünne Riemchensandalen, die kleine dunkle Füße mit abgeblättertem Nagellack und ein beginnendes Hühnerauge enthüllten. »Tony«, sagte sie. »Was machst du hier?«

In ihrer Stimme lag ein Hauch Unbehagen, und Tony zuckte leicht zusammen. Er hatte es verpatzt. Er war zu viel. Zu lästig. Zu intensiv. Er hätte nicht kommen sollen.

»Ich, äh, habe dir so Kram mitgebracht.« Er hielt die Tragetüte von Holland & Barrier hoch und nahm die Körpersprache eines Mannes ein, der wieder gehen wollte.
»Kram?«, fragte Millie, nahm ihm die Tüte ab und spähte hinein. »Was für Kram?«
»Sachen gegen morgendliche Übelkeit.« Er zog eine Packung Kekse heraus. »Ingwerkekse. Ingwer soll offenbar wirklich gut dagegen sein. Und Zitrone …« Er zog einen Fächer aus Zitronenlutschern heraus. »… oder du kannst die Ölessenz benutzen; einfach auf ein Tuch träufeln und einatmen. Oder da ist hier drin noch irgendwo dieses homöopathische Zeug …« Er wühlte in der Tüte herum und suchte nach der winzigen Flasche. »Aber du musst offenbar sehr vorsichtig damit sein – es enthält fünfzehn Prozent Alkohol.« Er lächelte sie an und war dankbar, als er sah, wie ein kleines Lächeln auf ihrem ausdruckslosen Gesicht erschien. »Ich meine, ich weiß nicht, wie sehr all dieser Kram wirklich nützen wird, aber ich dachte, es wäre einen Großeinkauf wert.« Er steckte die Hände in die Taschen und warf ihr noch ein dümmliches Lächeln zu.
Sie sah erst ihn und dann die Rückseite der Tasche mit den Waren an.
»Egal«, sagte er, »du siehst erschöpft aus. Also gehe ich wieder los. Dich allein lassen, damit du dich ausruhen kannst …«
»Nein«, erwiderte Millie und steckte ihr ungebärdiges Haar hinters Ohr, »geh nicht. Ich meine, du hast dir all die Mühe gemacht. Das Wenigste, was ich da tun kann, ist, dir eine Tasse Kaffee anzubieten. Oder vielleicht …« Sie zog ein Päckchen aus der Tüte, »eine schöne Tasse biologischen Zitronen-Ingwer-Tees.« Sie lächelte. »Das heißt, wenn du Zeit hast.«
Tony sah zuerst auf seine Uhr und dann sie an. Sie sah jetzt entspannter aus. Er riss sich zusammen. »Äh, ja«, sagte er, »sicher. Ich muss noch nicht gleich zurück.«
»Cool.« Millie lächelte und hielt ihm die Tür auf. Tonys Herz

hob sich, als er ihre Schwelle überschritt – er fühlte sich, als ob man ihm den Zutritt zu einem verzauberten Königreich gewährt hatte.

»Entschuldigung«, meinte Millie, während sie ihn in ihre Wohnung führte, »es ist ein bisschen chaotisch hier. Ich räume immer nur auf, wenn ich Besuch erwarte.«

Tony sah sich ehrfurchtsvoll in der auch nicht ansatzweise chaotischen Wohnung um. Die Decken waren hoch und die Fenster gingen vom Boden zur Decke und hatten angemalte Läden. Die Wände sahen nicht aus wie normale Wände – sie sahen aus, als kämen sie aus einem alten italienischen Palazzo. Das Zimmer war eine Schatzkiste mit schönen Dingen; bunte Kristallleuchter, alte französische Möbel, gebeizte Holzfußböden, ein bestickter Seidenschal, viktorianische Lampen mit Quasten, eine dramatische *chaiselongue* aus himbeerrotem Samt, afghanische Läufer, abstrakte Gemälde, gerahmte Sepiafotografien, ein brauner Wildlederpuff. Millie hatte Dinge zusammengemixt, Kunst und Möbel von jedem Kontinent und aus jeder geschichtlichen Periode und in jeder nur denkbaren Nuance von Pink, Braun, Gold, Cremefarbenem und Elfenbein. Doch es passte alles wunderbar, da jedes Stück in ihrer Wohnung mit etwas ausgewählt worden war, von dem Tony plötzlich und auf überwältigende Weise erkannte, dass er es nicht besaß – mit Geschmack.

»Hier sind meine Jungs«, sagte sie gerade und zeigte auf vier schlummernde Katzen, die elegant über ihr fadenscheiniges Samtsofa drapiert lagen und deren Fell sich in den Farben Creme, Grau und Champagner ergänzten. Sogar ihre Katzen waren geschmackvoll.

»Der hier heißt Dorian – weil er grau ist. Das ist Eric – weil er cremefarben ist. Cream – Eric Clapton – kapierst du? Das hier ist Barry – weil er weiß ist. Und das dort ist Brando, weil er ein großer, fetter, gut aussehender Kerl ist. Er ist mein Liebling. Oder ich bin seiner. Ich bin mir da nicht sicher. Egal. Tee? Kaffee?«

»Kaffee, bitte«, antwortete Tony. »Mit Milch. Ein Stück Zucker.« Er wanderte im Wohnzimmer umher, während sie Kaffee kochte, und fühlte sich wie in einem Traum oder wie zwischen den Seiten von *Elle Decoration.* »Die Wohnung ist wunderschön«, rief er Millie zu, nahm ein hinreißendes und völlig nutzloses Teil aus türkisfarbenem Glas und hielt es ins Licht.
»Nicht zu feminin für dich?«
»Nein – gar nicht. Ich meine, das meiste von dem Zeug hätte ich wahrscheinlich für mich selbst nicht ausgesucht. Aber die Art, wie du alles zusammengestellt hast – es funktioniert wirklich.«
»Danke«, erwiderte sie, stellte zwei Tassen auf den Couchtisch und kuschelte sich in einen dicken Sessel. »Also. Tony. Woher wusstest du, wo ich wohne?«
Tony schrak leicht zusammen. »Ach«, meinte er locker, »das College hat mir deine Adresse gegeben.«
»Das *College?*« Sie sah erschreckt aus.
»Ja«, stotterte Tony nervös, »ich wollte das Zeug da für dich dort abgeben, aber ich hab angerufen, und sie haben gesagt, du wärst krank. Die Frau, mit der ich gesprochen habe, sagte, sie habe keine Telefonnummer von dir, nur eine Adresse.«
»Himmel«, murmelte sie, »ich kann nicht glauben, dass sie einfach so locker flockig am Telefon jedem gegenüber die Adressen rausrücken …«
Tony sog den Atem ein, in dem Versuch, sich wirklich ganz, ganz klein zu machen. »Tut mir Leid«, flüsterte er.
»Nein, nein, nein.« Millie legte die Hand auf ihre Brust und sah Tony an. »So habe ich es nicht gemeint. Du bist natürlich nicht jeder. Aber du hättest es sein können. Verstehst du?«
Tony nickte nachdenklich. »Schau, Millie«, begann er, »ich hoffe wirklich, du glaubst nicht, dass ich dich nerven will oder so. Ich mache mir nur wirklich Sorgen um dich. Du bist schwan-

ger, und mein Bruder lässt dich im Stich, und ich fühle mich irgendwie – verantwortlich. Verstehst du, was ich meine? Und wenn du lieber willst, dass ich mich raushalte …?«
»Nein«, antwortete Millie. »Nein. Gar nicht. Ich will wirklich nicht, dass du dich raushältst. Ich brauche dich. Ich meine, ich weiß, das klingt seltsam, aber du bist jetzt meine einzige Verbindung zu Sean. Meine einzige Einsicht in ihn. Und ich kann dir nicht sagen, wie sehr ich alles zu schätzen weiß, was du für mich getan hast. Ich bin so verwirrt wegen allem, und es ist sehr beruhigend zu wissen, dass jemand an mich denkt.«
Tony lächelte. »Gut«, sagte er, »das macht mich sehr glücklich.«
Sie schwiegen. Tony nippte an seinem Kaffee. Millie nippte an ihrem Ingwer-Zitronen-Tee.
»Weiß Sean es?«, fragte Tony schließlich. »Weiß er, dass wir reden?«
Millie schüttelte den Kopf, eine kleine, kaum wahrnehmbare Bewegung. »Nein«, sagte sie. »Er weiß es nicht.«
Tony nickte knapp und fragte sich, was das bedeutete.
»Also«, fuhr er dann fort, »wie läuft alles?«
»Schrecklich«, antwortete sie, »mein Leben ist eine Farce. Ich habe den Vater meines Kindes seit Dienstagmorgen nicht mehr gesehen.«
»Was?!«
»Er ist jetzt wieder nach Catford gegangen – sagt, er kann dort besser arbeiten.« Sie hob die Augenbrauen auf eine Weise, die ihm sagte, dass sie dachte, dass diese Behauptung mehr als nur ein Hauch von Blödsinn sei.
»Du meinst, du hast ihn überhaupt nicht mehr gesehen?«
»Nö.«
»Und wirst du ihn heute Abend sehen?«
Sie zuckte die Achseln. »Das bezweifle ich.«
»Scheiße. Was ist los?«

Wieder zuckte sie die Achseln. »Ich bin schwanger. Er ist kreativ. Beides ist offenbar nicht miteinander zu vereinbaren.«
Zum ersten Mal in seinem Leben wünschte Tony, er hätte keine Verantwortung, wünschte, er könnte einfach sein Handy abschalten, eine Flasche Wein aufmachen und den Nachmittag hier mit Millie verbringen und darüber reden, was für ein Scheißkerl sein Bruder war. Wie konnte er jetzt zurück ins Büro gehen und so tun, als sei er am Copyrightgesetz interessiert, wenn er doch hier sitzen könnte, eingehüllt in den Kokon von Millies Wärme? Er wollte sich neben sie zusammenrollen wie eine von ihren Katzen. Er wollte ihr Haar streicheln, ihre Füße liebkosen, mit ihr kuscheln. Gott, wie erbärmlich – aber so war es nun mal. Er wollte, dass das Leben ein langer Sonntagnachmittag mit Millie und ihm auf dem Sofa wäre. Er wollte völlig in ihrer Welt aufgehen und alles andere in seinem Leben ausschließen – seinen Job, seine Familie, seine Freunde. Nur er, Millie und das Baby … Wie konnte Sean nicht wünschen, hier zu sein? Es ergab für Tony keinen Sinn.
Tony schüttelte ungläubig den Kopf. »Himmel. Er sollte hier sein. Er sollte bei dir sein. Ich meine, du trägst sein Baby aus, in Gottes Namen.«
»Das weiß ich, und du weißt es, aber Sean scheint keine Vorstellung von elterlicher Verantwortung zu haben. Ich mag nicht mal mehr darüber nachdenken, weißt du das? Ich bin nur so müde und ich möchte die wenige Energie, die ich noch übrig habe, lieber für den kleinen Klumpen hier drin bewahren.« Sie streichelte liebevoll ihren Bauch.
»Wie geht es dem kleinen Klumpen?«, fragte Tony, und er strahlte bei der Vorstellung von einem neuen Leben.
»Na ja, abgesehen davon, dass er mich dazu bringt, mir alle Stunde die Seele aus dem Leib zu kotzen, und mich zweimal am Tag zum Heulen bringt, ist es ein absolutes Vergnügen.« Sie lächelte schief und tätschelte noch einmal ihren Bauch.

Dann ging ihnen wieder der Gesprächsstoff aus, und Tony fragte sich, ob er sich neulich Nacht vielleicht nur eingebildet hatte, dass sie so locker in den frühen Morgenstunden am Telefon geredet hatten. Und dann erinnerte er sich an den anderen Grund, weshalb er vorbeigekommen war. »Oh«, sagte er, nahm seine Aktentasche und zog sie zu sich. »Fast hätte ich es vergessen. Ich habe dir ein paar Bilder mitgebracht. Von meiner Wohnung. Dachte, du möchtest sie vielleicht mal anschauen, bevor du dich entscheidest, ob du es machen willst oder nicht.«

»Zimmer! Ausgezeichnet«, meinte Millie, stellte ihren Tee ab und klatschte begeistert in die Hände. »Dann lass sie uns anschauen.« Er gab ihr die Bilder, und in der nächsten Stunde sprachen sie über Inneneinrichtung. Millie nippte an ihren Ingwer-Zitronen-Tee und teilte Tony ihre Ideen mit: geschwungene Linien, blaue, graue, rote Glanzlichter, seemännisch mit einem Hauch von einem Strandhaus in Neuengland, Seegrasteppich statt seines »blöden« Laminatbodens.

Manches davon klang toll, manches interessant und manches schlichtweg riskant. Aber Tony war es egal – wie hypnotisiert sah er Millies schwer beringten Händen zu, während sie geschickt Formen und Linien aufzeichneten, während sie zu ihrer Riesentasse Tee herunterstießen und ihn packten, während sie mit ihnen durch ihr dickes Haar fuhr. Tony fand es leicht erregend, mit ihr über die Größe seines Bettes, die Farbe seiner Bettwäsche zu reden. Tatsächlich fand er die ganze Erfahrung, an einem Donnerstagnachmittag in Millies Wohnzimmer zu sitzen, so erregend, dass er völlig vergaß, dass er der Geschäftsführer seines eigenen Unternehmens war und eigentlich um drei Uhr in einer Sitzung hätte sein sollen, und er bekam einen echten Schock, als um halb drei sein Handy klingelte und Anne-Marie dran war, die sich fragte, welchen Konferenzraum sie dafür vorbereiten sollte.

»Scheiße«, sagte er, als er sein Handy weglegte, »ich muss los.«
»Nun«, meinte Millie und ließ ihren Kugelschreiber klicken, »was meinst du? Bekomme ich den Job?«
»Was«, fragte Tony überrascht, »du wirst es machen?«
»Ja. Warum nicht? Aber ich werde noch nicht anfangen können – wahrscheinlich erst in den Sommerferien.«
»Sommerferien – wann fangen die an?«
»Im Juni.«
Er nickte. »Juni ist gut. Juni ist toll. Eindeutig.«
»Ausgezeichnet! Schlag ein!« Sie reichte ihm die Hand, und er ergriff sie eifrig. Sie war warm und trocken und fest, und er wollte sie nicht loslassen. Niemals.
»Abgemacht.«
Millie lächelte und öffnete ihm die Haustür.
Sie stellte sich auf die Zehenspitzen, um ihn auf die Wange zu küssen. Ihre Lippen trafen auf seine Haut, wie sie es immer taten, aber diesmal schlang sie einen Arm um seinen Hals und zog ihn zu sich. Tony fand seine Nase in ihrem Haar wieder und verlor plötzlich die Beherrschung über seine Arme. Vorsichtig fand er einen Platz für seine linke Hand mitten auf ihrem Rücken und drückte sie schnell.
»Und vielen Dank für all den Ingwer und die Zitrone. Ich fühle mich tatsächlich schon ein bisschen besser. Das war wirklich unglaublich süß und nett von dir.«
»Gern geschehen.«
»Du bist wirklich so ein wundervoller Mann, Tony. Bist du sicher, dass du und dein Bruder verwandt seid?«
»Nein – ich glaube, die Babys wurden bestimmt im Krankenhaus vertauscht.«
Millie lächelte und runzelte dann die Stirn. »Gott, Tony. Ich könnte wirklich ohne all das leben. Verstehst du?«
»Ich weiß«, sagte Tony, machte eine kleine Pause, unsicher, ob

er sagen sollte, was er sagen wollte, oder nicht. »Millie«, begann er vorsichtig, »was immer passiert, ja, du weißt, du kannst weg. Es gibt Menschen, die dich halten, unterstützen werden – du wärst nicht allein. Verstehst du, was ich sagen will?«
Millie kräuselte die Nase und schielte ihn an. War wohl sauer. Tony machte es nichts aus. »Ich glaube nicht, dass es so weit kommen wird, Tony, aber ich höre, was du sagst. Danke.« Wieder drückte sie seinen Arm. »Ich rufe dich an«, sagte sie, »um zu vereinbaren, wann ich in deine Wohnung komme. Vielleicht nächste Woche.«
»Nächste Woche wäre toll.«
Ein Taxi näherte sich, weshalb Tony die Vorderstufen hinunter und auf die Straße sprang, um es anzuhalten. Er drehte sich um, um zu sehen, ob Millie noch an der Tür stand, doch sie schloss sich gerade hinter ihr.
Er fiel auf den Rücksitz des Taxis und sah durchs Rückfenster, wie Millies verzaubertes Königreich in den Hintergrund rückte.
Ein wundervoller Mann.
Millie dachte, er sei ein wundervoller Mann.
Und dachte im selben Augenblick, dass sein Bruder eine völlige Niete sei. Wie, zum Teufel, hatte sein fauler, egoistischer Bummelant von einem Bruder es nur geschafft, so eine Klassefrau in die Hände zu bekommen? Was an ihm reizte eine Frau wie Millie überhaupt? Okay, er hatte ein Buch geschrieben, aber das veränderte ihn doch nicht grundsätzlich als Mensch, und Millie war offenbar nicht ein oberflächliches kleines Mädchen auf Promijagd, das sich daran aufgeilte, mit einem veröffentlichten Autor zu gehen. Es war offensichtlich noch etwas anderes, was sie an Sean anzog. Sein Aussehen? Möglich – er war ein gut aussehender Typ, aber es gab da draußen besser aussehende Männer, wenn sie nur daran interessiert war.
Vielleicht hatte es mit Mütterlichkeit zu tun – vielleicht

weckte seine jungenhafte Unfähigkeit ihre Mutterinstinkte. Oder vielleicht war es nur eine von diesen völlig unerklärlichen Anziehungskräften, denen man ab und zu im Leben begegnete – ein merkwürdiges chemisches Zusammentreffen zwischen zwei Menschen, die nichts gemein hatten außer ein paar Pheromone, die in einem flüchtigen Moment im Leben zufällig zu den Pheromonen des anderen passten. Das erschien wahrscheinlicher und würde Seans plötzliche Bindung an Millie erklären. Die Ehe war eines; eine Ehe konnte auf dem Höhepunkt des chemischen Zusammenpralls vereinbart und wieder gelöst werden, wenn besagte Pheromone die Bühne wieder verließen. Scheidungen waren der Freund von Blitzhochzeiten. Die Aussicht auf etwas so Unumkehrbares wie ein Baby andererseits, konnte dazu führen, dass die Pheromone sofort schreiend und vor Entsetzen mit den Händen wedelnd flohen. Es lag offenbar nicht genug Substanz in Seans Gefühlen für Millie, um ein wirkliches Leben miteinander zu teilen. Also tat er, was Sean immer tat: Er zog sich raus. Zog sich raus und wartete darauf, dass die Frau so wütend und sauer und verletzt wurde, dass sie ihm sagte, er solle abhauen. Doch diesmal kam er mit dieser Vorgehensweise nicht durch. Diesmal ging es um Babys und Verlobungsringe. Diesmal musste er erwachsen werden und damit fertig werden.

Tony fuhr mit der Hand über den Bauch und sah auf seine High-Street-Schuhe hinab. Er musste sich wirklich ändern, wenn er auch nur eine winzige Chance haben wollte, auf Millie anziehend zu wirken. Dass er in letzter Zeit Ness nicht so oft gesehen hatte, half – er trank nicht mehr so viel, und seine Kleider fühlten sich etwas lockerer an. Aber wenn er wollte, dass Millie ihn als etwas anderes ansah als nur als Seans viel netteren älteren Bruder, hatte er verdammt noch mal noch viel mehr Arbeit vor sich.

Er wühlte in den Taschen seines Mantels herum und fand,

wonach er suchte – das Flugblatt mit dem Programm zur natürlichen Gewichtsabnahme, das er vor Wochen aufgehoben hatte.

Er nahm sein Handy, wählte eine Nummer auf dem Flugblatt und vereinbarte einen Termin für eine Beratung in der nächsten Woche.

Große Schmalzlocken und kleine Autos

Es war eine lange Woche für Ned gewesen. Zusätzlich zu seinem katastrophalen Abend mit Carly hatte er auch noch das Vergnügen gehabt, achtzehn entzückende SMS von Monica, einen Umschlag voll mit ihren Zehennägeln, ein Päckchen Wachsstreifen, an denen ihre Schamhaare klebten, und dann heute Morgen das *pièce de résistance* zu erhalten. Eine kleine Phiole mit ihrem Blut. Sie war nur winzig – sie hatte es in eine jener Miniplastikfläschchen für Sojasauce abgefüllt, die man in Sushischachteln bekam. Doch Tatsache war, dass, je mehr Pakete und SMS sie ihm schickte, er sich immer weniger betroffen fühlte. Er fand sie jetzt ziemlich tröstlich – sie bedeuteten, dass sie nicht tot war, dass sie sich nicht in einem Flugzeug auf dem Weg nach London befand und dass es ihr nicht schlechter ging. Die Skala der Scheußlichkeit der »Körperteile« hatte an Gewicht eher ab- als zugenommen; es hatte keine abgeschnittenen Zeigefinger oder Fleischteile gegeben. Und als die Zehennägel am Dienstag angekommen waren, hatte Ned tatsächlich vor Erleichterung aufgeatmet. Zehennägel waren nicht verstörend – sie waren nur eklig. Nun wurde sie langsam lästig anstatt erschreckend.

Das Blut war ein bisschen mehr wie ein Rückfall in die Zeit der Haarsträhnen und der Wimpern, doch es war nicht schwer, so viel Blut sich selbst zu entnehmen – es war vielleicht gar kein Blut; vielleicht hatte sie es auch aus einem Scherzartikelladen oder so.

Nein – außer wenn Mon plötzlich den Einsatz erhöhen sollte und anfinge, ihm Daumen und Augäpfel zu schicken, würde er es an sich heranlassen. Er hatte schon genug Probleme, ohne sich auch noch um Monica und ihre dummen kleinen Spielchen Sorgen zu machen.

Wie zum Beispiel heute Abend.

Er saß im Augenblick im Wohnzimmer und schaute auf Sky One die *Simpsons*, dazu aß er Jaffa Cakes aus irgendeiner neumodischen Metalldose und wartete darauf, dass Gervase von der Arbeit nach Hause kam. Er wartete auf Gervase, weil er, Ned London, heute Abend mit ihm ausgehen würde. Seltsam. Er hatte seinen Kopf durchforstet auf der Suche nach der perfekten Ausrede, um sich herauszuwinden, doch es war ihm einfach nichts eingefallen. Die Tatsache, dass sie im selben Haus wohnten, bedeutete, dass er tatsächlich woanders hätte hingehen müssen, um sich eine glaubhafte Ausrede zurechtlegen zu können; und diese Möglichkeit, so traurig es auch war, hatte er nicht. Der rituelle Freitagabend mit Freunden schien fast genauso schnell ausgefallen zu sein wie Macs Haar, nachdem Ned das Land verlassen hatte.

»Keiner geht mehr wirklich aus«, hatte Simon traurig festgestellt. »Alle sind irgendwie Paare. Es geht jetzt am Freitagabend nur noch um *Friends* und *Frasier* und Essen vom Thai, das nach Hause geliefert wird. Außer wenn jemand Geburtstag hat – an Geburtstagen gehen wir immer noch aus.«

Doch er hatte trotzdem gestern Abend ein paar Anrufe getätigt, hatte auf eine Rettung in letzter Minute in Form einer anderen sozialen Verpflichtung gehofft und entdeckt, dass alle anderen zu Hause blieben, weil sie kaputt waren (erbärmlich), lange im Büro arbeiteten (tragisch) und mit ihren Eltern zu Abend aßen (am Rande des Krankhaften). Sogar Simon, der einzig andere Single aus ihrem Kreis, hatte andere Pläne für den Abend: Er nahm an einem Bowling-Turnier in Streatham teil. Er hatte gesagt, dass Ned gerne mitkommen und ihm moralische Unterstützung liefern könne, doch als Ned sich hingesetzt und die Möglichkeiten abgewogen hatte, hatte der Besuch bei einem schmierigen alten Rock-and-Roller in Wood Green zusammen mit Gervase gerade noch die Oberhand darüber gewonnen, den Abend damit zu verbringen, zuzusehen, wie sein Kumpel große glänzende Kugeln über eine Bahn stieß.

Als Gervase nach Hause kam, ging er gleich nach oben, um sich fertig zu machen. Als er eine halbe Stunde später wieder herunterkam, hatte er viel zu viel Rasierwasser aufgetragen und trug eine abgetragene Lederjacke mit Fransen und Nieten. Er trug außerdem ein grell lilafarbenes Hemd, das so ziemlich bis zum Nabel offen war, und sehr spitze Stiefel mit einem kleinen Absatz. Ned hatte Gervase noch nie »aufgemotzt« gesehen und wusste momentan nicht, ob er laut loslachen oder insgeheim in Ehrfurcht erstarren sollte. Er sah völlig lächerlich und gleichzeitig irgendwie cool aus.

Im selben Augenblick, als Gervase das Zimmer betrat, ertönte auf der Straße eine Hupe, und Gervase klatschte in die Hände.

»Okay. Das ist Bud. Let's rock.«

Ned lief in die Küche, zog ein Viererpack Kronenbourg aus dem Kühlschrank, griff nach seiner Jacke und folgte Gervase nach draußen. Auf der Straße parkte ein hellgelber aufgemotzter Robin Reliant, auf dessen Seite rote Flammen gemalt waren. Am Steuer saß ein Mann in einer roten Lederjacke und mit einer riesigen wasserstoffblonden Schmalzlocke, die fast das ganze Auto füllte.

Ned schluckte.

»In Ordnung«, sagte Gervase, während der Schmalzlockentyp aus dem Reliant stieg und ihm die Hand schüttelte. Im Stehen stellte sich der Typ als ungefähr ein Meter sechzig groß heraus und so dünn, dass Calista Flockhart sich wahrscheinlich geweigert hätte, sich neben ihn zu stellen, weil sie dann vielleicht fett ausgesehen hätte. Seine Augen waren von einem intensiven Blau und sein Gesicht spitz und nagetierähnlich mit zwei spitzen kleinen gelben Rattenzähnen.

»Bud, das ist Ned – er ist der Sohn meiner Vermieterin.«

»Gut, Ned«, sagte Bud und drückte ihm die Hand.

»Okay.«

»Nette Karre hast du da.« Er zeigte mit einer Kopfbewegung auf die Einfahrt seiner Eltern. Ned sah auf den alten Transient-Lieferwagen seines Vaters und auf den noch älteren Vauxhall Cavalier seiner Mutter und zurück zu Bud. »Welche?«

»Die kleine Isetta.«

»Die was?«

»Das Kleinstauto. Hübsch. Von wann ist es – '68? '69?«

Ned drehte sich um und sah das traurige kleine Auto an, das inzwischen so sehr Teil der Möbel vor dem Haus geworden war, dass er es kaum mehr bemerkte. »Keine Ahnung«, antwortete er, »Tony hat es zu seinem siebzehnten Geburtstag bekommen.«

»Hübsch. Ein wirklich hübsches kleines Auto.« Bud starrte verlangend auf das verschimmelte alte Auto und nickte anerkennend mit dem Kopf.

»Bud mag kleine Autos«, stellte Gervase fest.

»Oh«, machte Ned, »gut.« Und dann drehte er sich um, um in Buds kleinen Reliant zu steigen. Hinten befand sich eine kleine Bank, die aussah, als wenn sie besser in eine Mittagsbrotschachtel passte als für einen ein Meter achtzig großen Mann, und er erkannte, dass es nicht machbar sein würde, einfach ins Auto zu steigen und sich hinzusetzen. Eine Art Strategie war angesagt. Er versuchte, mit dem rechten Fuß zuerst einzusteigen und drehte sich dann irgendwie mit seinem restlichen Körper um 180 Grad, doch das funktionierte nicht. Er versuchte, sich mit dem Hintern zuerst zu senken, was zumindest bedeutete, dass achtzig Prozent von ihm jetzt im Auto waren, doch er

konnte keine Stelle finden, wo er sein linkes Bein oder seinen Kopf ablegen konnte. Er glitt mit dem Hintern die kleine Bank entlang, und es gelang ihm, sein linkes Bein hineinzuzwängen, doch sein Kopf lag immer noch flach an seiner Brust. Gervase und Bud plauderten weiter auf dem Bürgersteig, während Gervase seinen Tribut an Houdini Beifall zollte, und Ned war versucht zu sagen: »Weißt du was, Gervase, du bist mindestens fünf Zentimeter kleiner als ich – warum steigst du nicht hinten ein«, doch er erkannte, dass dies der Etikette des Mitgenommen-Werdens zuwiderlief, die natürlich festschrieb, dass der beste Freund/die Freundin/die Frau des Fahrers den Beifahrersitz bekam und Fremde nach hinten mussten – egal wie sie geformt waren oder welche Größe sie hatten.
Mit ein paar weiteren Anpassungen gelang es Ned, den Kopf ein, zwei Zentimeter von der Brust wegzubekommen, doch dann setzte sich Gervase auf den Beifahrersitz, was eine ganze Seite hinten im Auto beschnitt, so dass Ned keine andere Wahl blieb, als sich zu einem subfötalen Ball zusammenzurollen und die Arme um die Knie zu legen, so dass sich seine Gesäßknochen in die nur ungenügend gepolsterte Bank bohrten.
»Da hinten alles in Ordnung?«, fragte der passender proportionierte Bud.
»Ja«, sagte Ned, »alles gut.«
Das Auto gab ein Geräusch wie ein Milchwagen von sich, als Bud den Schlüssel umdrehte, und dann waren sie fort.
Es war die längste Fahrt in Neds Leben. Das Auto fühlte sich nie wie nach Fahren an – es war, als ob man die ganze Fahrt im ersten Gang fuhr – und jedes Schlagloch und jede Erhebung auf der Straße schickte über seine Gesäßknochen schmerzhafte Stöße seine Wirbelsäule entlang. Bei der Hälfte der Fahrt hatte er allmählich das Gefühl, er fiele in Ohnmacht, deshalb wand er sich und hakte seine Beine über die Lehne des Sitzes, so dass sie auf der Hutablage des Kofferraums hingen.

Bud und Gervase sprachen vorne über Musik, rauchten Kette, tranken Neds Lager und sangen ab und zu eine Melodie. Gervase redete meistens, von Zeit zu Zeit begleitet von Buds »Verdammt richtig«, »Das rockt« und »Scheiße, Mann« und von Lachen, als ob ihm jemand die Füße mit einer Feder kitzelte. Ned hatte sehr wenig Ahnung, worum ihr Gespräch die meiste Zeit ging, und es war ihm auch wirklich egal. Er dachte nur noch an das bevorstehende Ende der Fahrt und daran, wie er aus dieser Sardinenbüchse auf vier Rädern herauskommen würde.

Als sie endlich in Wood Green aufschlugen, war es dunkel, und Ned dachte, er sei vielleicht wirklich tot. Bud und Gervase schwangen sich locker und frisch aus dem Auto, und Ned schlängelte sich langsam aus dem Folterinstrument, und jeder Knochen und jeder Muskel in seinem Körper beschwerte sich lauthals darüber. Das Erste, was er tat, als er aus dem Auto stieg, war, dass er in seiner Brieftasche nachsah, wie viel Bargeld er hatte. Ihm war egal, was es kosten mochte, er würde nach Hause ein Taxi nehmen.

Bud und Gervase wurden immer lebhafter, je mehr sie sich den Türen des Old White Horse näherten. Sie fingen wieder an zu singen, und Bud begann eine Art Luftgitarre à la Buddy Holly zu spielen, und seine dichte Sahnebaisertolle hüpfte dabei auf und ab wie ein aufgeregter Pudel. Ned folgte ihnen düster in den Pub und wartete hinten, während Gervase und Bud sich für Drinks an der vollen Bar anstellten. Er sah sich um, während er wartete. Zu seiner Rechten stand ein riesiger Wal von einem Mann mit einer Bomberjacke, die für jemanden entworfen war, der halb so groß war wie er. Sein Kopf war völlig kahl geschoren bis auf ein einsames ingwerfarbenes Büschel vorne, das er zu einem winzigen Schwänzchen gebunden hatte, das aussah wie der Stummel eines Hasen. Zu seiner Linken stand ein Mann wie ein Felsen, von Kopf bis Fuß in Leder gekleidet, mit unreiner Haut und pechschwarzem Haar. Seine Fransen waren zu einer fettigen

Tolle frisiert worden, die auf seiner Stirn klebte und seine Nasenspitze kitzelte.
Die Mädchen dieser neuen und unentdeckten Welt schienen sich in zwei Sorten aufzuteilen. Da gab es den wasserstoffblonden Typ mit Pferdeschwanz und Lederjacke mit einem im Ganzen leicht scharfgeschnittenen Gesicht, das durch riesige schwarze Käfer als Augenbrauen nicht gerade verschönt wurde. Die anderen waren der femininere Typ, mit Löckchen und altmodischen Klamotten wie Dirndlröcken und Stilettos. Ned befingerte seinen Bartflaum, sah hinab auf seine Nikes und fühlte sich außerordentlich fehl am Platze.
Woher kamen all diese Leute? Ned sah niemals solche Leute den Beulah Hill heruntergehen oder am Flughafen oder im Fernsehen. Wo wohnten die alle? Was machten sie, wenn sie nicht zu Robert-Gordon-Gigs in Wood Green gingen? Womit verdienten sie ihren Lebensunterhalt? Hatten sie Familien? Kinder? Glätteten sie ihre Tollen und motteten sie ihre Lederjacken ein, wenn sie nach Hause kamen?
Ned erinnerte sich, dass Tony als Teenager eine kurze Rockphase durchgemacht hatte. Er hatte sein Haar mit Brillantine zu einer Schmalzlocke gedreht und verblichene Hemden von Flip und Bordelltreter von Robot getragen. Doch es war nur eine Phase gewesen – sie war vorbeigegangen, und als Tony neunzehn war, war er ein flügge gewordener Yuppie und kaufte sich Anzüge von Cecil Gee. Doch diese Leute waren keine Teenager, die eine Phase durchmachten – sie lebten es, atmeten es, taten es, *glaubten* es.
»Da wären wir, Kumpel.« Gervase tauchte aus der Schlange an der Bar mit zwei Plastikbechern Bier auf. Bud folgte ihm mit Orangensaft und Limonade mit Strohhalm und sah aus wie ein leicht überfrisierter Schuljunge. Ned trank sein Plastik-Lager in ungefähr zehn Schlucken aus, während er dastand und mit Bud und Gervase plauderte.

»Also, Bud«, sagte er und hoffte ein wenig Einblick in die Szene der alternden Rocker zu gewinnen, »was machst du?«
»Beamter.«
»Ja?«
»Ja. Ich bin als Chef verantwortlich für Büroklammern. Und Vizepräsident der Stifte, die man zurückgeben kann.«
»Er arbeitet für das Stadtplanungsbüro in Croydon«, half Gervase ihm weiter. »Leiter für Bürobedarf.«
Bud nickte begeistert. »Seit zwölf Jahren«, sagte er stolz. Während sie plauderten, kam heraus, dass Bud in einem Drei-Zimmer-Haus in Shirley mit seiner Frau und seinen drei Kindern lebte (eines davon war ein Teenager). Alles Geld, das ihm blieb, nachdem er die Hypothek und die Rechnungen bezahlt hatte, ging in sein Auto und in seine Klamotten, und er war, wie Ned erkannte, als sie redeten, wahrhaft und ohne sich zu entschuldigen glücklich mit seinem Los.
»Ich sag dir was«, meinte er, »wenn ich im Lotto gewinnen sollte, würde ich, sagen wir, fünfzig, sechzig Riesen behalten. Gerade genug, um die Hypothek abzubezahlen und ein paar anständige Urlaube zu machen. Den Rest würde ich dann weggeben. Würde es nicht wollen. Es könnte alles kaputtmachen. Du verstehst?«
Ned nickte, verstand nichts, wünschte sich aber mehr als alles andere, dass er es täte. Er konnte sich nicht mal ansatzweise die Art von Glück vorstellen, die von drei Millionen Mäusen »kaputtgemacht« werden konnte.
Seine Eltern, dachte er, hatten es jedoch. Sie hatten Buds Grad der Zufriedenheit erreicht. Beide liebten alles an ihrem Leben. Sie liebten ihr großes chaotisches Haus, ihre Jobs, ihre Kinder, *einander*. Und seine Brüder waren ebenfalls auf dem Weg ins existenzielle Nirwana. Sie waren beide zufrieden mit ihrem Job, besaßen Selbstvertrauen und tolle Freundinnen. Sogar Gervase schien auf seine eigene, seltsame Art zufrieden zu sein. Und nun,

da alle Freunde von Ned in Paaren lebten und die Karriereleiter hinaufstiegen – wo blieb er da? Siebenundzwanzig, keinen Beruf, keine Wohnung, keine Freundin.
Was stimmte mit ihm nicht? Wenn der zwergenhafte kleine Bud mit seinen Rattenzähnen und dem seltsamen Autogeschmack wahres Glück finden konnte, warum nicht er? Ned sah besser aus als Bud, er war größer, jünger, gebildeter, weniger *komisch*, doch Bud hatte alles, und Ned hatte nichts – außer einer Exfreundin mit abgeschnittenen Zehennägeln.
Ned seufzte und sah hinunter auf den Grund seines Plastikbechers. Und dann dachte er an Montagabend und sein Treffen mit Carly. O ja – was das für ein wahrhaft deprimierendes Erlebnis gewesen war. Jesus. Er war jetzt wirklich allein. Er konnte sich an niemand anderen wenden, damit er sich besser fühlte. Es gab kein weiches Kissen von Carly, keinen immer verfügbaren Freundeskreis – sogar seine Familie schien nicht so oft zusammenzukommen wie früher. Wie fängt man mit siebenundzwanzig neu an, fragte er sich? Wie macht man einen neuen Anfang? Vielleicht ging das gar nicht. Jesus, was für ein schrecklicher Gedanke. Er hatte es verpatzt. Er würde niemals haben, was Bud und Sean und Tony hatten. Er würde sich in einen eigenbrötlerischen, komischen Vogel verwandeln. Er würde sich schließlich darauf freuen, zuzusehen, wie Simon in seinen Bowlingturnieren in Streatham am Freitagabend spielte. Jesus – wahrscheinlich würde er am Ende mit Gervase befreundet sein. Er könnte sich sogar sein Haar zu einer Tolle schneiden lassen und … O Gott. Warum, zum Teufel, war er nach Australien gegangen? Warum war er nicht einfach hier geblieben wie ein normaler Mensch und hatte sein Leben weitergelebt?
Ned ging zur Bar und bestellte eine weitere Runde. Er fühlte sich allmählich ziemlich in Panik und weinerlich. Er musste sich betrinken. Schlimm betrinken. Hässlich betrinken. Er kippte sein Bier, während er noch an der Bar war, und bestellte ein neues,

und als sie schließlich zu dem Stallblock hinten gingen, wo der Gig gespielt werden würde, fühlte sich Ned entschieden wacklig auf den Beinen.

Bud verschwand nach ein paar Minuten, um mit Kumpeln zu sprechen, und Ned und Gervase standen in einträchtigem Schweigen hinten in der Halle und sahen der Vorband zu. Es lag etwas seltsam Beruhigendes in der Atmosphäre hier: mit Gervase unter all den merkwürdigen Leuten zu stehen, einer Band zuzusehen, sich zu besaufen. Ned drehte sich um und sah Gervases Profil, sein grelles lilafarbenes Hemd, sein rasiermesserscharf geschnittenes Haar und seine spitzen Stiefel und empfand plötzlich das überwältigende Bedürfnis, ihn zu umarmen. Gervase drehte sich zu ihm und sah ihn an.

»Bist du in Ordnung?«

»Hmm.« Ned wandte sich abrupt ab und sah zur Band.

Er wollte wirklich mit Gervase reden. Er bekam wieder dieses schokoladenhafte Gefühl im Bauch, und er hatte so viel auf dem Herzen. Einen Augenblick zögerte er, bevor er sich wieder an Gervase wandte. »Trage ich …«, fing er an, »trage ich heute Abend einen Umhang?«

Gervase lächelte und sah ihn von oben bis unten an. »Ja.«

»Na, warum hast du dann nichts gesagt?«

»Dachte, ich lass dir mal eine Pause. Ich konnte sehen, dass ich dir auf die Nerven ging.«

»Wie sieht er aus?«

Gervase drehte sich um und schielte ihn an. »Ängstlich und erbärmlich.«

Ned nickte eifrig. Genauso fühlte er sich.

»Willst du darüber reden?«, fragte Gervase und zog eine Grimasse, als er ein letztes Mal an seiner Zigarette zog und sie dann auf den Boden warf.

»Ich dachte, du hast gesagt, du redest nicht gerne über so Sachen?«

»Ich habe nicht gesagt, dass ich es nicht gerne tue – ich habe gesagt, ich bin nicht gut darin. Ein winziger Unterschied, Ned. Aber ich kann zuhören. Ich bin gut im Zuhören. Willst du mir erzählen, was dich so ängstigt?«

Ned sah ihn gedankenverloren an und nickte dann. »Aber du musst mir versprechen, dass du niemand anderem etwas davon erzählst. Weder Mum noch Dad, noch meinen Brüdern. Versprochen?«

Gervase gab ihm sein großes Pfadfinderehrenwort. »Ich bin«, so beteuerte er, »die Seele der Diskretion.«

Und dann, den Mund nur zwei Zentimeter entfernt von Gervases Ohr, damit man ihn über die Livemusik hinweg hörte, erzählte Ned ihm alles. Er erzählte ihm von Carly und ihrem katastrophalen Abend, wie sehr er sie vermisste und wie viel Angst er hatte, den Anschluss zu verpassen, dass alle ihn zurücklassen könnten. Er erzählte ihm von Monica und wie er abgehauen war und nun von unverschämten SMS und unappetitlichen Teilen von ihr geplagt wurde. Er erzählte ihm, dass er einfach nicht aufhören konnte, Schuldgefühle zu haben und sich Sorgen um sie zu machen, obwohl es ihn auch wirklich wütend machte, dass sie ständig in seinen Gedanken war, dass es so sei, als könne er ihr einfach nicht entfliehen, auch wenn sie auf der anderen Seite des Planeten lebte. Und während Ned redete, konnte er spüren, wie sich seine tiefsten Ängste zu einem warmen Mulch auflösten, als ob er dauernd unter Verstopfung gelitten hätte und Gervases Ohr ein Becher Pflaumensaft wäre. Er hatte noch nie zuvor so empfunden, er hatte noch nie dieses Gefühl äußerster und völliger Ehrlichkeit gehabt, und, wichtiger noch, das Gefühl, dass man ihm wahrhaft zuhörte. Es war, als ob es eine Art unsichtbaren Telegrafendraht zwischen seinem Mund und Gervases Ohr gäbe und als ob seine Gedanken direkt in Gervases Kopf gesendet würden, ohne dass er sie erst umständlich in ungeschickte Worte übersetzen musste. Er fühlte sich, als ob sein Mund und Gervases Ohr ganz allein im Raum wären, hermetisch abgeriegelt in einer warmen, rosafarbenen Blase. Es war, als ob er auf Ecstasy wäre, nur hundertmal besser.

»Nun«, sagte Gervase nachdenklich, nachdem Ned endlich fertig war. »Nun, nun, nun.« Er zog eine Chesterfield aus seiner Tasche und zündete sie an. »Fühlst du dich jetzt etwas besser?«

»Äh – ja«, antwortete Ned, »eindeutig.«

»Gut«, stellte Gervase fest und klopfte ihm auf die Schulter, »gut.«

Ned wartete einen Augenblick, erwartete, dass Gervase etwas sagte, dass er die Litanei menschlicher Erbärmlichkeit kommentierte, mit der er gerade erfreut worden war. Doch er sagte kein Wort. Stand nur da, rauchte seine Kippe und beobachtete die Band.

Ned spürte, wie ihm ein wenig die Luft ausging. Doch dann drehte sich Gervase um und sah ihn an. »Monica«, sagte er, »sie ist nicht deine Verantwortung, stimmt's?«

»Ja, aber es fühlt sich wie meine Verantwortung an. Die ganze Zeit. Seit drei Jahren und sogar jetzt. Ich kann sie nicht loswerden.«

»Was du tun musst, Ned, ist *delegieren*. Den Stab weiterreichen. Ja?«

»Nein. Was meinst du damit?«

»Ich meine – du musst die Verantwortung an jemand anderen abgeben. An ihre Familie zum Beispiel. Ruf sie an. Sag ihnen, dass du dir Sorgen machst. Sag ihnen, was sie getan hat. Dann können *sie* sich Sorgen machen und nicht mehr du. Du hast deinen Teil getan, Ned. Es ist Zeit, den Stab abzugeben.«

Ned nickte begeistert. Natürlich, dachte er, ihre Eltern. Er hatte ihre Adresse in seinem Buch zu Hause. Genau das musste er tun. Eindeutig.

»Und ich sag dir noch was, Ned. Du musst versuchen, die Dinge etwas philosophischer anzugehen.«

»Was – mehr darüber nachdenken?«

»Nein, Ned. Weniger darüber nachdenken. Alles im Leben geschieht aus einem Grund, Ned. Ich weiß, es ist ein Klischee, aber es stimmt. Es gibt ein Muster im Leben, und wenn du nur aufhören willst, dich zu sorgen und zu stressen, wenn du dich nur ein bisschen entspannst, dann kannst du es sehen.«

»Was?«

»Das Muster, Ned – das verdammte Muster. Und du wirst sehen, dass, wenn du ein guter Mensch bist, sich am Ende alles zum Guten wenden wird. Lass einfach los, Mann. Versuch nicht mehr, alles zu kontrollieren, lass los, sieh, wohin das Leben dich trägt. Du bist ein guter Mann. Gute Dinge werden zu dir kommen. Bleib cool.«

Ned nickte stumm. Und dann beendete die Vorband ihren Set, und Gervase ging zur Bar, um noch eine Runde zu holen, und Ned stand ein wenig schwankend inmitten dieses Meeres aus verschwitzten, angetrunkenen, leicht seltsamen Menschen, und fühlte sich völlig geschockt. *Sich entspannen*, dachte er, *cool bleiben und sehen, was einem das Leben so bringt*. Aber hatte er nicht genau das sein ganzes Leben lang getan? War das nicht Neds Geschichte? Die letzten zwanzig und etwas mehr Jahre hatte er doch nur das getan – war cool geblieben – und man sehe nur, wohin das Leben ihn getragen hatte: ins verdammte Wood Green.

»Alles in Ordnung?«

Ned sah sich um und dann hinunter auf Bud.

»Ja.«

»Gefällt es dir?«

»Ja«, antwortete Ned. »Es ist anders. Aber, ja.«

Bud grinste ihn an. »Also«, sagte er, »seit wann kennst du Gervase denn?«

Ned zuckte die Achseln. »Seit ein paar Wochen.«

Bud sah ein bisschen überrascht aus. »Oh«, meinte er, »ach ja.«

»Und du?«, fragte Ned und erwartete, dass Bud antwortete, sie würden sich seit ihrer Kindheit kennen.
»Dasselbe.«
»Was – du meinst, du hast ihn gerade erst kennen gelernt?«
»Ja. Habe ihn bei einer Plattenmesse in Addington getroffen. Haben über Musik geredet. Komisch – ich hatte den Eindruck, dass du ihn länger kennst. Dass er eine Art Freund der Familie sei, verstehst du?«
»Nein«, gab Ned zurück, »er hat vor drei Monaten meine Mum in einem Pub getroffen, und sie hat ihm ein Zimmer vermietet. Ich kenne ihn erst, seit ich aus Australien zurück bin. Komisch – ich habe auch gedacht, du kennst ihn schon einige Zeit. Ihr scheint so eine starke Beziehung zu haben.«
Bud nickte. »Ja! Das ist es! Das trifft es haargenau«, stimmte er zu, »wir haben dieselbe Wellenlänge.« Er ließ die Finger von seiner Stirn weg wackeln, um die Wellenlänge zu demonstrieren. »Es ist unglaublich, Mann. Ich habe das Gefühl, ich kenne ihn schon ewig.« Bud richtete sich sodann auf und glättete seine Tolle, offenbar hatte er das Gefühl, er habe ein bisschen zu freimütig über seine Gefühle mit einem anderen Mann geredet. »Er ist aber ein guter Typ, der. Ein Diamant. Echtes Gold.« Er räusperte sich und drehte sich wieder um, um zuzusehen, wie die Roadies Ausrüstung auf die Bühne luden, und Ned stand da und fragte sich mehr denn je, wer, zum Teufel, Gervase war und warum er plötzlich das Gefühl hatte, dass er ihn liebte.

Pferdeäpfel auf Beulah Hill

Ned trank schließlich so um die acht Pints an diesem Abend. Es hätten auch mehr sein können, er erinnerte sich nicht mehr. Er war so zu gewesen, dass er es am Ende geschafft hatte, ganz locker in Buds Auto zu steigen, und konnte sich an keine Unbequemlichkeit mehr erinnern. Er erinnerte sich nur noch daran, dass er irgendwann in der Nacht am Beulah Hill rausgelassen worden war, dass er rückwärts aus dem Auto gefallen und geradewegs auf einem Haufen von etwas gelandet war, das zunächst Dreck zu sein schien, sich aber bald als Pferdemist herausstellte. *Pferdeäpfel.* Am Beulah Hill. Mitten in der Nacht. Verdammt auch was.

Er hatte sich geduscht, als er hineingegangen war. Er konnte sich auch nicht genau daran erinnern, doch er hatte das sehr unbehagliche Gefühl, dass Gervase ihm vielleicht beim Ausziehen geholfen haben könnte. Er war heute Morgen völlig nackt aufgewacht, und sein Haar war sehr seltsam gewesen, dort, wo es in der Nacht an seinem Kissen angetrocknet war.

Er war außerdem mit einem der schlimmsten Kater erwacht, an die er sich seit seiner Universitätszeit erinnern konnte. Es war so lange her, seit er so einen Kater gehabt hatte, dass er tatsächlich den Eindruck gehabt hatte, er bekäme einfach keinen Kater mehr. Er dachte, er sei nun abgehärtet, dass er den Alkohol nun vertragen würde wie ein echter Mann. Doch als er über das Ausmaß seines Unwohlseins an diesem Morgen nachbrütete, erkannte er, dass er zurzeit einfach nicht mehr so viel trank wie damals als Student. Und er trank auch nicht so Sachen mit Pernod drin. Er hatte im Unterbewusstsein im Laufe der Jahre einen Grenzpunkt entwickelt – fünf Pints schafften ihn im Moment –, dann schaltete er immer auf Wasser um oder ging nach Hause. Doch gestern Abend war er trübsinnig gewesen, hatte sich so allein und unsicher gefühlt, dass er seine üblichen Grenzen aus den Augen verloren hatte. Und so schlimm das Gefühl jetzt auch war, tatsächlich war er in gewisser Weise froh, dass er die Kontrolle verloren hatte. Er hatte eine super, super Nacht verbracht.

Er duschte noch mal, versuchte etwas mit seinem komischen Haar anzustellen, zog sich an und begab sich nach unten in die Küche. Es war kurz nach zwölf, und das Haus schien leer zu sein. Er wühlte im Kühlschrank herum, hoffte ein Päckchen Schinken und vielleicht ein, zwei Eier zu entdecken, fand nichts Passendes, gab deshalb auf und beschloss, dass er später für etwas Gebratenes in den Crystal Palace gehen würde. Er ging mit einer Tasse Kaffee ins Wohnzimmer und sah zweimal hin.

Ness saß vor dem Fernseher und schaute *Football Focus*, sie trug einen sehr kurzen Rock.

»Ness!«

»Hallo, Ned.« Sie drehte sich um und lächelte ihn an, musterte ihn rasch von oben bis unten. »Harte Nacht gehabt?«

Ned sah sie an und spürte aus irgendeinem Grund, wie er am ganzen Körper rot wurde. Sie hatte die Schuhe ausgezogen und ein unglaublich langes Bein unter sich geschoben. Ihr Haar war ganz wild und ungekämmt, und obwohl sie nicht auf klassische Weise hübsch war, war etwas unglaublich erotisches an ihr – wie sie ihn ansah, als ob er ein ungezogener Schuljunge wäre und sie die heiße junge Biolehrerin. Ihre Augen waren grün und blitzten. Sie sah aus, als ob sie im Bett fantastisch war, man gut mit ihr lachen könnte und sie außerdem eine gute Zuhörerin abgab, alles in einem.

»Äh, ja. Das kann man so sagen.« Er sah sich im Zimmer und hinter sich um. »Ist Tony hier?«
»Nein. Nur ich.«
»Tut mir Leid, mir war nicht klar, dass du hier bist – ich hätte dir sonst angeboten, Kaffee zu kochen.«
»Ist schon in Ordnung«, sagte sie und zeigte auf die Tasse vor sich, »Bernie hat mir schon einen gekocht.«
»Wo ist Mum denn?«
»Oben, macht sich fertig.«
»Geht ihr beiden irgendwohin?«
»Mmh – es ist der übliche Tag-nach-Zahltag-Shopping-Trip. Wir wollen nach Bromley.«
»Was, ihr macht das jeden Monat?«
»Ja. Wir bekommen unser Geld beide am selben Tag, also machen wir uns auf in die Stadt und brennen Löcher in unsere Kreditkarten.«
»Cool«, meinte Ned, der das einzige Familienmitglied außer Dad war, der nie wirklich den Reiz der Kauftherapie begriffen hatte. Geld auszugeben stresste ihn nur. Wahrscheinlich, weil er nie welches hatte.
»Also – was hast du denn gestern Abend angestellt?«
»Ich war mit Gervase aus.«
»Wirklich?« Sie lächelte ihn überrascht an. »Und in welche Kneipen geht der geheimnisvolle Gervase?« Ned spürte, wie unter ihrem interessierten Blick seine Röte sich noch ein paar Grade höher schraubte. Sie war wirklich verdammt noch mal klasse. Sie trug eine Art Wolljacke mit offenbar nichts darunter. Ihre Brüste schienen von dem, was er mit Sicherheit ohne zu glotzen erkennen konnte, klein, aber perfekt geformt zu sein, und es war eindeutig mehr als nur ein Hauch von einer aufgerichteten Warze zu sehen.
»Äh, Entschuldigung?«, platzte er heraus.
»Du und Gervase – wo wart ihr?«

Er erzählte ihr von Robert Gordon und Bud und dass sie den ganzen Weg nach Wood Green in seinem Robin Reliant gefahren waren. Er erzählte ihr von den acht Pints und den Pferdeäpfeln und davon, dass er mitten in der Nacht geduscht hatte, und sie lachte laut auf, als ob dies das Lustigste wäre, was sie in ihrem Leben je gehört hatte. Je mehr sie lachte, desto mehr schmückte Ned die Geschichte aus, bis er schließlich so lebhaft geworden war, dass er völlig vergaß, dass er einen Kater hatte.

»Gott«, sagte sie und wischte sich die Tränen unter den Augen weg, »das ist so witzig. Wo, zum Teufel, kommen die Pferdeäpfel her?«

»Ich habe wirklich keine Ahnung. Vielleicht sind sie aus einem Flugzeug gefallen. Du weißt schon. Mit Pferden drin ...«

Sie brach wieder in hysterisches Gelächter aus, und Ned lächelte zufrieden.

»Ihr beiden klingt, als ob ihr euch amüsiert«, sagte Mum, die gerade im Mantel ins Wohnzimmer trat.

»Bernie«, sagte Ness, die aufstand und dabei das ganze schwindelerregende Ausmaß ihrer Beine enthüllte, »Ned ist heute Nacht in Pferdeäpfel gefallen – hier draußen.« Sie zeigte durch das Fenster auf Beulah Hill und schnaubte vor Lachen. »Was meinst du, woher kamen die?«

Bernie sah verwirrt aus dem Fenster. »Was – draußen auf der Straße?«

»Ja.«

»Keine Ahnung«, erwiderte sie und fing an zu lachen. »Aber Ned musste sie ja wohl finden, oder?«

Sie zerzauste seine Haare, und er schüttelte sie ab.

»Okay.« Sie nahm ihre Handtasche. »Lass uns die Läden stürmen.«

Ness zog einen rehbraunen Mantel an, der genau dieselbe Farbe hatte wie ihr Haar, und ging zu dem kaputten Spiegel über dem

Kamin. Ned beobachtete sie, wie sie ihre Zähne untersuchte und ihr Haar richtete, es plötzlich zu einem Knoten auf dem Kopf band und etwas hineinsteckte, damit es dort blieb. Sie zog ein paar Strähnen heraus, so dass sie ihr Gesicht umrahmten, richtete mit einem Wackeln des Körpers Jacke und Rock gerade und nahm dann ihre Handtasche. Komisch, dachte Ned, aber auf seltsame Weise schien Ness hierher zu *gehören*. Sie passte in die Umgebung mit ihrem ungebändigten Haar und ihren nicht ganz zusammenpassenden Kleidern. Sie besaß dieselbe Wärme wie dieses Haus, dasselbe Gefühl von Behaglichkeit und Willkommensein.

»Was sind denn deine Pläne für heute?«, erkundigte sich Bernie, während sie ihre Autoschlüssel aus der Tasche zog.

»Weiß noch nicht. Werd mir Frühstück oben an der Straße holen. Vielleicht die Haare schneiden lassen …«

»Oh, lass dir nicht die Haare schneiden«, warf Ness unerwartet ein. »Du hast so schönes Haar.«

Ned errötete und legte die Hand auf sein Haar. »Findest du wirklich?«

»Ja, es ist toll. Es ist komisch, weil ich normalerweise langes Haar bei Männern nicht mag, aber deins passt wirklich zu dir. Lass es nicht abschneiden.«

»Äh, okay«, stammelte er, »das werde ich nicht.«

»Vielleicht solltest du aber daran denken, das Gestrüpp loszuwerden«, sagte sie, langte plötzlich an sein Kinn und rieb mit den Fingern über seinen Bart. Ned war zu geschockt, um etwas zu sagen.

»Na ja, einen schönen Tag noch. Und pass auf die Pferdeäpfel auf.« Sie grinste ihn an und verließ das Zimmer, und Ned saß leicht belämmert da. In ihm summte alles, er war verschwitzt und nervös. Er war auf die Freundin seines Bruders scharf. Wirklich. Allmächtiger Gott – war es überhaupt *legal*, auf die Freundin des eigenen Bruders scharf zu sein?

Die Hupe von Mums Auto tönte in der Auffahrt, und Ned ging ans Fenster. Ness stand auf der Straße, winkte ihm zu und deutete auf den Bürgersteig. Ned fragte sich, was sie da tat, bis sie sich mit den Fingerspitzen die Nase zuhielt und einen angeblichen Geruch wegwedelte. Dann warf sie den Kopf zurück, lachte und stieg auf dem Beifahrersitz ein. Ned sah zu, wie das Auto aus der Einfahrt und den Beulah Hill hinauffuhr. Er sah zu, wie Ness ihren Gurt anlegte, mit Mum plauderte, mit den Fingerspitzen ihr Haar richtete, lachte. Gott. Sie war super. Sie hatte das ganze Selbstvertrauen und die Offenheit, die er an Monica geliebt hatte, als er sie kennen gelernt hatte, aber ohne die dunkle Seite. Man konnte sehen, dass in ihrer Seele eitel Sonnenschein herrschte – sie schien keinen negativen oder zynischen Knochen in ihrem Körper zu haben. Er fragte sich, wie alt sie wohl war. Er hatte angenommen, dass sie in Tonys Alter sein müsste, weil sie mit ihm ging, aber tatsächlich, bei Tageslicht und in anderem Zusammenhang, sah sie ziemlich jung aus – vielleicht Ende zwanzig. Vielleicht in seinem Alter …

Scheiße. Er spürte, wie er wieder rot wurde. Er war schockiert über sich selbst. Er war in der Vergangenheit noch nie auf irgendeine Freundin seiner Brüder scharf gewesen, nicht mal auf die hinreißenden Schönheiten, die Sean nach Hause brachte. Er hatte immer angenommen, es gäbe eine Art Gen, das aktiv verhinderte, dass man sexuelles Interesse an jemandem zeigte, mit dem ein Familienmitglied zusammen war, dass nur seltsame Leute in der *Jerry-Springer*-Show Sex mit Menschen haben wollten, die ihre Verwandten bereits gevögelt hatten.

Wie ging das nur, fragte er sich, auf die Freundin des Bruders scharf zu sein? Und was passierte, wenn Tony und Ness sich trennten – dürfte er dann mit ihr ausgehen, oder war das völlig ausgeschlossen? Gott, was *dachte* er da nur?

Er stand auf und suchte das Haus nach Goldie ab. Er fand ihn

schließlich im Waschraum auf einem Stapel sauberer Laken, und zog ihn hoch.
»Los, Kumpel. Wir gehen Gassi.«
Goldie nieste und pfiff und ächzte sich schließlich hoch, ließ sich von Ned friedlich anleinen.
Ned ging zu Fuß ins Dorf, genoss den feinen Nieselregen, der seine Haut besprühte und seine Kleider durchfeuchtete. Er ging unglaublich schnell, fast als ob er versuchte, seine unreinen Gefühle für Ness auszuschwitzen. Er ging so schnell und hatte den Kopf so voller seltsamer, fremdartiger Gedanken, dass er zum ersten Mal, seit er aus Oz zurück war, Monica völlig vergaß. Sie hätte huckepack auf seinen Schultern mit einer Peitsche in der Hand reiten und schreien können: »Schnell, mein Pony«, er hätte es nicht bemerkt. Seine Gedanken waren überall, schossen von der Vorstellung, wie er Mum die Neuigkeit beibringen sollte, dass er mit Ness ging, über Händeschütteln mit Tony und wie Tony sagen würde: »Nur fair, der Beste hat gewonnen«, bis dahin, wie er eine Tasche packte und Beulah Hill für immer verließ, während seine Familie mit steinernen Gesichtern und verschränkten Armen auf der Schwelle stand. Und er stellte sich vor, Sex mit Ness zu haben, stellte sich Ness vor, wie sie Sex mit Tony hatte, fragte sich, wie es wäre, Babys mit Ness zu haben, und ob sein Schwanz wohl so groß war wie Tonys und ob er so gut im Bett war wie er.
Er band Goldie vor dem Café an und verschlang ein ganzes englisches Frühstück und einen Becher Tee, starrte durch die beschlagene Fensterscheibe hinaus auf die Straße, während er darüber nachdachte, dass Tony eine schicke Wohnung, einen Sportwagen und ein eigenes Geschäft hatte, während Ned schönes Haar, einen flachen Bauch und einen Abschluss hatte. Er fragte sich, was für eine Wohnung Ness hatte und ob er wohl gerne in Beckenham leben würde oder nicht. Er dachte sogar über Zugstrecken nach und darüber, wie lange es dauern

mochte, von Beckenham Junction in die Stadt zu kommen und ob er ohne den Bus Nummer 68 leben könnte.
Er wischte seinen Teller mit einem Stück Toast sauber, verließ das Café, band Goldie los und begann seinen Nachhauseweg.
Und als er heimkam, ging er direkt ins Bad und rasierte sich den Bart ab.

Ein entsetzlicher Vorschlag

Da Ness mit Bernie am Samstag in Bromsley einkaufen ging und da sie an diesem Abend bei Rob und Trisha zu Abend aßen, sagte Tony, er würde sie um sieben Uhr in Beulah Hill abholen. Mums Auto stand nicht in der Einfahrt, als er ankam, weshalb er annahm, dass sie noch irgendwo im Einkaufsrausch waren, und sich mit seinen Schlüsseln die Tür aufsperrte.

Er begab sich direkt zum Kühlschrank, wie er es immer tat, wenn er nach Hause kam, und wühlte darin herum. Päckchen mit Schinken, Töpfchen mit Sahne, frisches Obst, fünf verschiedene Sorten Käse, übrig gebliebener Kuchen. Lecker. Er widerstand der Versuchung, sich ein riesiges Sandwich mit Käse und Mayonnaise aus dem dicken Laib zu machen, der im Brotkasten lag, und knabberte stattdessen nur an einer Handvoll Trauben. Er nahm Dads *Guardian* und wanderte schnell im Haus umher, noch etwas, was er immer tat. Jesus, er hatte keine Ahnung, wie sie so leben konnten. Und es wurde schlimmer, je älter sie wurden. Er machte sich tatsächlich Sorgen um sie – jetzt waren sie noch jung, besaßen noch all ihre Fähigkeiten; doch was würde passieren, wenn sie älter waren, wenn Ned nicht mehr zu Hause war, um ein Auge auf sie zu haben? Ihr Haus war jetzt verrückt, exzentrisch – Dinge sammelten sich an und wurden gehortet, der Abwasch wurde ignoriert, Saugen war ein monatliches Ereignis, wenn der Teppich Glück hatte. Doch es war trotzdem warm, heimelig und relativ sauber. Das mochte nicht immer der Fall sein. Es war eine feine Grenze zwischen Unordnung und

Verwahrlosung. Was würde passieren, wenn es unappetitlich und unhygienisch wurde – was würde dann mit Mum und Dad passieren? Gott, sie würden enden wie diese Irren in Dokumentarfilmen, die Ratten in der Größe von Cockerspaniels hatten, die in ihren Matratzen lebten, und ihre Nachbarn würden dann die Fürsorge auf sie hetzen. Jesus, sie würden ein *Gesundheitsrisiko* werden.

Tony schob diese nagenden kleinen Sorgen in seinen Hinterkopf und ging ins Wohnzimmer. Wo er Gervase ausgestreckt auf dem Sofa vorfand, voll angezogen, mit hängendem Kinn und laut schnarchend, während Goldie sabbernd auf seinen Knien lag.

Entzückend, dachte Tony, einfach absolut entzückend.

»Goldie!«, befahl er, während er den Raum betrat. »Runter da!« Er gab dem Hund mit dem *Guardian* einen Klaps auf den Po, bis dieser endlich sein stinkendes altes Gerippe von den Möbeln erhob und sich auf den Boden plumpsen ließ.

Gervase bewegte sich leicht und gab einen verstörenden Schnarchlaut von sich.

»Tony«, sagte er, stützte sich auf seinen Ellbogen und griff nach seinen Kippen. »Tut mir Leid, Kumpel. Hab dich nicht reinkommen hören. Ich war ganz weg.« Er schnaubte, wischte sich die Nase mit dem Handrücken ab und zündete sich eine Zigarette an.

»Ja«, gab Tony zurück, »das hab ich gemerkt.«

»Wollte nicht so einschlafen. Das Letzte, an das ich mich erinnere, ist, dass ich das Rennen angeguckt habe«, er zeigte auf den Fernseher, in dem nun *Stars in their Eyes* gezeigt wurde. »War ein bisschen heftig gestern Abend.« Er schwang auf dem Sofa herum, griff nach der Fernbedienung und schaltete den Fernseher aus. »Hasse dieses Schwein«, sagte er als Erklärung. »So. Wolltest also deine Mum besuchen? Ich glaube, sie ist einkaufen.«

»Ja, ich weiß. Sie ist mit Ness weg. Ich wollte sie abholen.«

»Das ist nett«, stellte Gervase fest, inhalierte und glättete mit der Handfläche seine Frisur. »Gehst du irgendwo Schönes mit ihr hin?«
»Mit wem?«
»Ness.«
»Nein. Eigentlich nicht. Nur zum Essen bei Freunden.«
»Na – das ist doch schön, oder? Essen bei Freunden? Mir würde das gefallen.«
Tony schrak zusammen, dachte einen Augenblick, dass Gervase versuchte, sich selbst einzuladen, und entspannte sich dann wieder, als er erkannte, dass dem nicht so war.
»Also, Tony. Wie geht es dir?«
»Gut. Mir geht es gut.«
Es herrschte ein kurzes Schweigen, während Tony das Gefühl hatte, dass der Zwang sozialer Konventionen ihn verpflichtete, Gervase zu fragen, wie es ihm ging.
»Und dir?«
»Mir? Mir geht es fantastisch. Vor allem nun, da ich ein bisschen gedöst habe. Du siehst fit aus.« Gervase sah ihn von oben bis unten an.
»Wirklich?« Tony tätschelte seinen Bauch. »Findest du wirklich?«
Gervase blinzelte ihn an. »Ja. Eindeutig. Vor allem hier herum« – er drückte seine eigenen Wangen –, »um die Backen. Machst du eine Diät?«
Tony bekam Auftrieb durch dieses unerwartete Kompliment, entspannte sich ein bisschen und ließ sich in den Sessel gegenüber von Gervase fallen. »Nein. Keine richtige Diät. Hab nur drauf geachtet, was ich esse. Du weißt schon.«
Gervase nickte ihm aufmunternd zu.
»Aber ich, äh …« Tony hielt inne und fragte sich, warum er das zu Gervase sagen wollte, sagte es aber trotzdem. »Ich bin in einen Schlankheitsclub eingetreten.«

»Ach ja?«
»Ja. Hab die erste Stunde am Montag.«
»Ja? Ich habe gehört, dass diese Schlankheitsclubs funktionieren. Gut für dich.« Gervase schenkte ihm eines seiner steifen, verlegenen Lächeln, und Tony war unverhältnismäßig erfreut.
»Aber sag es Mum nicht, ja?«, bat er. »Sie wird sich nur Sorgen machen. Du weißt schon – Mütter. Und sag es auch Ned nicht. Er wird sich nur lustig machen.«
»Natürlich nicht. Dein Geheimnis ist bei mir sicher aufgehoben. Alle Geheimnisse sind bei mir sicher aufgehoben …«
»Was meinst du damit?«
»Nichts, Kumpel, nichts. Nur, dass ich ein sehr diskreter Mann bin. Ich bin die *Seele* der Diskretion.«
Einen Augenblick schwiegen sie. Tony untersuchte seine Fingernägel und sah dann auf; er entdeckte, dass Gervase ihn gebannt *anstarrte* und einen echt besorgten Gesichtsausdruck hatte.
»Bist du in Ordnung, Tony?«
»Ja, mir geht es gut«, antwortete er trocken.
Und dann stand Gervase plötzlich vom Sofa auf, die Zigarette aus dem Mund hängend, ging auf Tony zu und legte ihm beide Hände auf den Schädel. Tony wollte irgendwie reagieren, protestieren, doch es war etwas an Gervases Berührung, das ihn sich auflösen und unfähig werden ließ. Es war, als ob Gervase alles Negative aus ihm heraussog und ihm nur die paar Stücke an Gutem ließ, die immer noch irgendwo in ihm herumschwebten.
Er hörte Gervase den Atem einsaugen. »Jesus Christus, Tony, du musst damit aufhören!«
»Womit aufhören?«
»Mit diesem Wahnsinn. Es wird nicht funktionieren.«
»Was – der Schlankheitsclub?«
»Nein. Nicht der Schlankheitsclub. Der Schlankheitsclub ist

eine tolle Idee, Tone. Ehrlich. Nein – du musst mit dieser Besessenheit aufhören. Ihr auf den Kopf hauen.«
Tony zuckte zusammen.
»Halte deine Träume realistisch, Kumpel. Der einzige Mensch, der sonst verletzt wird, bist du, verstehst du?«
»Wovon redest du?«
»Ich weiß nicht, wovon ich rede. Ich weiß nur, dass ich Recht habe. Was ich sage, ist richtig. Es liegt an dir, herauszufinden, wovon, zum Teufel, ich rede. Okay?«
»Okay.« Tony war wie hypnotisiert, konnte weder antworten noch irgendwie reagieren.
»Sieh dich um, Kumpel. Schau dir an, was wirklich ist. Du hast alles da. Ja?«
»Ja.«
»Du hast mehr als die meisten. Du brauchst nichts anderes.«
Und dann nahm Gervase plötzlich die Hände von Tonys Kopf und fing an, stattdessen darauf einzuschlagen. »Mist – tut mir Leid, Kumpel – hab ein bisschen Asche dort fallen lassen. Ist aber in Ordnung – sie glüht nicht mehr oder so.« Er klopfte Tony auf den Rücken und ging wieder zum Sofa. Tony fuhr sich kräftig mit den Fingern durchs Haar und schauderte.
Bevor er die Möglichkeit hatte, Gervase zu der seltsamen Sache zu befragen, die gerade passiert war, hörte man Bewegung an der Haustür und das Geräusch von hoher weiblicher Erregung. Mum und Ness.
»Hallo, Jungs«, grüßte Mum und schob sich mit ungefähr zehn Einkaufstüten und vom Rotwein erröteten Wangen herein. »Hallo, mein Lieber«, sie beugte sich nach unten, um Tony auf den Scheitel zu küssen. Sie schnüffelte ein wenig an seinem Haar. »O Tony – du hast doch nicht wieder angefangen zu rauchen, mein Lieber?«
»Nein«, murmelte er, »hab ich nicht.«
Ness rauschte hinter Mum mit ungefähr dem Doppelten an

Einkaufstüten und einer noch tieferen Weinröte herein. Sie schlang ihm die Arme um den Hals und gab ihm einen dicken Schmatzer auf die Lippen. »Hallo, mein Schöner.«
Sie roch nach Knoblauch und Wein, und er widerstand der Versuchung, sie zu verspotten. »Hi«, murmelte er.
»Irgendjemand Kaffee?«, fragte Mum.
»Ja, bitte«, antwortete Ness. »Tut mir Leid, dass wir so spät dran sind. Bernie hat mich ins All Bar One geschleppt und mich gezwungen, Wein zu trinken.«
»Ach ja, als ob so viel Überredungskunst nötig war«, gab Bernie lachend zurück und verschwand im Flur.
»Dann nehme ich an, ich werde heute Abend fahren, oder?«, frage Tony ein bisschen unnötigerweise, da er sich bereits heute Morgen erboten hatte, zu fahren.
»Keiner hat dich gebeten zu fahren, Tony«, erwiderte Ness, warf ihre Schuhe ab und setzte sich neben Gervase. »Ich habe gesagt, dass ich mit Vergnügen die Taxis zahlen würde. Hallo du«, grüßte sie und beugte sich vor, um Gervase zu küssen. »Ich hoffe, du bist besserer Laune als dieser alte Grantler dort drüben.«
»Ich bin immer guter Laune, wenn ich dich sehe, Schönste. Schmatz.«
»Ahh«, machte Ness grinsend und umarmte ihn rasch.
Ach verdammt. Tony konnte das nicht ausstehen. Verdammter Gervase. Was sollte das denn eben mit seinem Kopfberühren und den blöden, doofen Warnungen? Und Ness, wieder mal betrunken, ein Herz und eine Seele mit Mum. Und auch noch mit Gervase. Was war nur an diesem Typen, dass er ihm Vertraulichkeiten entlockte, das Haus seiner Eltern übernahm und mit seiner Freundin flirtete?
Er beobachtete sie verärgert, wie sie zusammen kicherten; Gervases Augen wanderten alle paar Sekunden zu Ness' langen, wohlgeformten Beinen, und aus einem unerklärlichen Grund war Tony plötzlich von Eifersucht zerfressen.

»Los«, sagte er und stand auf einmal auf, »lass uns gehen.«
»Was?«, fragte Ness und sah auf ihre Uhr. »Aber wir müssen doch erst in einer halben Stunde dort sein.«
Tony atmete tief durch. »Ist mir egal. Ich fahre langsam. Lass uns nur hier weg.«
Ness wechselte einen Blick mit Gervase und erhob sich. »Jawohl, Massa«, sagte sie und salutierte. »Aber lass mich erst mal umziehen – ich will meinen neuen Rock anziehen.«
Tony seufzte und setzte sich. »In Ordnung. Aber mach schnell.«
Ness ergriff eine ihrer unzähligen Einkaufstüten und begab sich nach oben ins Bad. Gervase starrte Tony nachdenklich an.
»Was?«, wollte Tony wissen.
»Deine Ness ist ein gutes Mädchen. Du solltest ein bisschen netter zu ihr sein. Du wirst sie verlieren, wenn du nicht aufpasst.«
»Himmel noch mal!«, explodierte Tony, der endlich die Beherrschung verlor und spürte, wie ihm alles vor Wut zu Kopf stieg. »Was ist mit dir, hä? Hast du kein eigenes Leben, über das du nachdenken kannst? Hä? Keine eigene Familie, die du nerven kannst? Ich meine, was sollte der ganze Scheiß vorhin mit dem … dem Kopf und allem?« Außer sich griff er sich ins Haar. »Und was, zum Teufel, soll das mit dir und Ness, hä? Ständig bist du an ihr dran, dieser ganze Kram mit ›meine Schöne‹. Und denk nicht, dass ich nicht gesehen habe, wie du ihre Beine anschaust, Kumpel. Ich meine – nur … *was*?! Was ist mit dir? *Wer, zum Teufel, bist du?!«*
»Tony!«, sagte Mum, die gerade mit zwei Bechern Kaffee ins Wohnzimmer trat. »Was, um Himmels willen, geht hier vor?«
»Nichts«, antwortete Tony, der das ganze Den-großen-bösen-Mann-Spielen aufgab und schmollend in seinem Sessel landete. »Nichts. Einfach … einfach. Nichts.«
»Ich glaube, Tony hat sich nur gefragt, was ich eigentlich will, Bern. Und wer kann ihm da Vorwürfe machen? Es ist eine Frage, die ich mir selbst stelle. Oft.«

»Okay«, sagte Ness, die in einem Rock das Zimmer betrat, der noch kürzer war als der, den sie vorher angehabt hatte, was eine Leistung war. »Lass uns gehen.«

»Willst du tatsächlich damit ausgehen?«, fragte Tony und sah verblüfft auf ihre Beine.

»Ja. Und?«

»Und – na ja – er ist ein bisschen kurz, nicht wahr?«

»Ach, komm, Tony, Schau dir diese Beine an«, warf Bernie ein, »sie sind unglaublich. Ness sollte damit angeben.«

»Vielleicht vor zehn Jahren«, murmelte er leise.

»Ach, Himmel, Tony.« Ness hob die Augenbrauen zur Decke. »Du bist heute Abend wirklich in einer Laune, dass man dir den Hintern versohlen könnte, oder? Okay«, wandte sie sich an Bernie und Gervase, »ich werde diesen elenden alten Jammerlappen hier rausbringen. Bis bald. Los, komm, du alter Quatschkopf.« Sie zeigte auf Tony, und er erhob sich brummend aus seinem Sessel.

Sie fuhren in fast völligem Schweigen zu Rob und Trisha. Tony wusste, dass er ein völliger Idiot gewesen war, und sein Kopf war voller Entschuldigungen, doch er schien sie nicht in seinen Mund lenken zu können. Er hasste es, dass Ness ihm das antat. Es war egal, was er sagte oder was er fühlte oder wie lächerlich er sich machte, sie beachtete es einfach nicht. Sie war wie menschliches Tefal – er glitt einfach an ihr ab. Wenn sie doch nur wütend würde. Wenn sie doch nur verletzt wäre. Wenn sie nur gesagt hätte: »Gott, Tony, ich verdiene es nicht, so behandelt zu werden, ich bin jetzt weg.« Aber das tat sie nicht – sie zerzauste ihm einfach das Haar, nannte ihn einen Idioten und gab ihm das Gefühl, ein normaler Mensch zu sein.

Was der Grund war, weshalb sie wahrscheinlich noch zusammen waren. Jede normale Frau wäre schon vor einer Ewigkeit abgehauen. Aber nicht Ness. Ness liebte ihn einfach weiter und weiter und weiter. Sie besaß einen unerschöpflichen Vorrat an

Liebe. Und nicht nur für ihn. Für alle. Seine Eltern, Taxifahrer, Tiere, die vor Supermärkten angebunden waren, Leute im Fernsehen. *Gervase*. Sie war eine einzige große, überströmende Liebesmaschine. Und, o Gott, er konnte im Moment ohne das auskommen, ohne *sie*.

Er wollte keine große, überströmende Liebesmaschine. Er wollte eine Frau, die sich nicht mit seinem Scheiß abfinden wollte, die ihn zwingen würde, sich wie ein richtiger, anständiger Mensch zu benehmen. Er wollte eine launische, schwangere Frau mit honigfarbener Haut und einer Wohnung voller schöner Dinge. Wenn er mit Millie zusammen wäre, dachte er, würde er schlank bleiben, schöne Klamotten tragen, und egal, in was für einer Laune er wäre oder wie schlimm sein Tag gewesen war, er würde sicherstellen, dass er für Millie glücklich war, wenn er nach Hause käme. Wenn er mit Millie zusammen wäre, wäre er anders. Alles an ihm wäre anders. Alles an ihm wäre besser. Schon in ihrer Nähe zu sein, gab ihm das Gefühl, jemand völlig Neues zu sein.

In Ness' Nähe zu sein gab ihm das Gefühl, das größte Arschloch zu sein, das die Menschheit je gekannt hatte.

»Tony«, sagte Ness und brach das Schweigen, »ich weiß, das ist wahrscheinlich nicht der beste Zeitpunkt, um es anzusprechen. Ich weiß, du hast schlechte Laune, aber sei mal ehrlich, wenn ich warten wollte, bis du gute Laune hast, um mit dir über etwas zu reden, würden wir nie wieder miteinander sprechen. Du weißt doch, dass wir uns in letzter Zeit nicht oft gesehen haben? Und dass du wirklich viel auf der Arbeit zu tun hattest? Nun, ich vermisse dich wirklich. Gott weiß, warum, aber ich tue es. Und ich habe gedacht, wir sind jetzt seit fast einem Jahr zusammen, und vielleicht ist es Zeit, dass wir daran denken, vielleicht, du weißt schon, zusammenzuziehen?«

Tony nahm die Frage langsam und sorgfältig in sich auf, verdaute sie wie ein großes Stück wirklich zähen Fleisches. In Ord-

nung, dachte er, keine Panik. Nur keine Panik. Nicke nur langsam, nicke, sieh aus, als ob du drüber nachdenkst, und sage nichts.
»Also – was meinst du? Ich meine, ich bin es satt, aus einer Reisetasche zu leben. Und wir müssten uns nicht so anstrengen, um uns zu sehen. Wir wären einfach nur da. Es würde das Leben so viel einfacher machen …«
Tony nickte wieder langsam und widerstand der Versuchung, die Tür aufzureißen und sich aus dem fahrenden Auto zu werfen. »Hm«, gelang es ihm zu murmeln, »lass mich drüber nachdenken.«
Ness lächelte ihn an und drückte seinen Schenkel. »Denk drüber nach. Lass dir nur Zeit.«
Tony lächelte grimmig und wünschte, er wäre tot.

Den Stab weitergeben

Ned faltete Monicas Haare in einen braunen Umschlag und klebte ihn zu. Dann zog er ein Blatt von Mums vornehmem Briefpapier heraus und schrieb die folgende Nachricht:

Montag, 30. April

Liebe Mrs. und Mr. Riley,
hallo – hier ist Ned, Monicas Freund. Nun ja, Exfreund, um genauer zu sein. Leider haben sich die Dinge für mich und Monica nicht wirklich gut entwickelt. Wie Sie wissen, hatte Monica viele Probleme damit, sich an das Leben in Australien anzupassen und, nun ja, eigentlich an das Leben im Allgemeinen, und das hat einen Tribut an unsere Beziehung gefordert. Also habe ich vor einigen Wochen unsere Beziehung beendet und bin wieder nach England zurückgekommen. Ich habe immer noch richtige Schuldgefühle und fühle mich wirklich schlecht. Monica ist ein instabiler Mensch, und ich mache mir echte Sorgen um sie. Sie hat in Oz kein wirkliches Netzwerk, das sie unterstützt – sie hat Freunde, aber niemanden, der wirklich bereit ist, sich mit ganzem Herzen ihrer anzunehmen, und sie kann ganz schön anstrengend sein, wie Sie wissen.
Aber jetzt mache ich mir noch größere Sorgen. Seit ich wieder zu Hause bin, schickt Monica mir Pakete. Wirklich seltsame Pakete. Ihre Haare, ihre Augenbrauen, andere Teile ihres Körpers (nicht aus Fleisch). Und sie nervt mich mit unglaub-

lich rüden SMS. Es scheint nicht aufzuhören, und obwohl ein Teil von mir sie wirklich anrufen und mit ihr reden und versuchen will, das zu klären, weiß ich, dass das alles nur schlimmer machen wird. Sie ist wirklich abhängig von mir, und wenn ich sie anrufe, wird sie nur das bekommen, wonach sie sich wirklich sehnt – meine Aufmerksamkeit.

Also dachte ich, dass es vielleicht besser wäre, wenn Sie sich darum kümmerten. Sie respektiert Sie beide wirklich, das weiß ich, und es würde sie echt schockieren, wenn sie wüsste, dass Ihnen klar ist, wie sie sich aufführt. Um ehrlich zu sein, denke ich immer noch, das Beste für sie wäre, heimzukommen und ein bisschen Zeit zu Hause bei ihrer Familie zu verbringen.

Egal. Sie brauchen nicht mich, der Ihnen sagt, was Sie tun sollen. Sie ist Ihre Tochter und Ihre Verantwortung. Sie werden das Richtige tun.

Ich hoffe wirklich, dass sich für Monica alles zum Guten wendet. Sie ist ein tolles Mädchen, und ich mag sie sehr.

Ich habe ihre Haare beigelegt. Ich dachte, sie wären bei Ihnen besser untergebracht als bei mir unter meinem Bett.

Mit herzlichen Grüßen,
Ihr
Ned London

Ned faltete den Brief in einen Umschlag und steckte ihn mit dem Haar in eine Jiffy-Tüte. Er klebte die Jiffy-Tüte zu und verstaute sie in seinem Rucksack. Und dann zog er sich die Jacke an, verließ das Haus und ließ den Umschlag in den ersten Briefkasten fallen, an dem er vorbeikam. Er atmete vor Erleichterung tief aus, als der Umschlag durch das dunkle Loch und in die Schwärze darunter fiel.

Sie war fort.

Mon war fort. Sie und ihre Wut und ihre Neurosen und ihre Paranoia gehörten jetzt zu jemand anderem. Zu den Menschen, die sie geschaffen hatten. Und zum ersten Mal, seit er sie vor all den Jahren am Leicester Square erblickt hatte, war Ned frei.

Er schwang seinen Rucksack wieder auf seine Schulter und ging zur Haltestelle des Busses Nummer 68. Es lag mehr als nur ein Hauch von Frühling in seinem Schritt, während er ging. Er fühlte sich unbelastet. Er fühlte sich euphorisch.

Er war auf dem Weg in die Stadt zu einem Termin mit einer Arbeitsvermittlung, die Tony empfohlen hatte. Er war auf dem Weg in seine helle, neue, Monica-freie Zukunft. Es war Zeit, sein Leben wieder in die Spur zu bringen.

Schreibmaschinentests und Origami

»Also«, sagte das Mädchen in der gerüschten, tief ausgeschnittenen Bluse, das Emma hieß und ungefähr wie dreizehn aussah, »erzählen Sie mir von Ihrer Erfahrung.«

Ned rutschte auf seinem Platz hin und her. Erfahrung. Na ja, dachte er, das kann viel bedeuten. Ich könnte dir zum Beispiel von meinem Abend am Freitag mit einem Haufen Rockabillys um die vierzig erzählen, als ich so blau war, dass ich hinten aus einem Robin Relian fiel und in einem Haufen Pferdeäpfel gelandet bin.

Oder ich könnte dir davon erzählen, dass ich mit einem Kette rauchenden, Schleim produzierenden, tätowierten Fremden zusammenlebe, der meine innersten Ängste sehen kann und der der einzige Mensch auf der Welt zu sein scheint, der mich wirklich versteht.

Ich könnte dir davon erzählen, dass ich heute Morgen ein Päckchen aufgemacht habe, das den benutzten Tampon meiner Exfreundin enthielt. Das war vielleicht schön.

Oder ich könnte dir von dem Abend erzählen, an dem ich mit meiner Exexfreundin ausgegangen bin und herausgefunden habe, dass sie in einen Typen namens Drew verliebt ist, der im Urlaub mit ihr nach Sansibar fährt.

Oder davon, dass ich auf die Freundin meines Bruders so scharf bin, dass ich angefangen habe, mir ungefähr dreimal am Tag einen runterzuholen, und Fantasien darüber habe, in Beckenham

zu wohnen. *Hm, sind das genug Erfahrungen für dich?*, wollte er fragen. *Wird das reichen?*
»Äh«, er kratzte sich am Kopf, merkte, dass das sehr unprofessionell aussah, und verwandelte das Ganze in eine das Haar glättende Bewegung, »nun ja, ich habe ein paar Monate für Sotheby's gearbeitet, als ich meinen Abschluss gemacht habe.«
Emma und ihr Busen nickten nachdenklich.
Ned spürte, wie seine Augen leicht feucht wurden, während er nach etwas Beeindruckendem suchte, das er sagen könnte. »Und dann habe ich eine Laufbahn im Einzelhandel verfolgt.«
»So, so. Welche Art von Einzelhandel?«
»Na ja.« Er öffnete die Gewölbe seines Geistes und versuchte die wichtigen Informationen hervorzuholen. »Musik. Ähm, Essen. Kleider. Kunst. Möbel. Oh, ja, und, äh, Antiquitäten. Ich habe einige Zeit in, äh, Antiquitäten gemacht.«
Emma hob eine Augenbraue und sah dann hinunter auf seinen Lebenslauf. »Das sehe ich«, erwiderte sie, »und das wäre dann für G. London, Esq. gewesen.«
»Ja. Das stimmt. Mein Dad.«
Sie lächelte ihn aufmunternd an. »Und dann sind Sie nach Australien gegangen, wie ich sehe.«
»Ja. 1998.«
»Und was haben Sie in Australien gemacht?«
»Nun, äh, Einzelhandel. Vor allem.«
Sie lächelte ihn an und nickte.
»Sportzubehör. Kunst. Essen. Ein bisschen in einer Bar gearbeitet. Und ich habe ein paar Monate in einem Internetcafé gearbeitet, bevor ich weg bin.«
»Und was für eine Stellung hatten Sie auf diesen verschiedenen Stationen des Einzelhandels?«
Jesus, dachte er. Das ist ein Albtraum. Ein völliger Albtraum. Er hatte gedacht, sein Lebenslauf würde reichen. Es stand alles da, dachte er, jedes einzelne armselige Detail seiner verspäteten

Laufbahn. Warum musste sie ihm dann all diese Fragen stellen? Er blätterte hektisch durch jede Facette seiner Laufbahn im Einzelhandel und versuchte die eine Gelegenheit zu finden, bei der er über den Rang des »Typen, der sechs Monate blieb und ging, bevor alles zu ernst wurde«, aufgestiegen war.

»Oh, vor allem als Berater«, sagte er und nickte heftig, »ich arbeite lieber an der Basis. Ich mag die persönliche Beziehung zum einzelnen Kunden. Nun – mochte, ich mochte sie. Natürlich jetzt, da ich einige Zeit weg war, suche ich nach etwas, was ein bisschen, äh … grundlegender ist. Sie wissen schon.« Er rieb sich sein frisch rasiertes Kinn und blinzelte sie an.

»Ja, absolut«, antwortete sie, »ich kann verstehen, dass Sie weiter vorankommen wollen. Und was für eine Art von Fortkommen haben Sie sich vorgestellt?«

»Nun ja, im idealen Fall möchte ich raus aus dem Einzelhandel und in ein etwas …« *Erwachseneres*, wollte er sagen. *Ein richtiger Männerjob mit einem Haufen Bargeld und Sekretärinnen und Geschäftsreisen. Bitte.* »Etwas ein bisschen mehr … Nun ja, lassen Sie es mich so ausdrücken – es ist nicht der Ehrgeiz meines Lebens, Einzelhandelsgeschäftsführer zu werden. Nicht, dass daran etwas falsch ist. Aber Sie wissen schon, diese ganzen Schlüssel, Arbeit am Samstag, es ist nur …« Er hielt inne und atmete tief durch. »Ich möchte eher so einen Bürojob. So was.«

»Okay.« Sie kritzelte etwas auf ein Stück Papier. »Und was für Erfahrungen, die Sie haben, könnten für ein Büroumfeld wichtig sein?«

»Na ja, ich bin computererfahren.«

»IT-Erfahrung?«

»Ja. Ich kenne mich mit einem Computer aus.«

»Würden Sie IT-unterstützende Arbeit in Erwägung ziehen?«

IT-unterstützend – waren das nicht die selbstgefälligen Typen ohne Freundin, die alle hassten, die nicht so viel von Computern verstanden wie sie? Die Typen, die bezahlt wurden, um ver-

schreckten Sekretärinnen zu erzählen, sie sollten ihre Computer wieder runterfahren, sobald etwas nicht stimmte? Äh, nein, dachte Ned. Nein, danke.
»Ja«, sagte er und versuchte positiv zu wirken, »das würde ich eindeutig in Erwägung ziehen.«
»Super. Und wie sind Ihre Schreibmaschinenkenntnisse?«
»Na ja, ich kann tippen. Ich habe es nicht gelernt oder so, aber ich bin ziemlich schnell.«
Sie lächelte mit etwas, was echtes Entzücken zu sein schien. »Wunderbar! Dann lassen Sie uns einen kleinen Test machen, ja?«
»Ein Test?!«
»Ja. Nichts, worüber Sie sich Sorgen machen müssten. Es dauert nur ein paar Minuten.«
Ned schluckte. Warum ließen sie ihn einen Test machen? Er wollte kein Sekretär *werden* – er wollte eine Sekretärin *haben*.
Emma stand auf, strahlte ihn an und führte ihn durch die schicken Büros in einen kleinen, irgendwie bedrohlich aussehenden Raum mit einem Schreibtisch, einem Stuhl und einem einsamen PC. Ned fühlte, wie sich seine Kehle zusammenschnürte, und geriet in Panik. Dies hier war, als würde man ihn im Abitur prüfen wollen, ohne dass er dafür gelernt hatte. Ein Test. Scheiße. Außer den Prüfungen für seinen Abschluss konnte er sich nicht erinnern, wann er das letzte Mal einen Test gemacht hatte – wahrscheinlich seine Fahrprüfung, als er siebzehn war, und das war die einzige schreckliche Erfahrung in seinem Leben gewesen. Um ehrlich zu sein, wenn Ned darüber nachdachte, erkannte er, dass die Tatsache, keine Tests mehr ablegen zu müssen, wahrscheinlich das einzig Tolle daran war, älter zu werden.
Emma benutzte die Maus, um ein Programm namens »Trishs Tipptest« zu öffnen, das von einer Zeichentrickfrau mit Hornbrille, gezeichneten Grübchen und einem Topfschnitt geleitet

wurde. »Hi«, sagte sie mit einem elektronischen amerikanischen Akzent, »ich heiße Trish. Willkommen bei meinem Test. Bitte nehmen Sie sich Zeit, es sich bequem zu machen.«

»Okay«, meinte Emma, »ich lasse Sie jetzt allein. Folgen Sie nur den Anweisungen auf dem Bildschirm. Und keine Sorge, wenn Sie es verpatzen. Starten Sie das Programm einfach noch mal. Okay?« Sie zeigte ihm blitzend ihre Zähne, und er blitzte zurück.

Nachdem sie den Raum verlassen hatte, betrachtete er den Bildschirm und bog seine Finger. Okay, dachte er, Tipptest, kein Problem, ich schaffe einen Tipptest. Trish lächelte ihn unbeirrt an und fuhr ihm einen Text hoch, erzählte ihm auf eine wirklich ärgerlich herablassende Weise, er solle sich entspannen, es locker nehmen und keine Fehler beim Schreiben korrigieren. Eine kleine Uhr begann die Sekunden zu zählen, und Ned spürte, wie sich seine Eingeweide voller Schrecken verkrampften. Er atmete tief durch und fing an zu tippen.

Als er halb fertig war, fluchte er und wischte sich eine Schweißschicht von der Oberlippe. Das war scheußlich, dachte er, absolut scheußlich. Seine Hände waren ganz steif und unbeweglich geworden. Sein Hirn hörte irgendwann völlig auf, mit ihnen in Interaktion zu treten, und er saß nur da, angespannt, und seine Finger schwebten sinnlos über der Tastatur und warteten auf Anweisungen vom Kontrollturm. Er versuchte sich ganze Sätze zu merken, damit er nicht ständig auf den Text schauen musste und seine Augen auf der Tastatur halten konnte, doch er konnte nicht mehr als drei Worte gleichzeitig im Gedächtnis behalten.

Nach fünf Minuten stand Folgendes auf dem Bildschirm:

Heute mus die Welr des Dutes neu entderkt erden. Die ersen Forsvher und Pioniwe aren die Jugen. Sie aren die Ersren, die erkant aebn, dass usner Geruchsínn genasuo für Freunde und Erahrungen zugängglich ist wie unsere anderen Sinne. Sie haben gelernt, sich auf einere Ebene mit Duft zu umgeben, die unsere estliche Welt seit hundert, vuelleicht tausend Jahren nicht geannt jat. Sie benutzen Düfte mit derselben Freiheit, wie ees die Menschen manceer alten Völke lange vor Christi Geburt taten. Aber sie haben einen Virteil vor diesen frügren Menschen. Da sie im letzten Teil des 20.Jahrhunderts leben, können sie Duftprodukte in einer Vielfalt genießemn, wie sie nue zuvor gekannt wurde

Fünf Minuten – um 109 Wörter zu tippen. Das war … das war … Scheiße. Er schaffte es einfach nicht, und das war verdammt erbärmlich. Er atmete tief durch, schenkte Trish einen strengen Blick, der besagte: »Wag es ja nicht«, und fing von vorne an. Diesmal brauchte er fünf Minuten und zwanzig Sekunden. Sein dritter Versuch dauerte sechs Minuten und elf Sekunden, und er wollte sich gerade in einen sechsten Versuch stürzen, als Emma das Zimmer wieder betrat.

»Nun«, sagte sie und sah ihn an, als ob sie alles Vertrauen in seine Tippfähigkeiten hatte, »wie ist es Ihnen ergangen?«

Ned kratzte sich am Kopf. »Ähm, nicht so gut, glaube ich.«

Emma setzte sich und blieb stoisch und ungerührt angesichts seines armseligen Ergebnisses, zählte zusammen und zeigte dabei einen positiven Gesichtsausdruck, der sagen sollte, dass sie glaubte, Ned könnte vielleicht insgeheim ein Tippwunderkind sein.

»Nun«, sagte sie schließlich, während sie etwas kritzelte und ihn anlächelte, »das sind ungefähr, grob geschätzt, zumindest wenn man von Ihrem ersten Test ausgeht, fünfundzwanzig Wörter in der Minute. Und ich weiß, wie verunsichernd diese Tests sein können. Sollen wir also sagen, fünfunddreißig Wörter in der Minute?«

»Ja«, antwortete Ned, der vor ihr auf die Knie fallen, sein Gesicht in ihrem Schoß vergraben und sie nie wieder gehen lassen wollte. »Ja. Das wäre toll.«

»Gut.« Sie stand auf. »In Ordnung. Lassen Sie uns wieder

in mein Büro gehen und sehen, ob wir etwas für Sie finden können.«

Zwei Stunden später fand sich Ned im Empfangsbereich einer Plattenfirma hinter dem Soho Square wieder. Emma hatte es tatsächlich geschafft, »etwas« für ihn zu finden; doch so begierig Ned auch darauf gewesen war, eine einträgliche Beschäftigung zu finden, einen Sprung auf der Karriereleiter zu machen und mit dem Rest seines Lebens anzufangen, er war doch nicht darauf vorbereitet gewesen, heute schon damit zu beginnen. Er war noch nicht mental bereit, den Rest seines Lebens jetzt gleich anzufangen. Er wollte noch einen Tag, an dem er herumhing und nichts tat. Oder auch zwei.

Er hätte sich anders angezogen, wenn er gedacht hätte, er würde heute mit Arbeiten anfangen, hätte andere Unterhosen angezogen und wahrscheinlich auch andere Schuhe. Trotzdem, dachte er, acht Pfund fünfzig in der Stunde. Da konnte er nicht meckern. Und es war nur für eine Woche. Vielleicht hatten sie am Freitag schon keine Arbeit mehr für ihn, und er hätte dann ein langes Wochenende.

»Ned London?« Ein Mann um die vierzig, der von Kopf bis Fuß in Diesel gekleidet war, betrat den Empfangsbereich mit dem Anschein völliger und äußerster Gleichgültigkeit. Ned argwöhnte, dass die Aufgabe, Leute von der Zeitarbeit am Empfang zu begrüßen, zu den Dingen zählte, die er am meisten auf der Welt hasste. »Sie kommen von der Agentur, ja?«

»Ja. Von der Agentur. Hi.« Ned stand auf und streckte die Hand aus.

»Hi. Okay. Es ist schon Mittagszeit. Es ist verdammt viel zu tun. Sie werden Ihren Hintern in Gang setzen müssen. Hier entlang.«

Jesus, dachte Ned und folgte ihm durch Flure, die bedeckt waren mit goldenen Schallplatten und Postern, was hat der für ein Problem? Es ist doch nicht meine Schuld, dass es fast Mittagszeit ist. Es ist nicht meine Schuld, dass er es nicht auf die Reihe gebracht hatte, *heute Morgen* jemanden zu kriegen.

Emma hatte ihm von seinem Job nur erzählt, dass er in der PR-Abteilung arbeiten und bei einem »sehr wichtigen Projekt« aushelfen würde. Ned stellte sich ein riesiges, offenes Büro voller schöner Mädchen aus dem Musikgeschäft vor, die alle Anrufe beantworteten und mit Journalisten von *Q* und *NME* sprachen. Er stellte sich vor, dass man ihm eine Liste mit Journalisten überreichen würde, die er anrufen und denen er etwas von einer neuen heißen Band erzählen und mit denen er dann versuchen sollte, Interviews und Fototermine zu vereinbaren.

»Okay«, sagte der Mann, der sich noch nicht mal vorgestellt hatte, »hier werden Sie diese Woche arbeiten.« Er öffnete eine Tür zu etwas, das aussah wie eine Art Lager, und schaltete ein Licht an – und enthüllte so, dass es zweifellos ein Lager war. »In Ordnung. Wir haben Ende Juli drei große Sachen, die rauskommen. Ein Album, zwei Singles. Pressefolder müssen spätestens Montag auf den Schreibtischen der Journalisten liegen, sonst sind wir aufgeschmissen. Okay? Also ...« Er führte Ned in eine Ecke des Lagerraums, schlitzte mit einem Skalpell einen Pappkarton auf und zog eine dunkelblaue Pappe mit dem Logo der Firma darauf heraus. »Fangen Sie damit an, die Folder zu falten.« Er faltete die Pappe geschickt zu einem Folder. »Sie sind alle in den Kisten hier. Es müssen tausend sein. Verständigen Sie sofort jemanden, wenn es so aussieht, als ob sie ausgehen. Dann müssen Sie die Presseinfos zusammenstellen.« Er riss einen anderen Pappkarton auf und zog eine große Kodak-Schachtel voller Fotos von einem ungefähr zwölfjährigen Jungen mit Gel in den Haaren und viel Schmuck heraus. »Biografie unten, Pressemitteilung oben, dann ein Foto, eine CD und eine Visitenkarte. Sie müssen die Visitenkarte an diese Klappe hier anheften. Okay?« Er knallte den Folder zu und sah Ned anklagend an,

als ob er erwartete, dass dieser sagen könnte, nein, es sei nicht okay, das Foto müsse in die Mitte.
Ned zuckte die Achseln und nickte. »Okay«, antwortete er.
»In Ordnung. Gut. Sobald Sie sich durch den Haufen durchgearbeitet haben, kommen Sie zu mir.« Er zeigte auf sich für den Fall, dass Ned irgendeinen Zweifel daran haben könnte, wen er damit meinte. »Ich bin in dem Zimmer über den Flur. Okay? Der Fotokopierer ist auch da drin, falls Sie keine Pressemitteilungen mehr haben. Kaffeemaschine gleich um die Ecke links. Toiletten auf dem Treppenabsatz, von wo wir gerade hergekommen sind. Okay?«
»Okay.«
»Dann also in Ordnung.« Der Mann sah Ned verlegen an, als ob ihm gerade klar geworden wäre, dass er ein fühlendes Wesen war, schob die Hände in die Taschen seiner trendigen Hose und verließ den Raum.
Ned sah sich verzweifelt um. Es war furchtbar hier drin. Es gab nicht mal Fenster. Und es war draußen ein wirklich schöner Tag, die Art zögernder Frühlingstag, an dem man alle Fenster öffnen und die Sonne auf der Haut spüren wollte. Und er steckte in diesem Raum voller Pappkartons und stellte tausend Pressepäckchen für irgendeinen dickärschigen Dummkopf mit einer Frisur zusammen, für die er zehn Jahre zu alt war. Toll. Hatten die Leute, die bei der Zeitarbeit arbeiteten, irgendeine Ahnung, fragte er sich, wie es wirklich dort war, wo sie einen hinschickten? Da saßen sie in ihren hübschen, plüschigen Büros und lächelten und waren nett. Sie lullten einen ein, so dass man ein Gefühl der Zugehörigkeit und der Sicherheit hatte, und dann schickten sie einen hinaus in die Welt der Arbeit an seltsame, feindliche Orte voller unfreundlicher Menschen, um dort die niedrigste aller Lebensformen darzustellen: die Aushilfe.
Er zog einen Folder aus einem Karton, betrachtete ihn eine Zeit lang und faltete ihn dann zu der geforderten Form zusammen.

Scheiße – es war nicht mal schwer. Es war scheißleicht. Er würde nicht mal die Herausforderung haben, die Fähigkeit zu meistern, Papier zu einer Art Origami zu falten, während er hier war. Er ging in die Hocke und ließ den Kopf zwischen seine Knie fallen. Hier war er also. Der erste Tag in Ned Londons großem neuem Erwachsenenleben, und er steckte in einem Lagerraum, faltete Dinge, genauso wie 1995, als er bei Benetton gearbeitet hatte.
Er stand auf und versuchte positiv zu denken. Denk an deinen Lebenslauf, dachte er, denk dran, dass da drin dann Electrogram Records stehen wird. Man weiß nie, auf wen du bei der Kaffeemaschine treffen wirst. Jemand wird dich vielleicht ins Herz schließen und dir einen richtigen Job mit einem Schreibtisch anbieten. Und mit Fenstern. Man weiß nie. Es ist ein Anfang, dachte er bei sich, es ist Mist, aber zumindest ist es ein Anfang.
Er ging zur Kaffeemaschine und machte sich eine heiße Schokolade, und dann kam er zurück und faltete noch einen Folder, fragte sich, wohin, zum Teufel, dieses besonders elende Kapitel seines Lebens ihn führen würde. Sein Geist wanderte, während er noch mehr faltete, und er begann sich das Leben vorzustellen, das ihn am Freitagabend in Wood Green so hatte erstarren lassen, das Leben, das darin bestand, Simon beim Kegeln zuzuschauen und sich sein Haar von Gervase schneiden zu lassen. Jetzt konnte er die Erfahrung, in einem fensterlosen Raum zu sitzen und den ganzen Tag Pappe zu falten, dieser unappetitlichen kleinen Zukunftsvision hinzufügen.
Er seufzte, schniefte und faltete noch einen Folder.

Siebenundneunzig Kilo und drei Pfund

Okay, Tony. Wenn ich dich bitten dürfte, die Schuhe auszuziehen und dich auf die Waage zu stellen.«
Tony bückte sich, um seine Schuhe aufzubinden, überlegte sich kurz, die Gelegenheit zu nutzen, die die »Startblock«-Position ihm erlaubte, um zur Tür hinauszuschießen und weiterzurennen, bis er zu Hause war.
Er zog die Schuhe aus und kletterte langsam auf die Waage. Das war es.
Er hatte sich nicht gewogen, seit er das letzte Mal im Fitnessstudio gewesen war, vor ungefähr achtzehn Monaten. Damals hatte er knapp über neunundsiebzig Kilo gewogen. Im Kopf hatte er es bis ungefähr fünfundneunzig Kilo geschafft, seit er Ness kennen gelernt hatte, doch nach Gervases Kommentaren am Samstag hoffte er auf etwas um die fünfundachtzig bis siebenundachtzig Kilo.
Er atmete tief durch und setzte den zweiten Fuß auf die Waage, Jan ließ Gewichte über eine Metallstange gleiten, bis die Stange im Gleichgewicht war.
Und da stand es – die traurige Wahrheit, die ihm boshaft ins Gesicht starrte.
Siebenundneunzig Kilo.
Siebenundneunzig Kilo.
Tony spürte, wie ihm vor Schreck darüber das Blut in den Kopf stieg. Das hieß, dass er über hundert gewogen haben musste, be-

vor er angefangen hatte abzunehmen. Mein Gott – er war absolut *gewaltig.*

»Also«, sagte Jan, der Tonys Trauma bewusst war. »Siebenundneunzig Kilo.« Sie notierte sich die hässliche Zahl auf einem Formular, das sie ausfüllte. »Und was ist dein Idealgewicht?«

»Nun ja«, sagte er, während er schweren Herzens von der Waage stieg, »vor einem Jahr habe ich ungefähr neunundsiebzig Kilo gewogen. Ich wäre gerne wieder bei diesem Gewicht.«

»Okay.« Auch das kritzelte sie auf das Formular. »Das klingt nach einem völlig gesunden und realistischen Ziel. Angesichts deiner Größe und deines Körperbaus.«

»Ich habe schon ein paar Pfund verloren«, sagte er und versuchte etwas Positives in das zu bringen, was sich gerade als eine erbärmliche Erfahrung herauszustellen drohte, »nur indem ich nicht mehr so viel trinke, nicht mehr so oft auswärts esse, solche Sachen.«

»Gut gemacht!« Sie lächelte ihn ermutigend an. »So, wenn du jetzt bitte deine Schuhe wieder anziehst und ein paar Formulare ausfüllen könntest.«

Tony füllte die Formulare schnell aus – er hatte in seinem Leben jetzt schon so oft ähnliche Dinge ausgefüllt. Keine Diabetes. Keine Allergien. Keine Herzschwäche (na ja, auf jeden Fall nicht, dass er wüsste). Keine schweren Operationen. Bla, bla, bla.

»In Ordnung, Tony. Das Meeting fängt gleich an. Bist du bereit, mitzumachen?«

»Äh, ja. Sicher.«

»Und sei nicht nervös, weil du ein Mann bist, Tony. Wir haben jetzt einige Jungs in der Gruppe – seit wir Bryan auf unsere Posters genommen haben. Tatsächlich haben wir im Moment einen da.«

Tony lächelte sie nervös an.

»Und nach dem Meeting könntest du vielleicht noch ein paar

Minuten dableiben. Nur um zu plaudern. Ich plaudere gerne noch ein bisschen in der ersten Woche. Finde gerne ein bisschen mehr darüber hinaus, wie du tickst. Und du kannst noch ein bisschen mehr über uns erfahren. Okay?«
»Ja«, erwiderte Tony, »kein Problem.«
Jan stieß die Tür auf, und da war sie. Die Gruppe. O Gott. Ungefähr zwölf Leute. Alle fett. Alle plauderten, als ob sie sich schon ewig kannten. Ein besonders scheußlicher Mann in einem roten Sweatshirt sah auf und lächelte ihn fröhlich an. »Hallelujah«, sagte er mit einer äußerst lauten Stimme, die verriet, dass er ein Mann war, der alles immer mit einer äußerst lauten Stimme sagte. »Ein Kerl«, dröhnte er. »Allah sei gepriesen. Rette mich. Rette mich vor diesen ganzen unerträglichen Frauen.«
Die unerträglichen Frauen sahen alle den Typen im roten Sweatshirt an, als ob sie daran gewöhnt wären, dass er anmaßend und abscheulich war.
Rotes Sweatshirt klopfte auf den leeren Platz neben sich. »Komm und setz dich her«, forderte er ihn auf, »wir Jungs müssen zusammenhalten.«
Tony sah Jan flehend an, als ob er sagen wollte: »Bitte, lass mich nicht neben diesem schrecklichen, anmaßenden Mann sitzen, Tante Jan, bitte.« Aber Tante Jan strahlte ihn nur an und legte ihm eine Hand auf die Schulter. »Hallo, ihr, das ist Tony. Tony ist diese Woche unser neues Mitglied, geben wir ihm also alle das Gefühl, willkommen zu sein, ja?« Und dann dirigierte sie ihn in Richtung auf den leeren Platz neben Rotes Sweatshirt. Tony zog eine Grimasse und ging durch die Gruppe auf den Platz zu.
»Kelvin«, stellte sich der Mann vor und streckte eine fleischige Hand aus, »freut mich, dich kennen zu lernen, Tony.«
»Ja, mich auch.« Tony schüttelte ihm die Hand, und dann beugte sich Kelvin nahe an sein Ohr.

»Ein Haufen Flusspferde. Schau sie dir nur an. Arme Dinger.« Tony sah sich um und auf die Gruppe übergewichtiger Frauen und dann wieder auf den noch übergewichtigeren Kelvin.
»Ich sag dir, was mir aber an den Flusspferden gefällt«, sagte er und keuchte leicht, »sie sind immer so wahnsinnig dankbar.«
Tony sah ihn erschreckt an. »Bist du nicht hier, um abzunehmen?«, fragte er.
»Nein. Natürlich nicht. Ich bin hier wegen der schönen Damen.«
»Und bist du … bist du mit einer aus gewesen?«
Kelvin hob seine riesigen Schultern und senkte sie wieder. »Nein, noch nicht. Ich arbeite aber an der saftigen Tonia.« Er zeigte auf eine sehr glamouröse Blondine mit unglaublich langen Fingernägeln.
Tony verfiel in Schweigen und fragte sich, ob er vielleicht den Anstand haben und Kelvin sagen sollte, dass Tonia tatsächlich ein Feger war und dass er bei ihr absolut keine Chance hatte, doch da fing Jan an zu reden, und die Sitzung begann.
Um ganz ehrlich zu sein, fand Tony diese Erfahrung ziemlich fesselnd, in dem Sinne, wie billige Fernsehsendungen fesselnd waren. Da er noch nicht am Programm teilnahm, konnte er die Sitzung als eine Art leichte Unterhaltung betrachten. Er hörte fasziniert von Tonias Erfahrung bei einem Junggesellinnenabschied am vorigen Wochenende, als sie am Freitagabend in einen TFI gegangen waren, und dass sie so nahe daran gewesen war, alles zu essen, was auf der Karte stand – weil TFI ihr absoluter Liebling war –, und dass es nur der Gedanke an Jan und die Gruppe gewesen sei und daran, wie viel Vertrauen sie in sie setzten, der sie wieder zur Vernunft gebracht hatte. Er war gerührt davon, dass Arabella es geschafft hatte, die Woche zu überstehen, in der ihre ältliche Mutter gestorben war, ohne dass sie ihre Diät unterbrochen hatte – sogar bei der Beerdigung mit all den Kanapees. Jenny durchlitt offenbar eine furchtbare Zeit. Hatte

über die Woche eine ganze Lammkeule gegessen, Scheibe für Scheibe, mit Brot und Butter. Tony fühlte völlig mit ihr – er hätte genau dasselbe getan, wenn bei ihm eine Lammkeule herumgelegen hätte. Jan beruhigte sie, dass eine schlechte Woche keinen schlechten Menschen mache, dass jeder von Zeit zu Zeit einen Fehltritt begehe und dass sie das nächste Mal, wenn sie Fleisch vom Sonntagsessen übrig hatte, es sofort für den Hund zurücklegen sollte.

Die Gruppe unterstützte sich gegenseitig unglaublich, und keiner verurteilte den anderen für irgendetwas. Mit der Ausnahme des schrecklichen Kelvin, waren sie alle wirklich entzückende und herzerwärmende Menschen. Tony hatte einen Haufen Freaks erwartet und war angenehm überrascht, wie wohl er sich hier fühlte zwischen all den Leuten mit gesundem Appetit und einer Neigung dazu, es zu übertreiben. Und obwohl sie die Teile von ihm widerspiegelten, die er eigentlich ablehnte, mochte er sie doch. Es war seltsam beruhigend und tröstlich zu wissen, dass er nicht allein war, zu wissen, dass er nicht der einzige Mensch auf der Welt war, der sich systematisch durch ein Viertel Schaf arbeiten würde, wenn man ihn nur ließe.

Nach dem Meeting, das ungefähr eine halbe Stunde dauerte, zogen er und Jan sich in ihr kleines Büro zurück und führten, was sie als eine »nette kleine Unterhaltung« bezeichnete, während der sie ihn nach seinem Privatleben fragte und ob er alleine lebte oder nicht, wen er um Unterstützung bitten könnte, nach seinen allgemeinen Essverhalten, wie er sich körperlich bewegte. Dann gab sie ihm einige fotokopierte Richtlinien und Rezepte und erzählte ihm, wie sehr sie sich darauf freue, ihn in der nächsten Woche zu sehen, und Tony musste dem Drang widerstehen, sie zu umarmen und ihr zu gestehen, dass sie fantastisch sei – denn das war sie. Dies war mehr als nur ein Job für Jan; dies war eine Liebesleistung. Sie tat es, weil es sie glücklich machte.

Tony blätterte durch die Aufzeichnungen und die Rezepte und empfand eine aufflackernde Erregung. Er kam sich bekehrt, energiegeladen und begeistert vor. Er konnte es schaffen, dachte er, während er seinen Mantel anzog und zum Ausgang ging, er konnte sein Gewicht verlieren. Er konnte den alten Tony wieder entdecken. Er konnte wieder schlank und jugendlich werden. Er konnte es, das wusste er. Dies war genau das, was er brauchte. Er hatte gewusst, dass es einen Grund gegeben haben musste, weshalb er vor all den Wochen dieses Flugblatt aufgehoben hatte. Er hatte seine Bestimmung gefunden. Sein ganzes Leben mochte ein Chaos sein, doch dies hier war etwas, tatsächlich das Einzige, worüber er irgendeine Kontrolle ausüben konnte.

Ness' Vorschlag hing immer noch über seinem Kopf und ja, es klang so einfach, oder nicht? Sie einfach anzurufen und zu sagen: »Nun ja, ich habe drüber nachgedacht, und, nun ja, nein, ich will nicht mit dir zusammenziehen.« Es *klang* einfach, doch das Leben *war* nicht einfach. Es war nicht einfach, weil er und Ness aus irgendeinem unerklärlichen Grund schließlich ein wirklich schönes Wochenende zusammen verbracht hatten. Nicht aus irgendeinem Anlass, nur einfach eines dieser schönen, lockeren, sorglosen Wochenenden. Das Abendessen bei Rob und Trisha war überraschend gemütlich gewesen, und dann waren sie gestern Morgen aufgewacht, und alles war sonnig und frühlingshaft gewesen, so dass sie besonders angenehmen Sex gehabt hatten und für ein Mittagessen im Pub nach Dulwich gefahren waren (Tony hatte ein getoastetes Sandwich gegessen statt dem ganzen Sonntagsbraten, den er sonst bestellt hätte). Dann waren sie lange im Park spazieren gegangen, und Ness war einfach … nun ja, Ness gewesen, wie er annahm. Doch aus irgendeinem Grund war sie ihm nicht auf die Nerven gegangen, und Tony hatte sich gestattet, ausnahmsweise ihre Gesellschaft zu genießen. Es war eines von diesen seltsamen und unerklärlichen Dingen. Doch so angenehm es war, es machte die Dinge nicht eigentlich *anders*. Er wollte immer noch nicht mit ihr zusammenziehen. Er wollte immer noch nicht bei ihr enden. Er wollte immer noch mit Millie zusammen sein. Tatsächlich hatte er einen großen Teil des Wochenendes damit verbracht, sich vorzustellen, dass Millie ihn beobachtete und dabei dachte, wie viel Spaß es offenbar machte, seine Freundin zu sein.

Aber er war auch noch nicht bereit, Schluss zu machen. Beziehungen bekamen in Tonys Erfahrung eine Art Gestank, wenn ihre Zeit um war. Es war unmöglich, den genauen Moment festzulegen, in dem eine Beziehung sich zum Schlechten wendete, doch wenn man versuchte, eine Beziehung zu beenden, bevor sie auf diese stinkende Weise vorüber war, ging das immer schief, und man kam schließlich doch wieder zusammen und trennte sich dann später noch mal, ein Muster, das sich im schlimmsten Falle bis ins Unendliche wiederholen konnte. Nein, Tony war sich sicher, man musste warten, bis eine Beziehung ein stinkender, verfaulender Kadaver war, bevor man ausstieg; auf diese Weise konnten alle Betroffenen einfach weggehen, ohne den Wunsch zu verspüren, sich umzudrehen und noch mal hinzusehen. Seine Beziehung mit Jo hatte zu stinken begonnen, ein paar Monate bevor sie ihn verlassen hatte. Sie hatten es beide gewusst und es beide höflich ignoriert, bis Jo so anständig gewesen war, sich in jemand anderes zu verlieben. Doch seine Beziehung mit Ness hatte dieses Stadium des verfaulten Kadavers noch nicht erreicht.

Man hätte einwenden können, dass Tony Ness gegenüber unfair war, weil er sie hinhielt. Sie war neunundzwanzig, fast dreißig. Sie suchte nach Stabilität, einer Zukunft und Kindern, und jeder Tag, den sie mit Tony verbrachte, war ein verlorener Tag in der Verfolgung ihres Glücks. Doch es war wirklich ihre eigene Schuld. Tony hatte ihr nie irgendeinen Hinweis gegeben, dass er sich mit ihr niederlassen wollte. Er war unhöflich zu ihr, gedankenlos und unaufmerksam. Er sagte ihr nicht, dass er sie liebte, kaufte ihr keine Geschenke oder redete mit ihr über Babys und Hochzeiten. Sie war eine intelligente Frau, und es war ihre bewusste Entscheidung, bei ihm zu bleiben, während ihre Jugend verblasste. Vielleicht wartete sie im Unterbewusstsein ja auch auf den Gestank, überlegte Tony. Vielleicht befand er sich in einer unsichtbaren Phase des Countdowns, vielleicht war der Vorschlag zusammenzuziehen tatsächlich eine Art verschleiertes Ultimatum gewesen. Vielleicht würde sie Schluss machen, wenn er nein sagte. Was genau der Grund war, weshalb er nicht nein sagen konnte. Weil er nicht bereit war, Schluss zu machen. Er war nicht bereit für leere Wochenenden und dazu, allein auf Hochzeiten und Arbeitsessen zu gehen. Er war nicht bereit dafür, als Single wahrgenommen zu werden, von Millie oder irgendjemandem sonst. Es war nicht die Zeit. Noch nicht.

Ein paar Leute aus der Gruppe bummelten noch auf dem Bürgersteig vor dem Zentrum herum. Kelvin, der damit beschäftigt war, mit Tonia Süßholz zu raspeln, sah auf, als er Tony erblickte, der das Gebäude verließ. »Wir gehen alle in den Pub. Magst du was trinken?«, fragte er.

Tony sah auf die Uhr.

»Komm schon«, drängte Tonia und beäugte ihn verzweifelt.

»Okay«, antwortete er und dachte, er könnte nur für einen Abend ein Held sein, indem er Tonia half, sich den Aufmerksamkeiten des ekelhaften Kelvin zu entwinden. »Auf ein schnelles Glas.«

Sie gingen in ein Weinlokal namens Bubbles mit glatt gescheuerten Kiefernholztischen und einer Tafel – Tony hatte nicht gedacht, dass es immer noch Weinlokale mit Namen wie Bubbles gäbe, dachte, sie seien alle während des wirtschaftlichen Zusammenbruchs Anfang der neunziger Jahre verschwunden. Sie erinnerte ihn daran, als er in den Zwanzigern war, daran, wie das Geschäft angefangen hatte, daran, wie er Jo geheiratet hatte und er jung und reicher gewesen war, als er sich in seinen wildesten Träumen vorgestellt hatte. Sie erinnerte daran, wie er Anzüge von Hugo Boss getragen hatte und jeden Abend mit Jo in schicke Restaurants gegangen war, die voll von Männern in Hugo-Boss-Anzügen gewesen waren und in denen man ihnen mikroskopisch kleine Portionen serviert hatte. Sie erinnerte ihn daran, wie gut das Leben einst gewesen war und wie viel er verloren hatte.

Nach ein paar Minuten merkte Tony, dass Tonia mit ihm flirtete, und obwohl er erkennen konnte, dass sie eine äußerst attraktive und vollkommen charmante Frau war, machte diese Erkenntnis überhaupt keinen Eindruck auf ihn. Er nippte an seinem Wein und stellte wie ein Automat Tonia Fragen über sich – sie war dreiunddreißig, lebte in Balham, arbeitete beim Theater, liebte exotisches Essen, mochte keine Diäten etc., etc. – und er spürte, wie eine schreckliche Mutlosigkeit ihn erfasste. Wie war er so weit gekommen? Wie war sein Leben so glanzlos geworden? Doch dann erinnerte er sich, dass dies nur der erste Schritt zurück in den Sonnenschein und zu den guten Zeiten war. Deshalb war er schließlich hier. Weil der einzige Mensch auf der ganzen Welt, der ihm den Glanz bieten konnte, nach dem er sich so sehnte, allein in einer schönen Wohnung in Paddington saß und von seinem egoistischen jüngeren Bruder in die Gosse gezogen wurde. Weil sie beide zusammen die Welt erobern und alles wieder golden machen konnten. Und weil es keine Möglichkeit gab, dass sie ihn lieben würde, bis er sich selbst liebte, und so konnte er sich nicht selbst lieben. Er musste dünn sein. Es war die einzige Möglichkeit.

Er nippte noch mal an seinem Wein und fragte Tonia höflich, ob sie in letzter Zeit im Urlaub gewesen war.

Nachos mit Ned

Um sieben Uhr am Dienstagabend schwebte Seans Maus über »Wörter zählen«. Er hielt den Atem an und klickte drauf:

Wörter zählen	
Seiten	123
Wörter	28 981
Anschläge (ohne Zwischenraum)	130 544
Anschläge (mit Zwischenraum)	159 300
Absätze	724
Zeilen	2 445

Fast 30 000 Wörter. Das war fast ein Drittel eines Buches, konnte sogar ein halbes Buch sein, wenn er die Dinge nicht zu kompliziert gestaltete. Wahnsinn. Er würde es schaffen. Er würde sein Buch zu Ende bringen. Er hatte gestern Morgen eine schüchterne kleine E-Mail von seinem Agenten bekommen, der ihn nach dem Manuskript fragte und wann er es erwarten dürfe. Wenn Sean diese E-Mail vor einer Woche erhalten hätte, hätte sie ihn vor Schreck gelähmt, und er hätte angefangen zu hyperventilieren. Doch nun lächelte er in sich hinein und formulierte ruhig eine Antwort an seinen Agenten, dass, auch wenn er die Deadline nicht ganz schaffen mochte, alles sehr schön vorwärts gehe und er es ihm im Juli zukommen lassen würde. Er hatte wie ein Wahnsinniger gearbeitet, hatte Millie eine Woche lang nicht gesehen, hatte niemanden eine Woche lang gesehen. Er hatte bis spät in die Nacht gearbeitet, war ins Bett gegangen, wenn es fast Morgen wurde, war spät aufgestanden und hatte wieder von vorne angefangen. Er hatte nicht mal Fernsehen geschaut.

Millie war natürlich nicht erfreut über diese Wendung, doch das war ihm, ganz ehrlich, völlig schnuppe. Er hatte seine Karriere ihretwegen bereits unterbrochen, hatte sein ganzes *Leben* wegen ihr unterbrochen. Er hatte ihr genau erklärt, was er durchmachte, dass er in einen Rausch geraten war und dass alles wieder quietschend zum Halten kommen könnte, wenn er sich aus dem Raum bewegen sollte, in dem er sich gerade befand. Sie hatte gesagt, dass sie das natürlich verstehe, doch mit einer Stimme, die verriet, dass sie es nicht tat. »Wann darf ich erwarten, dich wiederzusehen?«, hatte sie in ihrem geschliffenen, glatten Englisch gefragt. »Ich weiß nicht«, hatte er geantwortet. »Wenn ich das Gefühl habe, an einem natürlichen Break angelangt zu sein.« Er konnte fast den Subtext in ihrer Stimme hören: »Aber ich bin schwanger, was, in der ganzen Welt, könnte wohl wichtiger sein als das Wunder des Lebens?«

Doch im Augenblick war dies hier wichtiger. Es war wichtiger als Babys und Beziehungen und drei richtige Mahlzeiten am Tag essen. Es war wichtiger als alles andere. Und er hatte natürlich seinen eigenen Subtext. Es war nicht nur das Buch, es ging nicht nur darum, die Deadline zu schaffen – es ging darum, weg von ihr zu sein. Es tat ihm gut. Seine alte Routine neu zu entdecken, PG Tips zu trinken anstatt ein englisches Frühstück zu sich zu nehmen, ins Bett zu gehen, wann, zum Teufel, er wollte, nicht auf die Vorlieben von jemand anderem achten zu müssen. Er hatte keine Ahnung, ob er sich auch so fühlen würde, wenn sie nicht schwanger wäre, aber er vermutete, nein. Die nicht schwangere Millie war unvorhersehbar und aufregend gewesen – er hatte mit ihr herumhängen und ihre Vorlieben berücksichtigen wollen, weil er nie wusste, wo er enden mochte, und es sich immer irgendwie auszahlte, sei es nun ein toller Abend, eine surreale Begegnung oder die Entdeckung von etwas Neuem und Aufregendem. Die schwangere Millie war nur ein Hemmschuh, um ehrlich zu sein. Sie verhieß nichts Unerwartetes mehr. Er fand es wirklich schwer, sich ihr gegenüber zu verhalten, während sie in diesem Zustand war. Es war, als ob sie Jesus gefunden hätte oder so.

Er dachte immer noch an das, was Tony zu ihm gesagt hatte, und er wusste, dass er Recht hatte. Er musste Entscheidungen treffen. Er musste über die Zukunft nachdenken, doch das Problem war, dass er im Augenblick keinen Platz im Kopf hatte, um darüber nachzudenken. Er liebte Millie immer noch – natürlich tat er das. Aber er wusste wirklich nicht, was er für Gefühle in Bezug auf Hochzeiten, Babys und die Zukunft hatte. Jedes Mal, wenn er versuchte, einen Platz auf der Festplatte in seinem Kopf freizumachen, um über die Situation nachzudenken, explodierte sein Kopf, und stattdessen fing er wieder an über sein Buch nachzudenken. Millie, ihre Wohnung und ihre Katzen fühlten sich dann an wie eine ferne, verlorene Welt, wie etwas aus seiner Vergangenheit.

Er sah wieder auf die Uhr auf seinem Computerbildschirm. Zehn nach sieben. Er las das letzte Stück Text noch einmal, das er geschrieben hatte, und erkannte überrascht, dass er einen »natürlichen Break« erreicht hatte. Er konnte locker in einen Zug springen, es nach Paddington schaffen, den Abend mit Millie verbringen. Doch er wollte es nicht. Kein bisschen. Doch er hatte den plötzlichen Drang, aus der Wohnung zu kommen und mit einem anderen Menschen zu sprechen.

Er dachte kurz über seine Zwangslage nach und nahm dann den Hörer ab und rief Ned an.

Vierzig Minuten später saß Sean auf dem Sofa in Beulah Hill und sah sich, ein Bier in einer Hand und die Fernbedienung in der anderen, *Buffy die Vampirjägerin* an. Mum zauberte in der Küche entzückt einen großen Teller mit Nachos für ihre Jungs. Ned lag in voller Länge ausgestreckt auf dem anderen Sofa, las ein *heat*-Journal und bohrte in der Nase, und Goldie lag vor dem Fernseher, die Vorderpfoten in der Luft, und schnarchte zufrieden vor sich hin. Sean atmete erleichtert auf. Das war schön, dachte er, das war richtig. Er war wieder da, wo er hingehörte.

Es war ihm gelungen, allen Fragen von Mum über sich und Millie auszuweichen. Nein, sie hatten noch kein Datum festgesetzt; nein, es würde wahrscheinlich keine Sommerhochzeit werden; nein, er hatte keine Ahnung, ob sie sich kirchlich oder standesamtlich trauen lassen würden. Er und Millie würden lange verlobt sein, hatte er gesagt, und Mum hatte gelächelt und mehr als zufrieden darüber ausgesehen. »Das ist gut«, hatte sie gemeint. »Es hat keinen Sinn, irgendetwas zu überstürzen, oder?«

Er hatte immer noch keine Ahnung, wann er seiner Familie sagen sollte, dass Millie tatsächlich schwanger war. Glücklicherweise war sie vorsichtig, wollte erst warten, bis die zwölfte Woche vorbei war, bis sie »sicher« war. Sie hatte es ihrer Schwester und ein paar engen Freunden erzählt, und Sean hatte es Tony erzählt, doch abgesehen davon wusste keiner auf der ganzen weiten Welt davon, und Sean war es recht so. Wenn es andere Leute wüssten, würde das Millie nicht noch schwangerer machen, als sie sowieso schon war, doch es würde es ihm schwerer machen, so zu tun, als ob es nicht wahr wäre.

»Wie läuft's mit dem Buch?«, fragte Ned, und legte seine Ausgabe von *heat* beiseite.

»Toll!«, antwortete Sean, der es schätzte, wie Ned unwissentlich seine Gedanken von den problematischeren Bereichen seines Lebens ablenkte. »Tja – anfangs war es ein bisschen wacklig, aber jetzt läuft es wirklich gut.«

»Wovon handelt es?«
»Nun ja, da ist dieser Typ, der sich in diese Frau verliebt ...«
»Was – du schreibst einen *Liebesroman*?« Ned sah entsetzt aus.
»Nein, nein, nein – er verliebt sich in diese Frau, ja, denkt, sie ist die Richtige für ihn. Und dann wird sie schwanger.« Er sah Ned an und wartete auf seine Reaktion.
»Okay. Und dann?«
»Na ja, sie wird schwanger und will es behalten, und es geht um den Blickwinkel des Typen in dieser Situation.«
»Oh«, meinte Ned und klang leicht verwirrt, »in Ordnung. Was ist der Gag?«
»Es hat keinen Gag. Es ist nur so, weißt du, Frauen haben diese ganze Macht über die Männer, treffen all diese Entscheidungen über Babys und alles, und Männer müssen sich dem einfach fügen. Und es geht nicht nur um Babys, weißt du, es ist alles. Diese ganze Werbung im Fernsehen, die sie die ganze Zeit bringen, in der ›dummen‹ Männern gezeigt wird, wie sie Regale aufstellen oder das Autoradio einbauen oder die Autoversicherung kaufen oder das verdammte Bad richtig schrubben. Es macht mich einfach sauer. Da ist diese Haltung in diesem Land – und die wird nicht nur von den Frauen verewigt, sondern auch von den Männern –, dass Männer ungeschickte, tumbe, nutzlose Wesen sind, die alles falsch verstehen – als ob wir auf derselben Evolutionsstufe stehen wie die verdammte von Goldie. Und Frauen sind diese himmlischen Wesen voller Weisheit und Einsicht und verdammter emotionaler Intelligenz. Es ist so verdammt herablassend.«
»Was macht er also, dieser Typ mit der schwangeren Freundin?«
Sean zuckte die Achseln. »Weiß nicht«, antwortete er, »ich habe mich noch nicht entschieden.«
»Wird er sie *umbringen*?«; fragte Ned, dessen Gesicht sich bei der Vorstellung aufhellte.
»Nein.«

»Wird er dann alle schwangeren Frauen umbringen? Du weißt schon, ein Serienengelmacher oder so?«
»Nein. Es ist nicht wie das erste Buch. Keiner wird getötet werden.«
»Oh«, machte Ned und sah leicht enttäuscht aus. »Na, egal.«
Keiner von beiden sprach eine Weile, und Sean wechselte ein wenig zwischen den Kanälen, während die Werbung lief.
»Woher hast du deine Ideen?«, fragte Ned plötzlich.
»Was für Ideen?«
»Du weißt schon. Wie bei *Half a Man* – woher hattest du den ganzen Kram über Zwillinge?«
Sean warf ihm einen Blick zu. Dass er von Ned getrennt wurde, als er nach Australien ging, hatte ihn zu der Idee inspiriert. Sean war so geschockt gewesen von Neds plötzlichem Aufbruch und seinem Verschwinden aus seinem Leben, dass er nachdenken musste: Man stelle sich vor, wie es wäre, wenn einer deiner Geschwister tatsächlich stürbe – wie würde ein Mensch über so einen Verlust hinwegkommen? Die Geschwister waren die einzigen Menschen im Leben, die von Anfang an da gewesen waren und die aus derselben Perspektive wie man selbst wusste, wie die Kindheit gewesen war. An einem Tag streitet man sich regelmäßig, und am nächsten sitzt man im Pub und genießt die Gesellschaft des anderen, und am übernächsten verschwindet einer auf die andere Seite des Planeten, womöglich für immer. Sean konnte sich keinen größeren Verlust vorstellen als den eines Bruders oder einer Schwester und hatte den Gedanken in ein Buch über identische Zwillinge übertragen. »Du«, sagte er und beobachtete Neds Reaktion, »du und deine Reise nach Australien. Hat mich daran denken lassen, wie es wäre, wenn du sterben würdest. Oder Tony«, fügte er hinzu.
Neds Gesicht erhellte sich. »Du meinst, ich habe dir die Idee zu deinem Buch eingegeben?«
»Mmh.«

»Verdammt!« Er lächelte verlegen und sah erfreut aus. »Das ist so cool! Warum hast du es mir dann nicht gewidmet, du Schuft?«
Bernie kam mit Nachos und Bier herein und stellte beides vor die Jungen hin. Sie stürzten sich wie zwei ausgehungerte Bälger darauf, und Sean fragte sich, warum er das hier nicht häufiger tat. Er hatte es sich abgewöhnt, als Ned fortging. Sosehr er Mum und Dad liebte und so gerne er in diesem Haus war, es kam ihm leicht traurig vor, hier herumzuhängen, wenn sein Bruder nicht da war. Tatsächlich, wenn er darüber nachdachte, verdankte er sein Buch und seinen Erfolg in mehr als einer Hinsicht Ned. Wenn Ned nicht nach Australien gegangen wäre, hätte Sean mit dem Schreiben wahrscheinlich gar nicht erst angefangen.
»Hast du das gehört, Mum?«, fragte Ned Bernie. »Ich habe Ned zu seinem Buch inspiriert.«
»Ach, wirklich – dann bist du also ein Serienmörder?«
»Nein – weil ich nach Australien gegangen bin. Deshalb hat er darüber nachgedacht, wie es wäre, wenn ich tot wäre.«
Sean blickte in Neds aufgeregtes Gesicht und spürte, wie sich sein Magen wie eine Katze zusammenrollte. Sein kleiner Bruder. Der einzige Mensch auf der Welt, der ihm nicht das Gefühl gab, ein Sonderling zu sein. Und der einzige Mensch, mit dem sich Sean wirklich wohl gefühlt hatte. Das heißt, bis Millie. Er hatte ihn in den Wochen vernachlässigt, seit er wieder da war. Er war so in Millie und Verlobungen und Schwangerschaften aufgegangen, ganz zu schweigen von seiner Arbeit, dass er kaum einen Augenblick für Ned erübrigen konnte. Doch das würde sich ändern, beschloss er, alles würde sich ändern. Was immer mit ihm und Millie passierte, ob sie zusammenblieben oder nicht, heirateten oder nicht, ob sie zusammen ein Baby bekamen oder nicht, alles würde sich ändern. Er hatte ihr gestattet, ihn völlig in ihre Welt aufzunehmen, ihn mit ihren abgedrehten Möbeln,

schicken Club-Getränken und ihrer Unvorhersehbarkeit hineinzuziehen. Doch er gehörte nicht in ihre Welt – hierher gehörte er, und das waren die Menschen, zu denen er gehörte. Seine Familie.
Er seufzte zufrieden und stopfte sich noch eine Handvoll mit saurer Sahne getränkten Nachos in den Mund.

Um zehn Uhr zog er seine Jacke an, küsste zum Abschied seine Mum, umarmte Ned rau, aber herzlich, und schob sein Rad hinaus auf den Beulah Hill. Es war ein klarer, kühler Abend, der hell von einem fast vollen Mond erleuchtet wurde. Er war gerade auf sein Rad gestiegen, als die Umrisse einer Gestalt, die eine Zigarette rauchte, um die Ecke bog.
»Alles in Ordnung, Sean? Wie läuft es?«
»Oh. Hallo, Gervase«, grüßte Sean, der sich plötzlich schüchtern fühlte. Er war noch nie zuvor wirklich allein mit Gervase gewesen und war leicht verlegen. »Mir geht's gut, danke.«
»Bei deiner Mum gewesen?«
»Ja. Und bei Ned.«
Gervase nickte zustimmend. »Das ist gut«, sagte er, »er hat dich vermisst.«
»Ja? Warum? Was hat er gesagt?«
»Direkt gesagt hat er nichts«, gab Gervase zurück, »hab nur so ein Gefühl. Ihr zwei steht euch sehr nahe, oder?«
Sean zuckte die Achseln und nickte. »Ja, ich denke schon.«
»Das ist gut«, meinte Gervase und zog tief an seiner Zigarette. »Es ist gut, so einen Bruder zu haben – gut, so eine Art von Beziehung zu haben.«
»Ja«, antwortete Sean, nickte und fühlte sich seltsam getrieben, weiterzureden, obwohl er gefährlich auf seinem Rad balancierte und eigentlich nach Hause und weiterarbeiten wollte.
Einen Moment schwiegen sie, Sean wackelte auf seinem Rad hin und her, Gervase hüpfte leicht auf den Hacken auf und ab.

»Hab dein Buch neulich gelesen«, sagte Gervase plötzlich.
»Ach ja?«, meinte Sean ein wenig überrascht – Gervase sah nicht aus, als ob er viel lesen würde.
»Ja. Ich bin kein großer Leser, aber ich dachte, du weißt schon, wo ich doch in deinem Haus wohne und so, da schien das mehr Sinn zu haben.« Er hinterließ Schweigen, jenes Schweigen, das Sean immer hasste – er dachte, die Leute machten das absichtlich, um ihn aufzuregen.
»Nun«, sagte Sean schließlich, »was hast du davon gehalten?«
»Fantastisch«, antwortete Gervase und rieb sich die Hände. »Hab es an einem Tag gelesen – ein echter Page-turner.«
»Danke«, sagte Sean und fühlte sich seltsam gerührt von dieser Erklärung.
»Weiß nicht, wie ihr Schriftsteller das macht. Woher ihr alle eure Inspiration nehmt. Und diese ganze Disziplin.«
»Ja«, gab Sean zu, stieg unwillkürlich vom Rad und lehnte es an die Gartenmauer. »Manchmal ist es schwer. Bei diesem zweiten habe ich einen Albtraum erlebt.«
»O ja – so was wie eine Schreibblockade?«
»Ja. Konnte einfach kein Wort mehr schreiben. Ich weiß nicht, ob es die Umstände waren oder die Chemie in meinem Hirn. Aber es ist einfach nichts passiert – eine Ewigkeit nicht.«
Gervase sog den Atem zwischen den Zähnen ein. »Scheiße, das muss wirklich erschreckend sein.«
»Das ist es. Man fühlt sich so machtlos. Als ob das Buch diese wunderschöne Frau wäre und sie liegt da im Bett, nachts, mit gespreizten Beinen, wartet auf dich, und du kriegst ihn einfach nicht hoch. Manchmal versucht man stundenlang, ihn hochzukriegen, manchmal gibt man es einfach auf und zieht sofort die Hosen wieder hoch.«
Gervase lachte über Seans Vergleich. »Schade, dass es nicht eine Art Viagra für Schriftsteller gibt, oder?«

Sean nickte und lachte. »Genau.«
»Was hat denn dann die Blockade gelöst? Was war dein ›Viagra‹?«
Sean zögerte. Er machte den Mund auf, wollte schon etwas sagen, hielt sich dann aber zurück und zuckte die Achseln. »Bin mir nicht wirklich sicher«, sagte er. »Nur ein bisschen die Änderung meines Lebensstils.«
Und dann geschah etwas wirklich Seltsames. Gervase packte plötzlich Seans Arme und sah ihm ganz tief in die Augen. Als er das tat, merkte Sean, wie er ganz weich und nachgiebig wurde und dieses wirbelnde Gefühl im Bauch bekam, als ob ihm jemand gerade ein wirklich schönes Kompliment gemacht hätte.
»Was?«, fragte er und sah Gervase erschreckt an.
»Du verweigerst dich«, behauptete er, fuhr mit den Händen an Seans Armen entlang und ergriff seine Hände.
»Bei was?«
»Ich weiß nicht. Aber du machst dir nur etwas vor. Spielst etwas. Baust Mauern um dich.«
»Wovon redest du?«
»Ich habe es dir gesagt – ich weiß es nicht. Ich sage dir nur, was ich sehe. Und ich sehe einen sehr verängstigten Mann, der versucht, so zu tun, als ob ihm niemand wichtig wäre. Und wer immer es ist – er ist dir wichtig. Und wenn du den anderen Menschen nicht wissen lässt, dass er dir wichtig ist ...«
Sean hielt den Atem an und starrte in Gervases Augen.
»... kannst du gleich ganz aufgeben zu leben. Du schwankst am Rande der Hölle, Kumpel – du wirst dir dein ganzes Leben zerstören. Horch in dich hinein. Schau dir deine Familie an. Das bist nicht du. Hör mit dem Schauspielern auf. Reiß die Mauern ein. Sei ein Mann.«
Und dann, ließ er plötzlich Seans Hände los, trat einen Schritt zurück und schnaubte. »Egal«, sagte er, »ich lass dich besser wei-

terfahren. War nett, mit dir zu reden, Sean. Und, äh … hoffentlich sehe ich dich jetzt etwas öfter hier, häh? Vielleicht kommst du ja mal, um deine Mum an einem Abend in der Tavern singen zu hören?«

»Äh … klar«, antwortete Sean, kratzte sich am Kopf und fühlte sich leicht schwindlig.

»Cool«, bemerkte Gervase, »vielleicht morgen?«

»Ja«, erwiderte Sean, »vielleicht.«

Und dann ließ Gervase seine Zigarette auf den Boden fallen, trat sie mit der Hacke seines Schuhs aus und ging knirschend über den Kies zur Haustür von Nummer 114.

Sean stand eine Zeit lang da, ließ das Erlebte auf sich wirken und versuchte, in das, was gerade passiert war, einen Sinn zu kriegen.

Verrückt, dachte er, während er auf den hellen Kreis des Mondes starrte und den Kopf schüttelte, offensichtlich vollkommen plemplem. Doch als er sein Rad umdrehte und es in Richtung Catford stellte, konnte er das Gefühl nicht abschütteln, dass Gervase ihn beeinflusste. Es war so eine intensive Erfahrung gewesen, als ob er und Gervase irgendwie *verwandt* wären. Das war nicht einfach nur ein Verrückter gewesen, der auf einen Normalen einschwadronierte – es war eine Art *Verschmelzung* gewesen.

Lass das Schauspielern, dachte er, während er langsam wieder auf sein Rad stieg, sei ein Mann.

Was für eine Schauspielerei? Er spielte nicht. Er lebte, existierte, führte sein Leben, so gut er es konnte. Sei ein Mann. Das hatte Tony zu ihm gesagt. Und Millie auch. Aber er war ein Mann – darum ging doch alles, oder? Erfolgreich zu sein, irgendwie Kontrolle über das eigene Schicksal zu haben, sein eigener Herr zu sein. Er war Millies Schoßhund gewesen, seit sie sich begegnet waren, war ihr überallhin gefolgt, hatte Dinge auf ihre Art getan, hatte seine Arbeit schleifen lassen, hatte sich bemüht. Er hatte ihr sogar einen verdammten Verlobungsring gekauft.

Erst jetzt begann er sich wieder wie ein Mann zu fühlen.

Er radelte schnell über Westwood Hill nach Forest Hill und pumpte Gervases Bemerkungen mit jeder Umdrehung seiner Pedale aus seinem Bewusstsein.

Die Antwort der Rileys

Ein Brief wartete auf Ned, als er am Mittwochabend vom Pappefalten nach Hause kam. Die Handschrift war ihm nicht vertraut, doch auf dem Brief stand ein englischer Poststempel, so dass Ned wusste, er kam nicht von Monica. Er setzte sich auf die Treppe und tätschelte geistesabwesend Goldies Kopf, während er ihn las:

Dienstag, 1.Mai

Lieber Ned,
Ihr Paket und Ihr Brief sind heute Morgen angekommen. Wie Sie sich vorstellen können, waren wir beide entsetzt über den Inhalt, doch wir wollten Ihnen so sehr dafür danken, dass Sie daran gedacht haben, es uns zu schicken. Sie haben Recht. Monica ist nicht mehr Ihre Verantwortung. Wir beide wissen, wie sehr Sie sich bemüht haben, sie glücklich zu machen, und wir wissen auch, wie schwer sie es Ihnen gemacht hat. Wir haben sie heute angerufen, und sie ist ganz am Boden. Sie sagt, sie sieht keinen Sinn mehr in irgendetwas. Sie konnte nicht erklären, warum sie Sie auf so eine seltsame Weise belästigt hat. Aber wir glauben, Sie haben wahrscheinlich Recht. Sie wollte nur etwas Aufmerksamkeit. Also haben wir unsere Flüge gebucht und werden einige Zeit mit ihr in Sydney verbringen, um zu sehen, ob wir sie dazu überreden können, eine Zeit lang nach Hause zu kommen. Dieser Besuch ist schon lange überfällig. Sie sind so ein starker junger Mann mit

so einem großen Herzen, und ich glaube, wir haben uns immer darauf verlassen, dass Sie bei ihr waren und dass Sie sich um sie kümmern würden. Ich habe das Gefühl, wir haben sie schrecklich vernachlässigt.

Also danke, Ned, für all Ihre Sorge und Ihre Unterstützung in all den Jahren. Wir wissen, Sie hätten Monica niemals absichtlich verletzt. Und wir können Ihnen versichern, dass Sie keine makabren Pakete oder obszönen SMS mehr bekommen werden.

Wir wünschen Ihnen alles Glück der Welt bei allem, was Sie schließlich tun werden.

In Dankbarkeit,
Ihre
Ann und Geoffrey Riley.

Ned las den Brief zweimal, ein kleines Lächeln breitete sich auf seinem Gesicht aus, bevor er ihn zusammenfaltete, wieder in den Umschlag steckte und zur Küche und einem schönen kalten Bier ging.

Abendessen bei Tony

Gott, ich liebe Nigella Lawson«, sagte Ness, während sie mit den Händen irgendwelches Grünzeug auseinander riss und in einen Topf warf, bevor sie sich umdrehte, ein riesiges Glas Weißwein ergriff und einen großen Schluck daraus trank. Sie brach ein großes Stück Kochschokolade von einer Tafel ab und steckte es sich in den Mund. »Schokolade?«, fragte sie und sah Tony dabei an.

Er schüttelte den Kopf. »Nein, danke.« Es war schlimm genug, dass Ness hier in seiner Küche schauderhaft fettes Essen kochte, das er nicht würde vermeiden können zu essen, ganz zu schweigen davon, dass sie ihn auch noch mit riesigen und völlig unnötigen Schokoladenklumpen in Versuchung führte.

Er sah auf die Uhr über dem Herd. Zwanzig nach sechs. Sie sollten in vierzig Minuten kommen, »sie«, das waren Sean und Millie. Ja, Sean und Millie kamen zum Essen. Es war alles Ness' Schuld. Nun ja – eigentlich war es die Schuld seiner Blase. Er war gestern Abend auf der Toilette gewesen, und das Telefon hatte genau in dem Augenblick geläutet, in dem er am wenigsten hatte drangehen können, also hatte er Ness zugerufen, sie möge abnehmen. Und natürlich war es Millie gewesen. *Typisch.* Da verbrachte er viele, viele Stunden nicht auf der Toilette und hätte ans Telefon gehen können, viele Stunden, in denen den Hörer abzunehmen das Leichteste auf der Welt gewesen wäre. Wie viel Zeit verbrachte er eigentlich auf der Toilette – fünf Minuten am Tag? Im Höchstfall eine halbe Stunde. Und Millie hatte es irgendwie geschafft, dieses kleine Fenster des Ungelegenkommens auszusuchen, um den Anruf zu tätigen, auf den er seit fünf langen Tagen geduldig wartete.

»Das war Millie am Telefon«, hatte Ness berichtet, als er ein paar Minuten später aus dem Bad wieder auftauchte. »Hat gesagt, sie habe mit dir über eine Renovierung deiner Wohnung gesprochen – ich wusste nicht, dass du daran gedacht hast, deine Wohnung zu renovieren; was für eine glänzende Idee! Egal, sie hat gesagt, du hättest sie eingeladen, um sie dir anzuschauen, und ich dachte, na ja, es wäre doch schade, wenn sie den ganzen Weg hierher käme, nur um ein bisschen rumzuwandern. Also habe ich sie zum Abendessen eingeladen. Und natürlich auch Sean. Sie klang wirklich erfreut!«

Er hatte Millie heute Morgen auf der Arbeit angerufen, um sicherzugehen, dass sie »wirklich erfreut« war – Ness gehörte zu den Menschen, die annahmen, dass alle die ganze Zeit über alles erfreut seien – und offenbar war sie es. Sie hatte gehofft, ihrem widerstrebenden Freund einen Besuch und die lange Fahrt Richtung Süden abzuringen, und dies ließ es weniger so aussehen, als ob sie ihn dazu zwänge, sondern mehr wie eine nette gesellige Angelegenheit.

Er verließ die Küche und sah sich in seiner Wohnung um. Scheiße – sie sah furchtbar aus. Er hätte Blumen kaufen sollen, irgendetwas, damit es hier weniger *steril* aussah. Er sprang eine Zeit lang umher, verteilte Kissen neu, räumte Stühle und Tische um, öffnete Vorhänge, schloss Vorhänge wieder, versteckte Gegenstände, die plötzlich bei der Aussicht, dass Millie sie anschauen könnte, vulgär und hässlich aussahen, bevor er auf die Uhr blickte und bemerkte, dass es Viertel vor sieben und er immer noch in Arbeitskleidung war.

Er raste hinauf ins Bad, duschte innerhalb von drei Minuten und versuchte dann hässliche zehn Minuten lang etwas Schönes zum Anziehen zu finden – was ihm misslang. Nachdem er ein paar Pfunde verloren hatte, hatte er dämlicherweise gedacht, dass er ein paar alte Lieblingssachen hinten in seinem Schrank wiederentdecken könnte, und vergeudete kostbare Minuten damit, zu kleine Hosen an- und wieder auszuziehen und vor dem Spiegel herumzuhüpfen, bevor er seine Niederlage zugab und seine vertrauten Chinos und einen blauen Fleecepullover anzog. Sein Haar schien sehr wenig Interesse daran zu haben, gut auszusehen, doch er hatte keine Zeit mehr, sich deshalb Sorgen zu machen. Es war sieben Uhr. Und dann klingelte es an der Tür. Er nahm auf seinem Weg die Treppe hinunter zwei Stufen auf einmal. »Ich geh schon«, rief er Ness in der Küche zu. Und dann blieb er für einen kurzen Augenblick stehen und starrte auf den Videoschirm. Da war sie. Da war Millie. Sie stand genau hinter Sean, richtete ihr Haar und zeigte ein steinernes Gesicht. Die Straßenbeleuchtung und der grieselige Schwarz-Weiß-Monitor ließen sie wie einen tragischen, schönen Filmstar aus den zwanziger Jahren aussehen. Tony atmete tief durch, berührte sein Haar, drückte auf den Knopf und ließ sie herein.

Tony hatte nicht die Absicht gehabt, sich an diesem Abend zu betrinken, doch um acht Uhr hatte er den größten Teil einer Flasche Wein geleert. Er trank tatsächlich schneller als Ness, was eine Leistung war, und er war ganz sicher der Betrunkenste am Tisch. Sean nippte langsam an einem Bier und behauptete, dass er es locker angehen müsse, da er mit einem Kater nicht schreiben könne. Millie würde es natürlich den ganzen Abend bei einem Glas Wein bewenden lassen, und Ness schluckte wie immer, besaß aber so eine hohe Toleranzschwelle gegenüber Alkohol, dass sie niemals betrunken wirkte, egal, wie viel sie trank. Tony dagegen hatte seit fast zwei Wochen nichts Richtiges mehr getrunken, hatte den ganzen Tag absolut nichts gegessen und stürzte geradewegs im großen Stil auf eine erbärmliche Trunkenheit zu. Er blickte hinüber zu Millie, die frisch und nüchtern war,

und wünschte sich, er könnte den Vorgang irgendwie umdrehen, doch es war zu spät. Er war blau.
Ness stand auf, um die Vorspeisenteller abzuräumen, und Millie sprang sofort auf, um ihr zu helfen. Tony erhob sich und wechselte die Musik. Er zog die Macy-Gray-CD heraus, die sie gerade gehört hatten, und ersetzte sie durch *White Ladder* von David Gray.
»Ich sehe, dein Musikgeschmack ist genauso scharfsinnig wie immer«, spöttelte Sean, so dass sich Tony die Haare aufstellten. Tony kaufte ungefähr drei CDs im Jahr, und es waren immer genau dieselben CDs, die der Rest der britischen Bevölkerung gekauft hatte. Tony hielt nicht Schritt mit Musik, hatte es noch nie getan, nicht seit er ein Teenager gewesen war. Er wusste ein wenig über Steps, Eminem, Kylie und die Leute, die bei *Pop Stars* gewonnen hatten, doch auch nur, weil sie immer in den Zeitungen waren. Er war eigentlich kein ›Musik‹-Mensch, und er hatte das Gefühl, dass es unnötig war, dass Sean das betonte und ihn deshalb auslachte. Seine unmittelbare Reaktion bestand darin, etwas zu betonen, worüber Sean vielleicht nicht gerade reden wollte.
»Also«, sagte er und setzte sich, »wie läuft es denn so mit Millie und dem ...« Er wölbte die Hand über seinem Bauch, um Seans ungeborenes Kind anzudeuten.
Seans Augen schweiften verlegen zur Küche. »Gut«, antwortete er, »nicht schlecht.«
»Also alles geklärt?«
»Na ja. Irgendwie. Du weißt schon.«
»Nein – was meinst du?«
»Na, ja, ich *gehe* damit um.«
Tony dachte an Millies tragisch unglückliches Auftreten und zuckte die Achseln. »Da sagt Millie aber was anderes.«
»Was sagt Millie? Du meinst, Millie hat mit dir darüber geredet?«

Tony pickte ein Salatblatt vom Tisch und spielte damit herum. »Eigentlich nicht – doch, sie hat gesagt, dass sie dich eine Weile nicht gesehen hat.«

»Was soll das?«, fragte Sean, der langsam anfing, etwas gereizt zu wirken. »Und warum rufst du eigentlich plötzlich Millie an?«

Tony ließ das Salatblatt auf seine Platzdecke fallen und wischte sich langsam die Hände an der Serviette ab. »Ich rufe Millie nicht ›plötzlich‹ an«, begann er ruhig. »Ich habe nur beschlossen, dass die Wohnung ein bisschen Sex-Appeal braucht, habe mich daran erinnert, dass Millie Innenarchitektin ist, hab sie angerufen, und sie hat zufällig erwähnt, dass sie dich eine Weile nicht gesehen hat. Und angesichts der Umstände …«, – er wölbte wieder die Hand über seinem Bauch –, »dachte ich einfach, es sei ein bisschen seltsam. Das ist alles. Es besteht kein Anlass, so hochzugehen.«

Es wurde still bis auf das Geräusch von Ness' und Millies Lachen, das aus der Küche hereinschwebte.

»Also«, fragte Tony, »was ist los?«

Sean sträubte sich ein wenig und rutschte auf seinem Platz herum. »Die Dinge sind im Augenblick nur ein bisschen schwierig, das ist alles.«

Tony warf ihm einen auffordernden Blick zu.

»Es ist mein Buch. Schau – ich habe damals niemandem davon erzählt, aber ich hatte wochenlang eine Schreibblockade. Konnte kein verdammtes Wort mehr schreiben. Und dann bin ich letzte Woche nach Hause gegangen, um Wäsche zu waschen und so, und etwas ist einfach eingerastet.« Er schnippte mit den Fingern. »Es hat einfach angefangen zu fließen. Und mir wurde klar, dass *Millie* die Blockade verursacht hatte – dass ich bei Millie war, weg von meiner vertrauten Umgebung. Und das Entscheidende ist Folgendes: Ich habe zwei Monate, um das Buch zu beenden, und bei Millie kann ich nicht schreiben. Es ist nichts

Persönliches.« Er drehte die Handflächen in einer Geste nach oben, die Bedeutungslosigkeit signalisieren sollte.
»Na ja, kannst du sie denn dann nicht wenigstens abends besuchen? Wenn du mit dem Schreiben fertig bist?«
»Man wird nicht ›fertig‹ mit dem Schreiben, Tony. Es ist nicht wie ein Job, weißt du. Du machst nicht um halb sechs deinen Aktenkoffer zu und gehst nach Hause. Manchmal komme ich sogar erst um sechs Uhr richtig in Schwung. Ich arbeite meistens bis weit nach Mitternacht.«
Beide Männer verstummten und sahen auf, als sie bemerkten, dass Millie wieder im Zimmer war.
»Sprecht ihr über meinen abwesenden Freund?«, fragte sie, glitt wieder auf ihren Stuhl und füllte ihr Glas erneut.
»Ja«, sagte Sean, »ich habe gerade versucht, Tony das mit dem Schreiben zu erklären und dass es ein bisschen anders ist, als sich den ganzen Tag mit Weihnachtskarten abzugeben und dann um halb sechs nach Hause zu gehen.«
»Schau«, sagte Tony, »es geht mich nichts an – dein Problem, das Ganze. Aber nun, da es raus ist, Ness …«, er zeigte in Richtung Küche, »darf sie es nun auch wissen?«
Sean zuckte die Achseln. »Von mir aus«, antwortete er, »offenbar werden wir doch bei Mums Party sowieso eine große *Verkündigung* machen …«
»Ich habe dir doch gesagt, mir ist es egal«, zischte Millie. »Es war nur ein Vorschlag, sonst nichts.« Sie nahm ihr Weinglas und trank wütend einen großen Schluck. Sean und Tony starrten sie beide an, sagten aber nichts.
»Alle bereit für den Hauptgang?«, zwitscherte Ness, die mit einem großen Messer in der Hand ins Esszimmer hüpfte.
»Ich helfe dir«, bot sich Millie an.
»Nein, nein, nein«, wehrte Ness ab und gab ihr zu verstehen, sie solle sitzen bleiben. »Ist schon in Ordnung. Du entspannst dich.«

Sie verließ das Zimmer, und das muntere, von Ness hervorgerufene Lächeln fiel von ihren Gesichtern.
»Also«, sagte Tony, der sich noch ein Glas Wein einschenkte, »wie fühlst du dich, Millie? Wie läuft es?«
»Oh, es ist einfach entzückend«, erwiderte sie und kippte noch mehr Wein. »Ich bin erschöpft, launisch und mir ist ständig schlecht. Jeden Morgen wache ich auf, übergebe mich, gehe zur Arbeit, übergebe mich, überstehe irgendwie den Tag, komme gleich nach Hause, weil ich zu kaputt bin, um gesellig zu sein, übergebe mich, warte ein paar Stunden, dass mein Freund anruft, erkenne, dass er es nicht tun wird, rufe ihn an und finde heraus, dass er sich in den Fängen der Schöpferfreude befindet und nicht die Absicht hat, mich zu besuchen, lege auf, weine eine Stunde lang und gehe dann ins Bett, wobei ich mich nach einer Zigarette sehne. Dann wache ich am nächsten Morgen ganz alleine auf, übergebe mich, gehe zur Arbeit und fange mit dem Ganzen noch mal von vorne an. Es ist wundervoll …« Sie strahlte beide an und zeigte dabei ihre großen weißen Zähne. »Mir ist es nie besser gegangen. Danke der Nachfrage.«
»Zum Teufel noch mal, Millie«, platzte Sean heraus, »ich habe dir das schon hundertmal erklärt. Das hier ist nur übergangsweise. Sobald das Buch fertig ist, wird alles wieder normal sein, das verspreche ich …«
»Normal? Was, zum Teufel, ist normal, Sean? Du meinst, dass du bei mir herumlungerst und rummaulst, dass ich nicht mehr so viel Spaß mache wie früher? Oder vielleicht meinst du, die ganze Nacht wegzubleiben und dich mit deinen Freunden vollzukoksen, während ich im Bett liege und krank vor Sorge um dich bin? Es gibt kein ›normal‹, Sean. Nicht, bis du diese Schwangerschaft akzeptierst und anfängst, damit umzugehen.«
Sean sah erst verzweifelt Tony an und dann Millie. »Schau, müssen wir hier und jetzt darüber reden? Können wir uns nicht später darüber unterhalten …?«

»Oh, warum denn, Sean? Tony weiß sowieso schon alles.«
»Weiß was?«
»Nun, er weiß zum Beispiel, wie man eine schwangere Frau behandelt.«
»Schwanger?« Ness stand in der Tür und hielt eine große Platte mit etwas, das wie eine halbe Kuh mit zwölf Knoblauchzehen und einem Weihnachtsbaum aussah. »Wer ist schwanger?«
Millie hob den Blick zur Decke und seufzte. »Ich«, antwortete sie.
»O mein Gott!« Ness ließ die Platte auf den Tisch fallen. »O mein Gott!« Sie lief um den Tisch herum und umarmte eine schockierte Millie. »Oh, das ist fantastisch! Wie weit bist du?«
»Neun Wochen – fast zehn.«
»O mein Gott! Sean – komm her!« Sie zog ihn hoch und drückte ihn, dass er keine Luft mehr bekam. Er lächelte grimmig. »Das ist einfach das Allerbeste. O Gott – die Hochzeit. Was macht ihr wegen der Hochzeit? Eine Blitzhochzeit? Oder vielleicht wartet ihr, bis das Baby älter ist. Oh, es könnte ein Pagenjunge oder ein kleines Blumenmädchen sein. Gott – ein Baby – ich kann es nicht glauben! Das schreit nach Champagner! Tony, der Mumm im Kühlschrank – ist es in Ordnung, wenn …?«
Tony nickte, und Ness lief wieder in die Küche. Sean drehte sich sofort zu Millie um. »Was hast du genau mit deiner letzten Bemerkung gemeint?«
»Was für eine Bemerkung?«, fragte Millie ungeduldig.
»Ach, die Bemerkung, dass Tony weiß, wie man eine schwangere Frau behandelt. Was sollte das?«
»Nichts«, antwortete Tony und wünschte sich sofort, er hätte es nicht gesagt.
»Was?« Sean warf ihm einen Blick zu.
Millie hob wieder den Blick zur Decke. »Schau, ich habe Tony gegenüber nur zufällig erwähnt, dass ich unter schrecklicher

morgendlicher Übelkeit leide, und er ist freundlicherweise zu Holland & Barrett gegangen und hat mir all diese Heilmittel gekauft.«
»Heilmittel?«
»Ja. Ingwer und Zitrone und so.«
»Und?«
»Und er hat sie mir nach Hause gebracht.«
»Tony war in deiner Wohnung? Du warst in ihrer Wohnung?« Er drehte sich um und sah Tony an.
Gläserklirren zeigte an, dass Ness mit dem Champagner wiederkam. »Da bin ich«, sagte sie. »Tony, mach mal ein bisschen Platz, ja? Du kümmerst dich um den Champagner, Tony – ich serviere das Essen. Ich kann es nicht glauben, ihr beiden«, fuhr sie fort, während sie die Kuh anschnitt, Teile auf die Teller häufte und dickflüssige Soße darüberlöffelte, »zuerst wollt ihr heiraten, nun bist du schwanger – Artischocken, Millie? –, und wie lange seid ihr jetzt zusammen?«
»Seit fast drei Monaten«, murmelte Millie und trank ihren Wein aus.
»Unglaublich«, meinte Ness. »Und wenn man bedenkt – manche Leute können jahrelang zusammen sein, bevor sie auch nur zusammenziehen.« Sie warf Tony einen bedeutungsvollen, aber neckenden Blick zu, den er lieber unbeachtet ließ. »Also, seit wann wisst ihr es?«
»Seit ein paar Wochen«, erwiderte Millie.
»Hast du es gewusst?«, fragte sie Tony, während sie Teller um den Tisch herumgehen ließ.
»Ja«, antwortete er und füllte das letzte Glas mit Champagner, »Sean hat es mir erzählt – letzte Woche.«
»Und du hast nichts gesagt – du falscher Fuffziger. Wie hast du es geschafft, es für dich zu behalten?«
»Habe Stillschweigen geschworen«, sagte er und ließ die Champagnergläser herumreichen.

»Ja«, bestätigte Millie, »wir wollten es eigentlich bis zum ersten Ultraschall niemandem erzählen.«
»Natürlich«, meinte Ness, »es ist also höchste Geheimhaltungsstufe?«
»Ja – nur noch für ein paar Wochen.«
»Gott – Bernie wird ausflippen! Ihr erstes Enkelkind. Ein Toast«, sie hob ihr Glas, »auf Sean und Millie – und auf Millies Bauch.«
Sie nahmen alle ihre Gläser und stießen ohne Begeisterung damit an. »Auf Millies Bauch«, intonierten sie, »prost.«
»Okay«, sagte Ness, während sie sich auf ihrem Platz zurechtsetzte und sich das Haar hinter die Ohren strich, »nun also – keine Angst vor dem Knoblauch. Ich weiß, es ist viel, aber Nigella sagt, dass, wenn man ihn so lange kocht, er seine Schärfe verliert – euer Atem wird also nicht stinken, ich verspreche es …«
Tony stach mit der Gabel in sein Essen und sah hinüber zu Sean und Millie. Ness hatte Millie in ein Gespräch über Schwangerschaft verwickelt, auf das sich Millie stürzte wie ein hungriger Hund auf einen Knochen. Sean kaute widerwillig auf einem Stück Fleisch herum und starrte vor sich hin.
Sie sahen aus wie Fremde, überlegte er, wie das Ergebnis eines katastrophalen Versuchs, bei einem Abendessen Leute zu verkuppeln.
Sie quälten sich auf zivilisierte Weise durch das Essen, sprachen über Babys, Arbeit, Familie und alles andere, als worüber sie wirklich sprechen wollten. Millie trank ihren Champagner aus und streckte ihr Glas aus, als die Flasche zum Nachschenken um den Tisch wanderte. Ness machte irgendwann eine dritte Weinflasche auf, und dann, nach einer unglaublich gehaltvollen Schokoladenmousse, die Tony fast um den Verstand brachte, holte sie den Brandy heraus. Nun, jeder Trinker hat eine Schwachstelle – ein Getränk, dem er nicht widerstehen

kann, selbst wenn er weiß, er braucht es nicht, das Getränk, das ihn auf der Leiter des Besoffenseins an einen Punkt bringt, an den ihn kein anderes Getränk bringen kann – und für Tony war es Brandy. Es war das Getränk, das er auf der ganzen Welt am liebsten trank, doch es machte ihn immer ein wenig verrückt – nicht verrückt auf eine angenehme Art wie Tequila, sondern verrückt auf eine schmerzhafte Bitterer-alter-Mann-Art. Und als Ness und Millie schließlich in die Küche zum Aufräumen gingen, hatte er drei Schwenker davon getrunken.

Sean warf einen scharfen Blick über den Tisch zu Tony.

»Was hast du bei Millie gemacht?«, zischte er.

»Himmel, Sean – regst du dich immer noch deswegen auf?«

»Was hast du da gemacht?«

»Schau«, antwortete Tony, beugte sich näher zu seinem Bruder und senkte die Stimme. »Es war nichts. Millie hat erwähnt, dass sie sich wirklich krank fühlte, und ich war zufällig bei Holland & Barrett, sie tat mir Leid, und ich habe ihr was gekauft – das ist alles.«

»Aber du bist zu ihr gefahren – *zu Millie*.«

»Ja, ich weiß. Wie sonst sollte ich ihr die Sachen bringen? Ich war in der Gegend, ich kam bei ihr vorbei, ich habe es bei ihr abgegeben. Keine große Sache.«

»Aber warum hast du nichts gesagt? Ich begreife es nicht.«

»Es gab nichts zu sagen, Sean. Ich habe ihr ein paar Sachen gekauft. Zumindest habe ich etwas *getan*.«

»Was soll das nun wieder heißen?«

»Ich meine, sie war krank, du warst verdammt nutzlos. Es hat nicht viel Mühe gemacht, weißt du. Du hättest es selbst machen können, wenn du mehr als eine Minute an jemand anderen als dich selbst gedacht hättest ...« Tonys Stimme wurde lauter, und Ness steckte den Kopf zur Tür herein, um zu sehen, was los war.

»Worüber ereifert ihr beiden euch denn so?«, fragte sie.

»Nichts«, antwortete Tony, »nichts. Nur Bruderkram.«

Ness, die als Einzelkind dachte, dass alles, was zwischen Geschwistern geschah, irgendwie verzaubert sei, lächelte ihnen nachsichtig zu und ging wieder in die Küche, um mit Millie über Babys zu reden.

»Ich kann nicht glauben, dass du zu meiner Freundin gefahren bist und es mir nicht erzählt hast. Stell dir doch mal vor, ich würde Ness besuchen und es nicht erwähnen – würdest du das denn nicht für komisch halten?«

»Nein. Eigentlich nicht.«

»Nun, ich schon.«

»Nun, dann tut es mir Leid. Wenn ich das nächste Mal etwas Nettes für jemanden tue, dem gegenüber du dich wie ein Schwein verhältst, werde ich es dich wissen lassen.«

Seans Gesicht wurde rot. »Himmel«, sagte er, »ich habe dich einmal angerufen, das einzige Mal in meinem Leben, dass ich dich jemals um Rat gebeten und erwartet habe, dass du mir hilfst und mich verstehst, und stattdessen hast du das nur als Entschuldigung benutzt, um meine Freundin zu nerven und mich neben dir wie einen Lumpen aussehen zu lassen.«

»Ich habe dich nicht wie etwas aussehen lassen – das hast du alles ganz schön selbst geschafft. Schau, du hast mich angerufen und um Rat gebeten, und ich habe dir einen Rat gegeben. Und seitdem hast du nichts anderes getan als ihn zu missachten. Also hör auf, es mir in die Schuhe zu schieben. Du vermasselst es ohne fremde Hilfe, und das weißt du auch.«

»Himmel! Ich glaube es nicht, wie du da sitzt, ganz der Heilige, die Arme verschränkt, und mich wie ein Stück Scheiße ansiehst. Du hast dein Leben auch nicht gerade zu einem glänzenden Erfolg gemacht, oder, Tone? Deine eigene Frau hat am Ende einen anderen Mann gevögelt, und du hast sie einfach gehen lassen.«

»Hah!«, meinte Tony und versuchte nicht mal, die Stimme zu senken, »du musst gerade reden. Jesus. Nur weil du so ein verdammtes Buch geschrieben hast und alle Zeitungen sich in ›O Sean, du bist so verdammt wundervoll‹ ergehen, meinst du, du kannst dir alles erlauben. Du denkst, es sei egal, dass du in den ersten achtundzwanzig Jahren deines Lebens ein nutzloser Faulpelz warst, der nie etwas gemacht hat, was der Erwähnung wert ist. Du bist verwöhnt, das ist dein verdammtes Problem, maßlos verwöhnt. Musstest noch nie in deinem Leben für etwas arbeiten, hast alles präsentiert bekommen – Sozialwohnung, Geld, jeden Abend Essen bei Mum …«

»Ha!« Sean stand auf und begann wie wild mit dem Finger auf Tony zu zeigen. »*Ich* verwöhnt! Ich?! Das ist so verdammt witzig, dass ich Seitenstechen bekomme. Wer hat dir denn das Geld für dein erstes Geschäft geliehen, hm? Und hast du es ihm zurückgezahlt, hä? Äh, nein – ich glaube nicht. Diese ganzen gemütlichen Treffen, die du und Dad immer wegen des ›Geschäftes‹ hattet. Wer, zum Teufel, hat sich denn jemals mit mir hingesetzt, hä? Wer hat mir Geld angeboten und hat mich alles gelehrt, was er wusste? Du musstest nur niesen, und Mum ließ den verdammten Rotz einrahmen und hat dich ein Genie genannt. Du warst immer dazu bestimmt, der beschissene *Goldjunge* zu sein, der nichts falsch machen konnte.«

»Ich habe für alles *gearbeitet*, das ich habe, Sean. Ja, Dad hat mir Geld geliehen, und nein, ich habe es noch nicht zurückgezahlt – aber ich werde es tun, wenn dich das glücklich macht. Ich werde ihm jetzt einen Scheck ausstellen, wenn du willst. Und wenn du jemals nur ein Jota Interesse an etwas – an irgendetwas – gezeigt hättest, hätte Dad dir gegeben, was immer du gewollt hast. Aber das hast du nicht. Du warst nur daran interessiert, mit Ned Fernsehen zu schauen oder mit ihm in Clubs zu gehen und verdammte Zuhälterdrogen zu nehmen und den nächsten Tag im Bett zu verbringen – während ich mir meinen Lebensunterhalt verdient und etwas aus meinem Leben gemacht habe.«

»Du nennst ein armseliges kleines Kartengeschäft führen etwas aus dir selbst machen? Jesus. Wie beschränkt ist eigentlich dein Horizont, Anthony …«
Ein kleiner lilafarbener Lichtball explodierte in diesem Augenblick in Tonys Kopf, wie ein Miniatompilz aus reiner Wut. Seine Sicht verschwamm, und ein überwältigendes Gefühl überflutete sein Bewusstsein: Hass. Es war ein Gefühl, das er in den letzten Wochen so gut wie möglich zu vermeiden versucht hatte, doch jetzt gab es kein Zurück mehr. Er hasste ihn. Er hasste Sean. Er tat es. Er hasste alles an ihm, von seinem verdammten blöden Buch über seine lächerlichen modischen Turnschuhe bis zu der Art, wie er seine schwangere Freundin behandelte.
»Oh«, sagte er und richtete sich zu seiner vollen Größe auf, »und ich nehme an, du denkst, ein erfolgreiches Buch geschrieben zu haben wird dich fürs ganze Leben erheben, oder? Du hast noch nichts bewiesen, Sean, noch gar nichts. Es mag ein armseliges kleines Kartengeschäft sein, aber es ist ein armseliges kleines Kartengeschäft, das es seit fünfzehn Jahren gibt, das sich etabliert hat, das sich für mich auszahlen wird, wenn ich alt und grau bin. Du hattest verdammtes Glück, Kumpel – du hast eine Menge mehr zu beweisen, bevor du hier sitzen und mir erzählen kannst, dass du ein Erfolg bist. Und ja, meine Ehe mag kaputt gegangen sein, aber ich habe schwer daran gearbeitet, dass sie funktioniert – wir waren zehn Jahre lang zusammen, und das ist heutzutage und in dem Alter ein verdammtes Leben. Du – du treibst dich jahrelang mit einem Haufen hirntoter Bimbos herum, und dann in der Minute, wenn du jemand Anständiges triffst, vermasselst du es. Ich meine, was, zum Teufel, sollte das denn, dass du Millie überhaupt einen Heiratsantrag gemacht hast? Hä? Was, zum Teufel, sollte das alles?«
»Das, Tony, ist eine *unglaublich* interessante Frage«, meinte Millie, die mit einem neuen Glas Wein in der einen Hand und die andere in die Hüfte gestemmt im Türrahmen erschien. »Ja,

Sean«, fuhr sie fort, »warum hast du mir einen Antrag gemacht? Hm?«
Sean ließ den Kopf auf seine Fäuste fallen und atmete tief durch. »Millie«, sagte er, »nicht jetzt. Nicht hier. Bitte. Kann das nicht warten, bis wir zu Hause sind?«
»Nein«, antwortete Millie, die sich auf ihren Stuhl fallen ließ und Sean direkt ansah. »Nein – es kann nicht warten, bis wir zu Hause sind. Ich will dieses Gespräch jetzt gleich führen.«
»Aber das ist privat, Millie ...«
»Ach, komm«, widersprach sie. »Tony ist dein Bruder. Er ist Familie, Sean – wir können vor ihm reden. Und außerdem solltest du auf deinen großen Bruder hören – du könntest vielleicht etwas über das Leben von ihm lernen.«
»Hä?« Sean sah spöttisch zu Millie auf.
»Ja – er ist ein *Mann*, Sean. Schau ihn an.« Sie stand auf und ging um den Tisch herum auf Tony zu. »Schau – er hat breite Schultern.« Sie packte seine Schultern und drückte sie. »Er ist stark, Sean. Er kann ein Geschäft leiten *und* ein eigenes Heim besitzen *und* ein Auto fahren *und* eine Beziehung führen *und* trotzdem noch Zeit finden, an andere Leute zu denken. Du könntest eine Menge von ihm lernen, weißt du.«
»Seit wann sind dir Dinge wie Autos und Wohnungen wichtig, Millie? Ich dachte, du wärst das coole, lässige Weib mit all den sozialistischen Idealen, dem Status und Geld und Besitz nicht wichtig sind. Aber das bist du nicht, oder? Du bist einfach wie alle anderen Frauen – du willst einfach einen Mann, der sich um dich kümmert ...«
»Ich will keinen Mann, der sich um mich kümmert, Sean. Ich will einfach einen *Mann*. Das ist alles. Keinen Halbwüchsigen, der beim ersten Anzeichen von Verantwortung ausflippt. Der denkt, dass schwangere Frauen eine Art ansteckende Krankheit haben. Ich meine, ist es dir jemals in den Sinn gekommen, Sean, dass ich Angst habe, dass ich vielleicht genauso ausflippe wie

du, weil ich ein Baby bekomme? Nur weil ich eine Frau bin, heißt das nicht, dass ich darauf programmiert bin zu wissen, wie ich damit umgehen soll. Ich habe Schiss, Sean. Meine Identität wird mit jedem Tag, der vergeht, abgestreift. Du meinst, ich bin *gerne* schwanger? Du meinst, es gefällt mir, dass mein Körper von etwas übernommen wird?«

»Nun, warum willst du es denn dann haben, Millie? Warum, zum Teufel, bekommst du dieses beschissene Baby, wenn du es verdammt noch mal nicht willst? Hä?«

»Ich *will* dieses Baby, Sean. Ich will dieses Baby mehr als alles andere. Ich sage nur, dass es nicht leicht ist, schwanger zu sein, und ... und ... *Es ist wichtig für mich, dass du dieses Baby auch willst*. Das ist alles ...«

Im Zimmer wurde es vollkommen still, und Millies letzte Worte hingen in der Luft wie eine Türglocke, auf die niemand reagierte.

Millie starrte Sean flehend an. Sean starrte an die Decke, trommelte mit den Fingerspitzen auf den Tisch. Tony starrte auf seine Fingernägel und versuchte sich nicht zu sehr zu bewegen, für den Fall, dass Millie dann die Hände von seinen Schultern nehmen könnte.

»In Ordnung«, sagte Sean schließlich, knallte mit den Händen auf den Tisch und seufzte, »das ist es also. Ich habe genug. Ich will weg hier.« Er stand auf und zog seine Jacke von der Lehne von Tonys Sofa.

»Was meinst du damit?«

»Ich meine, ich habe genug davon, hier zu sitzen, mein persönliches Leben öffentlich auseinander nehmen zu lassen und gesagt zu bekommen, dass ich nicht gut genug bin, deshalb gehe ich.«

»Nun, dann komme ich mit dir«, entschied Millie, die die Hände von Tonys Schultern nahm – zu seiner großen Enttäuschung.

»Nein, Millie, das tust du nicht.«

»Doch, das tue ich.«
Er warf ihr einen eisigen Blick zu. »Tust. Du. Nicht.«
»Wir müssen reden, Sean.«
»Ja. Du hast Recht. Wir müssen reden. Aber nicht hier, nicht jetzt und nicht heute Abend.«
»Okay – dann hau ab. Hau ab. Ich werde hier bei Tony bleiben. Tony wird sich um mich kümmern, ja, Tony?«
Sie packte wieder seine Schultern, und Tony nickte heftig. »Ja«, antwortete er. »Natürlich.«
Sean verharrte einen Augenblick und sah sie beide an. Er öffnete den Mund, um etwas zu sagen, und schloss ihn dann wieder. »Wie auch immer«, sagte er und warf geschlagen die Hände in die Luft, »wie auch immer.« Er drehte sich um und wollte schon das Zimmer verlassen, als er stehen blieb, sich wieder umdrehte und nicht Millie, sondern Tony anstarrte. Er starrte ihn so lange an, dass es ihm vorkam wie fünfzehn Minuten, bevor er schließlich mit dem Finger auf ihn zeigte und mit leiser Stimme, die ohne jede Wut und voller Traurigkeit war, sagte: »Ich dachte, du seist mein Bruder.« Er verließ das Zimmer, und zehn Sekunden später hörten sie die Haustür zuknallen.
»Okay«, sagte Ness, die das Zimmer mit einem Tablett voller Kaffee und Schokolade betrat, »wer will Kaffee?«
Millie brach in Tränen aus.

Bruderverschmelzung

»Das war's«, sagte Tony, reichte Millie eine große Tasse Pfefferminztee und setzte sich neben sie aufs Sofa.

»Es tut mir wirklich Leid, Tony.«

»Was denn?«

»Dass ich daran schuld bin, dass du dich mit deinem Bruder zerstritten hast, dass ich das Abendessen ruiniert habe, dass ich so eine vollkommene Zicke war.«

»Ach, sei nicht dumm! Du hast nichts ruiniert. Der heutige Abend wäre sowieso ein ziemlich kniffliger geworden.«

»Ja, das weiß ich, aber ich hätte es nicht mit an den Tisch bringen sollen. Das Letzte, was ich wollte, war, zwischen dich und Sean einen Keil zu treiben. Ich habe heute Abend einfach die Beherrschung verloren. Himmel – ich kann nicht glauben, dass ich betrunken bin, Tony. Schau mich an, ich bin betrunken und habe ein Baby in mir.«

»Ach, nun ja ...«, gab Tony zurück, der nicht wirklich wusste, was er sagen sollte, da es nach seinen Vorstellungen eigentlich nicht zu rechtfertigen war, sich zuzuschütten, wenn man schwanger war, er sie aber nicht noch mehr aufregen wollte. »Ich bin sicher, es wird in Ordnung sein.«

»Ja, ich weiß, es wird in Ordnung sein. Aber das ist nicht der Punkt. Es ist einfach – es scheint mir einfach einen Mangel an Respekt zu beweisen, das ist alles. Armes kleines Ding.« Zärtlich strich sie sich über den Bauch. »Armes, winziges, schutzloses kleines Ding, dem gerade erst Fingernägel wachsen, und schon streiten und kämpfen deine Mummy und dein Dad und lassen dich scheußliche Sachen trinken.«

Tony blickte hinab auf Millies winzigen runden Bauch und spürte eine tiefe Sehnsucht in sich aufsteigen. Ein Baby war dort drin – ein winziges, daumennagelgroßes Baby.

»Es hat also schon Fingernägel?«, fragte er und schaute fasziniert auf die kleine Wölbung.

»Mmh. Und kleine Vertiefungen an seinem Gaumen, damit Zähne darin wachsen können.«

»Wow.«

»Und diese Woche hat er offensichtlich kleine Stimmbänder entwickelt – also kann er nun anfangen, kleine Geräusche dort drin zu machen. Kannst du dir das vorstellen?«

»Unglaublich«, stimmte Tony zu, »darf ich es anfassen?«

»Natürlich«, antwortete Millie und zog ihre Jacke ein bisschen auf.

Tony streckte seine Hand aus und umfasste die kleine Wölbung, die eher wie das Ergebnis eines großen Currygerichts und Verdauungsstörungen aussah als wie eine Schwangerschaft.

»Du wirst noch nichts fühlen können«, sagte sie, »das Baby bewegt sich ein wenig, aber es ist noch zu klein, als dass du es fühlen kannst.«

»Nein. Aber es ist … es ist erstaunlich, nicht wahr? Ein kleiner Mensch ist da drin. Ich will nur einfach … *Verbindung* aufnehmen. Verstehst du?«

Er sah zu Millie auf und lächelte, und Millie lächelte zurück.

»Weißt du was«, meinte sie, »Sean hat das nie getan. Er hat niemals unser Baby berührt.«

»Ernsthaft?« Tony nahm die Hand von Millies Bauch.

»Mmh. Ich glaube nicht, dass er ihn jemals auch nur *angeschaut* hat. Na ja, jedenfalls nicht absichtlich. Himmel. Was tue ich da? Was tue ich, Tony?« Sie sah ihn flehentlich an und ließ dann wieder den Kopf in ihre Hände fallen. »Scheiße. Ich werde eine allein erziehende Mutter sein, oder? Eine bittere, abgespannte, alte allein erziehende Mutter, die sich besäuft, während sie schwanger ist. Himmel, ich werde wahrscheinlich Alkoholikerin werden und es vernachlässigen. Die Fürsorge wird es mir wegnehmen, und ich werde es nie wieder sehen. O Jesus, Tony – was soll ich nur tun?« Sie fing wieder an zu schluchzen.

»Na, na«, meinte Tony, nahm eine ihrer heißen, verkrampften kleinen Hände und drückte sie sanft. »Die Dinge werden sich richten, Millie. Ehrlich.«

»Ich meine, vor ein paar Wochen war alles in meinem Leben vollkommen. Ich hatte den Mann meiner Träume kennen gelernt, er hat mir einen Antrag gemacht, ich wurde befördert, alles lief so gut. Jeder Tag war wie eine kleine Szene aus einem Film, ja? Wie diese idyllische goldene Welt, die die meiste Zeit außerhalb deiner Reichweite ist, die immer nur den anderen zu passieren scheint – nur dass es mir passierte. Ich habe ehrlich nicht gedacht, dass das Leben noch besser werden könnte. Ich dachte, ich sei das glücklichste, gesegnetste Mädchen auf der ganzen Welt. Und nun … und nun … hasst mich mein Freund, ich krieg ein Kind, ich habe kein geselliges Leben mehr, keinen Spaß … keine Taille mehr. Und nun fühle ich mich, als ob mein Leben wie ein deprimierender Dokumentarfilm ist. Du weißt schon, wie einer über die Frauen, die man im Fernsehen sieht und bei denen man denkt: ›Wie, zum Teufel, hast du das zulassen können? Wie kannst du nur so dumm gewesen sein?‹ Ich meine, wie habe ich nur Sean anschauen und denken können, er würde einen guten Papa abgeben – oder sogar einen guten Ehemann? War ich so verzweifelt?«

»Er verdient dich nicht, Millie«, sagte Tony, »er verdient euch beide nicht.«

»Nein, oder? Ich meine, glaubst du, er hat auch nur bemerkt, dass ich heute Abend getrunken habe? Hm? Glaubst du, es ist ihm in den Sinn gekommen, was ich da getan habe? Gott – vielleicht hat er mich im Stillen sogar noch ermutigt? Hat gehofft, ich hätte eine Fehlgeburt oder so …«

»Ach, komm schon, Millie – ich denke, das ist wahrscheinlich ein bisschen hart, oder?«

»Nein. Nein. Du weißt nicht, wie kalt er sein kann, Tony. Ich habe es vorher nie so gesehen. Er war immer wie so ein aufgeregter kleiner Welpe – er war die ganze Zeit so glücklich über alles. Ich hätte mir Sean niemals auch nur unglücklich vorstellen können. Und dann habe ich ihm gesagt, ich sei schwanger, und es war, als ob irgendwo in ihm ein Licht ausgeschaltet würde. Als ob diese großen Stahltüren sich senkten, wusch …« Sie machte mit den Händen die großen Stahltüren nach, die sich schlossen. »… und das war das Letzte, was ich vom alten Sean gesehen habe. Weg. Für immer. Und ich weiß nicht, wie ich ihn zurückbekomme, Tony. Wie bekomme ich ihn zurück – hm? Wie?«

»Ich weiß es nicht, Millie. Ich weiß es wirklich nicht. Sean ist ein … Sean weiß nicht, wie man teilt. Das hat er nie gewusst. Wenn etwas ihm gehörte, konnte niemand anderer ihm nahe kommen. Und wenn Mum jemals eine seiner Spielsachen jemandem gab, damit der damit spielte, nun ja – dann ist er es losgeworden. Hat gesagt, er wolle es nicht mehr. Hat sich ein neues geholt …« Tony zuckte die Achseln und sah Millie an.

»Willst du damit sagen, dass Sean schmollt, weil ich sein Spielzeug bin und er mich jetzt mit unserem Baby teilen muss?«

»Ich weiß es nicht«, wiederholte er, »es ist eine Theorie.«

Millie verstummte und starrte eine Weile auf den Boden. »Scheiße«, sagte sie dann, »ich glaube, du hast Recht. Ich glaube, das ist es. Gott, Tony – was würde ich tun ohne dich? Es ist, als ob – mit dir zusammen zu sein – es ist, als ob ich meine eigene erwachsene Version von Sean bei mir hätte. Ich meine, du siehst aus wie er und klingst wie er – du riechst sogar ein bisschen wie er. Aber du bist emotional intelligent, und er ist ein emotionaler Krüppel. Ich wünschte … ich wünschte, ich könnte euch beide irgendwie miteinander verschmelzen. O Gott – klingt das komisch?«

Tony sah sie an und versuchte das Erstaunen in seinen Augen zu verbergen. »Äh, nein – nicht wirklich. Aber welchen Teil von Sean würdest du denn in diesem Verschmelzungsprozess behalten wollen?«

Millie seufzte und dachte nach. »Gott – ich weiß nicht, ich weiß es wirklich nicht. Seine … seine … *Nichts*«, schloss sie schließlich. »So wie ich mich im Augenblick fühle, gibt es nichts an Sean, das ich behalten möchte.«

»Diese Verschmelzung wäre also – nur ich?«, fragte Tony mit einem nervösen Lachen.

»Ja – das nehme ich an.« Millie lachte auch.

»Vielleicht ohne, äh … aber die Extraschicht, oder?« Er klopfte sich auf den Bauch und lachte wieder.

»Nein«, widersprach sie ihm, »ich würde die Schicht behalten. Ich mag die Schicht.«

»Wirklich?«

»Ja. Sie ist kuschelig.«

Tony verdaute das Wort »kuschelig« eine Sekunde lang und fragte sich dabei, ob es ihm gefiel oder nicht.

»Erinnerst du dich an neulich, Tony – als du zu mir in die Wohnung gekommen bist?«

Er nickte.

»Und wie du das eine gesagt hast – dass es Leute gäbe, die mich auffangen würden, sollte das mit Sean auseinander gehen?«

»Ja.«

»Nun, ich glaube, es könnte sein, weißt du? Ich glaube wirklich, alles könnte auseinander gehen. Damals noch nicht, als du es gesagt hast – ich dachte, du seist nur melodramatisch. Aber jetzt bin ich mir nicht so sicher. Ich sehe Sean an und ich kann nichts mehr von den Dingen sehen, in die ich mich verliebt habe. Sie sind nicht mehr da. Ich sehe nur diesen widerborstigen, egoistischen Jungen. Und, außer der alte Sean kommt wieder … glaube ich nicht, dass ich noch mit ihm zusammen sein will, Tony. Und wenn das passieren würde – wenn ich ganz alleine wäre – wärest du … *interessiert?*«

»Interessiert?«, fragte Tony. »Natürlich wäre ich interessiert. Ich wäre mehr als interessiert, Millie – ich würde absolut alles tun.«

»Wirklich?«

»Ja. Ich würde überall hingehen, dich überallhin mitnehmen, wo du hin willst, würde alles und jedes für dich und das Baby tun. Ich würde … Gott – Geld, Zeit, was immer du willst, was immer du brauchst. Du und das Baby sind das Wichtigste auf der Welt.«

»Sind wir das – wirklich?«

»Natürlich. Wichtiger als alles andere. Ich würde alles für euch beide tun – absolut alles.«

Millie sah Tony direkt an, und Tony sah, wie Tränen in ihre Augen traten. »Gott, Tony, wenn du wüsstest, wie sehr ich mir gewünscht habe, das zu hören. Zu spüren, dass wir etwas Besonderes und Wichtiges sind.«

»Wie könnte etwas wichtiger sein als ihr beiden?«

»Danke, Tony. Du hast keine Ahnung, wie viel mir das bedeutet.«

»Ich kann einfach nicht glauben, dass jemand, der so schön ist wie du und so besonders ist wie du und so erstaunlich ist wie du, jemals bei jemandem gelandet sein kann, der dich nicht zu schätzen weiß. Es ergibt keinen Sinn. Du solltest … bewundert und verwöhnt und umsorgt und beschützt werden. Du solltest behandelt werden wie eine Königin.«

Millie lächelte ihn an und legte die Hand auf seinen Arm. »Hör auf«, lachte sie. »In einer Minute werde ich es noch glauben.«

Tony ergriff ihre Hand. »Ich will, dass du es glaubst, Millie – du bist die schönste Frau auf der Welt.«
»Danke, Tony«, sagte sie, »vielen Dank.« Und dann, ganz plötzlich, schlang sie die Arme um ihn und drückte ihn. Tony legte die Arme um sie und drückte sie auch, und für ein paar Sekunden atmete er nicht mehr.
Ness war oben im Bett, das Zimmer wurde von einer Lampe in der Ecke schwach beleuchtet, die David-Gray-CD lief immer noch. Tony war voll von Brandy und Wein. Millie fühlte sich warm und stark an und roch nach sauberen Haaren und Rosmarin. Es fühlte sich wie eine Umarmung nach einer Verabredung an. Es fühlte sich an wie ... *etwas*. Er entzog sich Millie langsam, bis er Auge in Auge mit ihr war.
Unter ihren Augen war Mascara verschmiert. Er wischte die Spuren mit seinem Daumen weg. »Du verdienst so viel mehr, Millie«, sagte er.
Und sie lächelte und nickte ihm zu. »Das tue ich«, entgegnete sie ihm. »Das tue ich wirklich.«
Und dann, ganz, ganz langsam, begegneten sich ihre Lippen, und sie küssten sich.

Baby-Kater

Tony beendete schließlich den Kuss.
Er beendete ihn nach ungefähr dreißig Sekunden.
Einer musste es schließlich tun.
»Das hier ist falsch«, stellte er fest. »Wir sollten es nicht tun.«
Und er sagte das nicht, um sich als Gentleman zu erweisen, er sagte es, weil er es so meinte. Es *war* falsch. Ganz falsch. Mitten im Kuss hatte Tony das plötzlich erkannt. Darum ging es in ihrer Beziehung nicht mehr. Sie hatte sich weiterbewegt. Tatsächlich hatte sie sich weiterbewegt von dem Augenblick an, als Millie ihm erzählt hatte, dass sie schwanger sei, und er hatte es nur nicht bemerkt.
»Ich weiß«, sagte sie, während sie sich ihm entzog und die Fingerspitzen an die Lippen führte, »ich bin sehr betrunken.«
»Ich auch«, gab Tony zu.
»Es ist nur so«, fing sie an, die Hände im Schoß verschränkt, »ich fühle mich so …«
»Es ist in Ordnung«, unterbrach Tony sie, »ich weiß. Wir sind beide verwirrt. Wir sind beide zu. Wir sind beide völlig lächerlich.«
Millie nickte heftig und steckte sich die Haare hinters Ohr. »Absolut«, bestätigte sie und schenkte Tony dann ein halbes Lächeln. »Gott – wie, zum Teufel, ist das passiert?«
Tony zuckte die Achseln.
»Wer hat damit angefangen? Gott, war ich das? Habe ich mich einfach mit hängender Zunge auf dich gestürzt?«

Tony lächelte. »Nein«, antwortete er, »ich glaube, das ging von beiden Seiten aus. Du weißt schon, fifty-fifty.«
»Wie peinlich. Nicht dass ich – nun ja, du bist ein sehr attraktiver Mann, Tony, wirklich. Aber ich habe keine Ahnung, warum das gerade passiert ist. Wirklich nicht. Es müssen meine Hormone sein oder so.«
»Meine auch«, bestätigte er und spürte, wie verlegenes Lachen sich irgendwo in seinem Bauch rührte.
»Gott – auf dem Sofa knutschen – wie kindisch.« Sie bedeckte das Gesicht mit den Händen und kicherte.
Tony sah Millie an, die mit einem Ausdruck dumpfen, halb belustigten Schocks im Gesicht dasaß, ihre Strickjacke von seiner leidenschaftlichen Fummelei noch leicht schief, und ein Bild blitzte in seinem Kopf auf, ein Bild von ihm und Millie, wie sie auf dem Sofa knutschten. Und aus irgendeinem Grund katapultierte ihn dieses Bild geradewegs über die Schwelle, und er lachte laut auf. Millie warf ihm einen Seitenblick zu, und ihr Lächeln wurde breiter. Tony sah sie an und lachte wieder. Und dann brachen sie beide völlig zusammen.
Sie lachten ungefähr fünf Minuten lange und heftig, schaukelten vor und zurück, hielten sich die Seiten, wischten sich die Tränen aus den Augen. Sie lachten so heftig, dass sie nicht sprechen konnten, und so lange, dass Tony allmählich spürte, wie es unter seinen Rippen wehzutun begann. Und sie lachten so lange, dass sich die ganze Spannung der vorigen vier Stunden völlig auflöste. Und als sie schließlich aufhörten, sahen sie sich an, und Tony wusste, dass er eine neue und wundervolle Freundin in seinem Leben hatte.
Sie blieben noch ein bisschen länger auf und plauderten über den Abend, über das Baby und über Sean, und dann, als Millie anfing, mehr zu gähnen als zu reden, brachte Tony sie nach oben ins Bett. Sie ließ sich von ihm verhätscheln, als er ihr das Schlafzimmer und das daran anschließende Bad zeigte, ihr

Zahnpasta und eine Gästezahnbürste brachte und ihr ein sauberes T-Shirt als Schlafanzug gab. Sie erlaubte ihm sich auf den Bettrand zu setzen, sobald sie fertig war, und sich von ihm übers Haar streichen und ihre Hand halten zu lassen. Sie war gefügig wie ein Kind.

»O nein«, sagte sie plötzlich, während sie dort saß. »Mein Baby – glaubst du, es wird morgen einen Kater haben? Wie ich?«

Tony zuckte die Achseln.

»O mein armes, armes Baby« sagte sie und rieb sich den Bauch, »was habe ich dir angetan, du armes kleines Ding?«

Tony brachte ihr also noch mehr Wasser, um ihren Kater und den des Babys zu mindern.

»Weißt du, Tony«, meinte sie, und ihre Augen kämpften darum, offen zu bleiben, während sie am Rande des Schlafes taumelte, »ich bin gerne mit dir zusammen. Du bist so stark und ruhig und nett. Wenn ich bei dir bin, habe ich einfach das Gefühl, dass alles gut wird. Weißt du?«

Tony nickte und lächelte und sah zu, wie sich ihre Augen langsam schlossen und sich ihre Atmung veränderte, und während er dort saß und auf die Umrisse von Millies Gesicht schaute, zusah, wie ihre Wimpern ihre Haut streiften, wie ihr Mund sich beim Ein- und Ausatmen spitzte, während er den kleinen pfeifenden Geräuschen lauschte, die sie im Schlaf machte, wurde er plötzlich von einem völlig fremden Gefühl überwältigt.

Er fühlte sich wie ein Vater, der über sein kleines Mädchen wachte.

Er hatte *väterliche* Gefühle.

Dieser Kuss vorhin – er war … schön gewesen. Er war besänftigend und tröstlich gewesen. Aber er hatte seine Lenden nicht in Brand gesetzt. Und das, erkannte er plötzlich, war genau die Art seiner Beziehung zu Millie. Sie trösteten einander. Er ließ sie

sich besser fühlen, wenn es darum ging, dass ihr Freund sie ablehnte, und sie ließ ihn sich besser fühlen, wenn es darum ging, dass er seine Identität verloren hatte.
Es war alles ein Spiel. Das Ganze. Es würde nirgendwohin führen. Natürlich nicht. Selbst wenn Millie und Sean sich trennen sollten, glaubte er ehrlich, er könnte sich dazwischendrängen und das Kind seines Bruders aufziehen? Es war lächerlich. Er wollte Sean nicht mehr schlagen. Sean verlor schon alles von allein. Der Wettkampf war vorbei. Seine Rolle hier, erkannte er nun, bestand nicht darin, Millie Sean zu entreißen. Sie bestand darin, sich um Millie zu kümmern, bis Sean sich zusammengerissen und Verantwortung übernommen hatte.
Er war nicht der Räuber.
Er war nicht der Liebhaber.
Er war nicht der Sieger.
Er war der große Bruder.

Nach einigen Minuten stand er langsam auf, löschte das Licht und ging in sein Schlafzimmer.
Ness war noch wach und las ein Buch.
»Wie geht es ihr?«, flüsterte sie, knickte die Seite ein, die sie gerade las, und legte das Buch auf ihren Nachttisch.
»Sie schläft«, antwortete Tony und machte seinen Gürtel auf.
»Armes Ding. Wie schrecklich. Da braucht man einmal wirkliche Harmonie in seinem Leben, und dann bricht alles auseinander.«
»Ja. Es ist Mist.«
»Du warst toll zu ihr, Tony«, sagte sie, zog sich halb aus dem Bett hoch und schlang einen Arm um seinen Rumpf.
Er hielt inne und wurde steif wie eine Statue.
»Ich kann nicht glauben, wie süß du ihr gegenüber warst. Ich war heute Abend so stolz auf dich, Tony. So stolz, dass du mein Freund bist.«

»Nun«, sagte er angespannt, »sie ist schwanger. Jemand muss sich um sie kümmern.«
»Komm her«, sagte sie, »komm her, mein schöner großer sensibler Mann.« Sie hakte einen Finger in seinen Gürtel und zog ihn sanft zu sich.
»Was?«
»Komm einfach her. Ich bin ganz überwältigt von Liebe. Ich will eine Umarmung.«
»Ness«, sagte er und entzog sich ihr, »ich …«
»Komm einfach her.«
Und dann sah er auf Ness, die dort lag, nackt und voller Liebe, und er spürte, wie ihn eine plötzliche Welle des Begehrens übermannte. Nicht nach Ness, aber nach menschlichem Kontakt, nach Intimität. Sie zog ihn aufs Bett zu sich herunter, zog ihn aus, streichelte ihn, und Tony war so betrunken und so verwirrt und so voller Gefühle, dass er es geschehen ließ. Sein Kopf war eine dunkle, warme Leere. Sein Körper war ein Resonanzkörper voller Gefühle und Empfindungen. Er ließ die Augen geschlossen und verlor sich im Augenblick, verlor sich in Ness' Körper und Ness' Umarmung. Gedanken blitzten in seinem leeren Kopf auf wie eine unterbewusste Diaschau – Millie, Sean, Ness. Er hatte keine Ahnung, wie lange es dauerte, aber er hatte noch nie zuvor so intensive Gefühle während des Sex erlebt. Und als er schließlich kam, kam er sowohl emotional als auch körperlich, und mit Tränen in den Augen und einem Ausdruck reinen Wunders im Gesicht rief er aus: »Ich liebe dich, Ness, ich liebe dich so sehr, liebe dich so, *so sehr.*« Und dann packte er sie und hielt sie fester, als er jemals jemanden in seinem Leben gehalten hatte.
Und Ness hielt ihn hinterher fest und weinte nasse Tränen, die durch sein Haar und auf seinen Schädel tropften.

Eine Liebesgeschichte in zwei Akten

Als Ned am Dienstagmorgen zur Arbeit kam, war er offiziell der beste Pressematerialzusammensteller der Welt. Er hatte mehr als 1000 Folder gefaltet, mehr als fünfhundert Presseerklärungen kopiert und zehn Kodak-Kisten Fotos geleert. Sogar Hoxton Fine (dessen Name offenbar Marc war – auch wenn Ned dies nur wusste, weil er gehört hatte, wie im Büro jemand diesen Namen ausgerufen hatte) war beeindruckt von Neds Produktivität. »Du machst gute Fortschritte«, hatte er ihn am Vorabend gelobt. »Ich bin sehr erfreut.« Und Ned hatte sich lächerlich stolz gefühlt und war mit einem leichten Hüpfen nach Hause gegangen.

Es war ein schöner sonniger Morgen, an dem Ned über den Soho Square zu seinem Arbeitsplatz schlenderte, und so sehr er sich auch dessen bewusst war, dass er einen der schäbigsten Jobs in London hatte, so musste er sich doch einfach ein wenig erregt fühlen, weil er nun jeden Tag irgendwohin gehen musste, weil er Teil der Menge war, die die Bürgersteige der tollsten Stadt der Welt bevölkerten. Es gab ihm etwas, auf das er sich konzentrieren konnte und das ihn von seinem alten Leben entfernte. Es war gut. Es war gesund. Es war richtig.

Er tippte den Sicherheitscode in die Bürotür ein und schlenderte durch den Empfangsbereich und sagte dabei Fabiola guten Morgen, der schönen italienischen Empfangsdame. Er blieb kurz bei dem Kaffeeautomaten auf dem Treppenabsatz stehen und holte sich eine Tasse Tee. Er streckte den Kopf durch die Tür der Presseabteilung und rief den wenigen Leuten, die sich dort tummelten, einen guten Morgen zu. Und dann öffnete er die Tür zu seinem Zimmer und blieb wie angewurzelt stehen.

Es war ein Mädchen darin.

Ein wunderschönes Mädchen in einer rosafarbenen Bluse mit Puffärmeln und in ausgeblichenen alten Jeans, um deren Arm ein keltisches Band eintätowiert war. Sie hatte strähniges blondes Haar, das ihr bis auf die Schultern fiel, und ein paar Strähnen hatte sie zurückgesteckt; sie trug ungefähr acht Ohrringe in jedem Ohr, darunter oben kleine aus Silber.

»Nid?«

»Äh – ja.«

»Hi – ich bin Bicky?«

»Bicky?«

»Ja. Ich komme von derselben Arbeitsvermittlung wie du?«

»Du kommst von Dutch & Dewar?«

»Ja. Offenbar hat dieser Typ, äh …?«

»Marc.«

»Ja. Der ist es. Er wollte, dass dir jemand zur Hand geht? Also bin ich hier.«

»Cool«, meinte Ned und rieb sich die Hände, »das ist super. Hat er dir alles gezeigt? Du weißt schon, die Folder und die Fotos …«

»Ja. Mmh.«

»Und den Kaffeeautomaten? Die Toiletten?«

»Mmh. Ja.«

»Ausgezeichnet.« Er stellte seinen Tee ab und grinste Becky an.

»Also«, stellte sie fest, »du warst also die ganze Woche hier allein eingesperrt?«

»Stimmt.«

»Himmel. Ich kann nicht glauben, dass sie uns hier arbeiten lassen. *Ohne Fenster*. An so einem Tag. Das ist kriminell!«

»Ich weiß«, antwortete Ned, der so erleichtert war, jemanden auf seiner Stufe zu haben, mit dem er sich zusammen so richtig beschweren konnte. »Und es ist nicht so, dass es nicht genug Platz für uns hier gäbe«, er zeigte auf die Presseabteilung auf der anderen Seite. »Bist du schon darin gewesen? Es ist riesig.«

»Dieser Marc ist so ein Blödmann«, sagte sie, »und *was* ist nur mit seinem Haar los? Er sieht aus wie Sonic der Igel.« Sie lachte und hielt dann inne. »Scheiße – hör mich mal an – ich habe den Jammervirus aufgeschnappt. Ich klinge wie ein verdammter Brite!«

»Also«, fragte er, »Australien oder Neuseeland?«

»Australien. Sydney.«

»Ach. Wirklich. Wo denn in Sydney?«

»Byron Bay.«

»Nein!«, gab Ned zurück. »Ernsthaft?«

»Ja. Warum? Kennst du das?«

»Und ob ich das kenne«, stimmte er zu, »ich hab dort drei Jahre lang gelebt.«

»In Byron? Das gibt es nicht! Wann war das?«

»Bin gerade vor drei Wochen zurückgekommen?«

»Wow!«, machte Becky und steckte die Hände in ihre Jeanstaschen. »Das ist unglaublich.«

Und Ned sah Becky an und dachte, ja, das ist äußerst unglaublich. Es war unglaublich, dass sie in seinem Schrank von einem Lagerraum war, es war unglaublich, wie hübsch sie war, und es war unglaublich, dass es nun jemanden gab, der mit ihm den ganzen Tag reden konnte. Und nicht nur das, sondern auch noch jemand, mit dem er so viel gemeinsam hatte. Während sie redeten und Pappe falteten und ekelhaften Tee zusammen tranken, stellte sich heraus, dass sie gemeinsame Bekannte hatten, dass sie in denselben Bars und Restaurants gewesen waren, dass sie wahrscheinlich mehr als einmal zur gleichen Zeit am selben Ort gewesen waren. Becky war in dem Internet-

Café gewesen, in dem Ned einmal gearbeitet hatte, und Ned war auf einer Party in der Wohnung von Beckys Exfreund gewesen.

Sie war dreiundzwanzig, und sie war seit fast sechs Monaten in London und wollte noch weitere sechs Monate hier verbringen und dann noch ein paar Wochen in Europa herumreisen, bevor sie wieder heimfuhr. Sie wohnte mit vier anderen Aussis in einer Wohnung in Wandsworth, und es war wirklich seltsam für Ned, dieses Gespräch mit jemandem zu führen, der in derselben Lage war, in der er in den letzten drei Jahren gewesen war, wenn auch auf der anderen Seite der Welt.

Um ein Uhr gingen sie zusammen zum Mittagessen und kauften sich superbillige Sandwiches bei Benjy, die sie mit zum Soho Square nahmen und in der Sonne aßen. Becky trug eine rosafarbene Sonnenbrille und saß mit überkreuzten Beinen und geradem Rücken da, rupfte Grashalme ab und verknotete sie miteinander. Ned streckte sich im Gras aus und spürte, wie die frühlingshafte Feuchtigkeit durch das Leinen seiner Jeans sickerte. Die Sonne war heiß, wurde jedoch durch eine kühle Brise gemildert. Um sie herum waren andere Leute wie sie, junge Büroangestellte, die ihre Stunde der Freiheit genossen und die kostbaren Sonnenstrahlen aufsogen, als ob sie diesen Augenblick für immer bewahren könnten.

Sie sprachen über Musik und London und Essen und Fußball. Becky mochte Curry, chinesisches Essen, Pizza und Lager. Obwohl, wenn ihr jemand einen Champagner ausgäbe, sie auch nicht nein sagen würde. Sie ging ungefähr einmal in der Woche eine Band hören (das Beste daran, in London zu leben, war die Live-Musik) und war Fan von Chelsea (da sie ihr örtlicher Club war und all ihre Wohnungsgenossen auch Fans waren). Sie vermisste ihre Freunde und ihren Hund und ihre Mum und ihren Dad. Sie sprachen davon, weit weg von zu Hause zu sein, über das Bittersüße daran, die beste Zeit des Lebens zu verbrin-

gen und dabei so weit weg von den Menschen zu sein, die man am besten kannte und am liebsten mochte.
Um zwei Uhr gingen sie wieder zur Arbeit und verplauderten den ganzen Nachmittag. Sie lästerten über Marc, lachten über die Fotos des vorpubertären Popstars, dessen Karriere sie gerade halfen, und tranken heiße Schokolade aus dem Automaten im Flur. Um fünf Uhr hatten sie eine Beziehung entwickelt, die mehr der von Menschen ähnelte, die sich kannten, seit sie fünf waren. Als sie also zusammen das Gebäude verließen und es immer noch sonnig war und sie immer noch quatschten, schien es nur richtig zu sein, dass sie irgendwo zusammen etwas tranken.

Sie gingen zu Coach and Horses in der Greek Street und zogen Hocker mit zerrissenem Vinylüberzug hinaus auf den Bürgersteig, der überquoll von verschwitzten Körpern nach der Arbeit: Kuriere, Medienleute und Alkoholiker mit schroffen Gesichtern. Es lag eine kühle Strömung in der Luft, während die Sonne langsam hinter den großen, schmalen Gebäuden von Soho versank, doch mit einem Pint Lager in sich und einem hübschen Mädchen an seiner Seite bemerkte Ned die Gänsehaut auf seinen Unterarmen kaum.
Das ist es, dachte er, während er zusah, wie Becky in den Pub ging, um noch eine Runde zu holen, das ist mein perfekter Abend. Ungeplant und spontan, ein milder Frühlingsabend, ein kaltes Lager, ein lebhafter Pub und ein tolles, witziges, süßes Mädchen. Das bedeutete es, jung, frei und Single in der Stadt zu sein. Und genau dies musste Gervase gemeint haben, als er über das »Muster« des Lebens geredet hatte. Ned war gut gewesen, und gute Dinge waren zu ihm gekommen. Und es war auch höchste Zeit. Er spürte, wie das Lager sanft durch seinen Körper floss, seine Glieder und seinen Geist lockerte, und er spürte, wie er vor reinen Möglichkeiten anschwoll. Der Sommer fing erst an, er war zu Hause, er war frei von Monica, frei von allem. Alles

lag da draußen, dachte er, während er sich umsah und auf die Restaurants, Clubs und Leute schaute, alles, was er wollte, lag da draußen, und es war schön. Er musste nur tapfer sein, zupacken, es sich nehmen, sich darum kümmern.

»Das wär's also«, sagte Becky, die gerade aus dem Pub kam und zwei schaumige Pints Lager auf den Tisch vor ihnen stellte. Ned lächelte sie an, und sie erwiderte sein Lächeln. Sie hatte schöne Zähne, und ihre Augen legten sich in Falten, wenn sie lächelte. Das war so nett und normal, überlegte er, so gesund, verglichen damit, wie er mit der verrückten Monica abgehauen war oder sich Fantasien über die Freundin seines Bruders hingegeben hatte. Mit Becky zusammen zu sein, gab ihm das Gefühl, ein richtiger Mensch zu sein, nicht irgendein menschliches Gerippe, das für die Müllabfuhr bestimmt war, jemand, der sich nur für Irre, Psychos und die Frauen anderer Leute eignete.

»Prost«, sagte er, nahm sein Pint und stieß es gegen Beckys Glas. »Auf ... die *Möglichkeiten.*«

»Absolut«, erwiderte Becky, »ich kann mir keinen besseren Trinkspruch vorstellen. Auf die Möglichkeiten. Prost.«

Ned sah Becky an, und sie sah ihn an. Keiner von beiden sah weg. Das war es, dachte Ned, das war es. Neuer Job, neue Freundin. Hier begann sein neues Leben.

Bring es in Gang ...

Ned brachte Becky zur Tottenham Court Road, nachdem der Pub zugemacht hatte. Es war jetzt richtig kalt, und sie gingen zusammen die Oxford Street hinunter, ihre nackten Arme berührten sich, um sich warm zu halten. Sie waren beide hübsch betrunken und bester Laune, während sie gingen, immer noch plauderten und lachten und sich verstanden wie alte Freunde.

»Also«, sagte Becky, »was ist deine Lieblings-Oxford-Street?«

»Scheiße«, antwortete Ned, »das ist schwierig. Ich glaube, die in Sydney – die ist weniger protzig. Und bei dir?«

»Eindeutig diese Oxford Street.«
»Warum?«
»Weil sie länger ist. Hat mehr Läden. Und sie ist in London.«
»Dir ist London also lieber als Sydney?«
»Ich würde nicht sagen, dass es mir lieber ist. Sydney ist so toll, alle meine Freunde leben dort, das Essen, das Wetter – es ist eine fantastische Stadt – aber in London zu sein, ist, wie in einem Stück Geschichte zu sein. Es ist, als ob überall, wo du gehst, du weißt, dass jemand Wichtiges wahrscheinlich schon auf demselben Pflaster gegangen ist wie du. Wie dieser hier«, sie blieb stehen und zeigte auf den Pflasterstein, auf dem sie gerade stand. »Jemand könnte auf diesem hier gegangen sein – Jimi Hendrix, John Lennon, Laurence Olivier, Prinzessin Di – und Jahrhunderte davor auch – Könige und Königinnen und Entdeckter und Forscher. Und einfach das Gefühl des Wiedererkennens hier. Die roten Busse, die Nummernschilder, die Straßenschilder, der Polizist – alles ist so vertraut, man hat all das schon eine Million Male im Film und im Fernsehen gesehen. Das liebe ich an London; es ist dieses Gefühl, im Epizentrum von etwas zu sein, nicht nur am Rande. Ich liebe es. Ich liebe London, wirklich.«
Sie grinste ihn an, und er dachte bei sich, dass er sie lieber küssen wollte als je irgendjemanden in seinem Leben.
»Mein Familienname lautet London«, sagte er und lächelte sie stolz an.
»Wirklich??«
»Mmh. Wenn du mich heiraten würdest, könntest du Mrs. London sein.«
»Cool«, lachte sie. »Rebecca London, – das gefällt mir.«
Ned lächelte bei sich, und sie gingen weiter.
Sie blieben oben bei den Treppen hinunter zur U-Bahn Tottenham Court Road stehen.
»Wie kommst du nach Hause?«, fragte Becky.
»Ich gehe die Holborn rauf. Nehme den Bus.«

»Du nimmst nicht die U-Bahn?«
»Äh – nein«, lachte er. »Ich lebe in Crystal Palace. Da gibt es keine U-Bahn. Der Bus bringt mich direkt zu meiner Haustür.«
»Nun, danke, dass du mich hergebracht hast – das ist wirklich süß von dir.«
»Es war mir ein Vergnügen.«
»Und bis morgen, ja?«
»Ganz sicher.«
»Gute Heimfahrt«, sagte Becky. »Nacht.« Und dann beugte sie sich zu ihm, und zuerst dachte Ned, sie wollte ihn auf die Wange küssen, also versuchte er, seine Wange zu ihr zu drehen, und dann bewegte sich ihr Gesicht ein bisschen, und er spürte, wie seine Lippen ihre streiften, und es fühlte sich so gut an, und er wollte es so sehr, hatte es schon den ganzen Abend gewollt, dass er seinen Mund direkt auf ihren zu bewegte und anfing, sie zu küssen. Es war alles so verwirrend, dass er eine Sekunde lang nicht mal bemerkte, dass sie versuchte, ihre Arme von seinem Griff zu befreien, oder dass sie sich wie ein Wurm wand.
Als er es endlich bemerkte, war es zu spät.
»Nid!«, sagte sie, als es ihr endlich gelungen war, sich aus seiner Umarmung zu befreien. »Was machst du da?«
»Scheiße, Becky. Ich weiß nicht. Ich dachte ... ich dachte, du hast versucht, mich zu küssen ...«
»Auf die Wange, Kumpel – auf die Wange!«
»Es tut mir wirklich Leid, Becky. Ich wollte es nur einfach schon den ganzen Abend tun, und ich habe ein paar getrunken und ich dachte ... Himmel – es tut mir wirklich Leid. Ich habe es wirklich verpatzt, oder?«
»Nid«, sagte sie und legte die Hände auf seine Arme, »da war nichts zu verpatzen.«
»Äh?«
»Ich meine, es tut mir Leid, wenn ich den falschen Eindruck erweckt habe oder so, aber ich bin nicht scharf auf dich.«

»Nein?«
»Nein. Ich finde, du bist absolut hinreißend. Du bist wirklich ein toller Typ. Aber – du bist nicht mein Typ.«
»Oh.«
»Ja. Schau. Es tut mir wirklich Leid. Wirklich. Es ist nichts Persönliches, ehrlich. Es ist nur, du bist ein bisschen zu jung für mich.«
»Jung? Aber ich bin vier Jahre älter als du.«
»Ja. Es ist nicht dein Alter – du bist es. Ich mag Männer, die ein bisschen … *männlicher* sind.«
»Du hältst mich nicht für männlich?«
»Nun ja, du siehst männlich aus – na ja, irgendwie männlich. Aber es ist einfach die ganze Sache mit dem bei den Eltern leben und dass du Aushilfsarbeiten machst. Ich suche jemanden, der schon ein bisschen mehr ein eigenes Leben hat, verstehst du? Mit einer eigenen Wohnung und vielleicht einem richtigen Job? Klinge ich jetzt seicht?«
»Nein«, antwortete Ned, der den Kopf senkte und auf das Pflaster starrte und wartete, dass sich ein großes Loch dort auftäte, das ihn verschlingen würde. »Ist schon fair.«
»Gott, Nid. Es tut mir so Leid. Ich hoffe wirklich, es war nichts, was ich gesagt oder getan habe. Ich hoffe, ich habe nicht den falschen Eindruck erweckt.«
»Nein«, sagte Ned, der jetzt nur noch weg und nicht mehr stehen bleiben wollte, bis er sich von diesem hässlichen Gefühl der Demütigung gereinigt hatte, das in ihm wuchs wie ein Tumor. »Nein. Es war nicht deine Schuld. Ich war es. Ich … äh … Schau, es ist mir wirklich peinlich, deshalb gehe ich jetzt. Okay?«
Becky nickte und schenkte ihm einen so mitleidigen Blick, dass Ned sich übergeben wollte.
»Trotzdem danke. Danke für einen schönen Abend.«
»Ebenfalls, Nid.«

Ned drehte sich um und ging weg, dabei war er sich bewusst, dass Becky immer noch oben auf der Treppe stand und ihn beobachtete.

»Nid.«

Er drehte sich um.

»Ich wollte nur sagen: Du bist ein wirklich toller Typ. Einer der nettesten, die ich getroffen habe, seit ich in London bin. Du wirst jemand Tolles finden. Das weiß ich genau.«

Ned zwang sich zu einem Lächeln und einem Nicken und drehte sich dann um und ging langsam und schwerfällig Richtung High Holborn und zu der Haltestelle der Nummer 68; dabei verfluchte er auf dem ganzen Weg Gervase und sein verdammtes »Muster«.

Tony hat eine gute Woche

Fünfundneunzig Kilo, Tony. Gut gemacht! Du hast zwei Kilo abgenommen!«
Alle in der Gruppe sahen ihn stolz an und applaudierten ihm aus ehrlichem Herzen.
»Wie viel ist das in Pfund?«, flüsterte er Jan ins Ohr.
»Ungefähr viereinhalb Pfund.«
»Ist das gut?«
»Es ist ausgezeichnet, Tony – es heißt, das du nun unter fünfzehn Stone wiegst. Gut gemacht!«
Unter fünfzehn Stone, dachte Tony, und ein Lächeln spielte um seine Lippen. Vierzehn Stone und etwas. Fantastisch! Er nahm seinen Platz im Kreis ein und lächelte die Gruppe an. Alle sahen ihn an, als ob sie sich wirklich für ihn freuten, und er merkte, wie er vor Stolz anschwoll. Er war ein Sieger!
Nicht, dass dieser Gewichtsverlust irgendetwas mit der Befolgung von Jans Anweisungen zu tun hätte oder damit, Kalorien zu zählen oder sich im Studio zu quälen. Nein – sein Gewichtsverlust war einzig und allein dem emotionalen Mahlstrom geschuldet, der im Moment sein Leben peitschte. Nachdem er so viele Jahre in emotionaler Öde verbracht hatte, konnte Tony kaum mit der Kraft und Bandbreite seiner Gefühle seit Mittwochabend mithalten.
Das erste und überwältigendste Gefühl war sein Kater am anderen Morgen gewesen, als sein Wecker um halb sieben geklingelt hatte. Das so ziemlich ekelhafteste Gefühl seines Lebens. Seine

Zunge war mit etwas überzogen gewesen, das sich anfühlte wie eine dicke Schicht aus knoblauchhaltigem Brandy, und sein Kopf fühlte sich an, als ob eine Familie übergroßer Käfer mit Äxten eingezogen wäre und langsam an seinem Hirn herumhämmerte. Die anderen Gefühle mussten sich in der Schlange anstellen und warten, bis sich sein Kater auflöste, bevor sie sich vorstellen durften. Sobald er geduscht und etwas Kaffee getrunken hatte, bemerkte er eine seltsame Hochstimmung. Er kam sich leichter und jünger vor und erfüllt von einer brennenden Energie.

Ness war in seinem Bademantel die Treppe heruntergekommen und hatte ihn schläfrig umarmt, dann hatte sie das Nurofen aus dem Küchenschrank genommen und vier kleine Kapseln herausgedrückt – zwei für sich und zwei für ihn – und sie ihm schweigend mit einem Glas Wasser gereicht. Er hatte zugesehen, wie sie sich in der Küche bewegte, anmutig und biegsam; ihr gelocktes Haar hing ihr den Rücken herunter, und er musste einen weiteren Ansturm von Lust beherrschen.

Dann hatte er Millie Tee nach oben gebracht, und sie hatte die Augen aufgeschlagen und ihn angelächelt. »Ich fühle mich ekelhaft«, hatte sie gekrächzt, »will sterben.« Sie rieb sich die Augen und zerrte an ihren Haaren, und Tony hatte sie in den Arm nehmen und halten und dafür sorgen wollen, dass sie sich besser fühlte. Dann hatte er gehen und Ness und Millie in seiner Wohnung zurücklassen müssen, beide zerwühlt und wund und halb angezogen, und seine Fahrt zur Arbeit hatte etwas Surreales an sich gehabt. Er konnte nicht ganz glauben, was am Vorabend passiert war.

Er hatte Millie geküsst.

Er hatte sich mit Sean zerstritten.

Er hatte Ness gesagt, dass er sie liebe.

Und einen kurzen Moment lang hatte er es auch so gemeint.

Die nächsten Tage von Tonys Leben hatten sich seltsam

beschleunigt angefühlt, als ob er auf Speed wäre oder so. Er war zur Arbeit gefahren, war supertüchtig gewesen, hatte mit dem Personal gescherzt, Entscheidungen getroffen, zu essen vergessen. Am Wochenende waren Ness und er in der Wohnung umhergesprungen und hatten gearbeitet, waren einkaufen gewesen, hatten gevögelt, sich mit Leuten getroffen. Er hatte nicht das Bedürfnis gehabt, viel zu trinken, weil er sich sowieso so high fühlte. Sie hatten am Sonntag den Hund von Jo ausgeliehen und waren ungefähr vier Stunden lang im Dulwich Common spazieren gegangen, und der Hund war noch vor ihm müde geworden. Er kam sich befreit vor, er fühlte sich wieder jung. Die Welt schien plötzlich ein großer Topf voller Möglichkeiten zu sein. Er konnte keine Probleme erkennen, nur Gelegenheiten.

Doch das Komische daran, wie er sich fühlte, war, dass es kein Glück war, obwohl es das hätte sein sollen. Es war eine völlig andere Art von Gefühl. Er fühlte sich seltsam losgelöst von allem, leicht taub. Er kam sich vor wie eine Figur in einem Film, als ob alles in einem Drehbuch stände und jemand anderer beschlossen hätte, was passieren sollte, so dass er genauso gut loslassen und sich entspannen konnte. Gedanken an die Folgen dessen, was in seinem Leben vorging, flackerten ab und zu in seinem Kopf auf. Doch er beachtete sie einfach nicht, fast als ob sie die Werbepause zwischen der Handlung waren.

Er rief Millie an diesem Wochenende dreimal an, erkundigte sich nach ihr, fand heraus, was mit ihr und Sean passiert war, beruhigte sie, *kümmerte sich um sie*. Sie erwähnten den Kuss nicht, doch er war da in ihren Gesprächen, fast als ob sie beide darauf warteten, dass der andere etwas sagte. Doch dass keiner von ihnen es erwähnte, sprach Bände. Sie wussten beide, worum es bei diesem Kuss wirklich gegangen war, und in gewisser Weise hatte er den Nebel gehoben und sie einander noch näher gebracht. Stattdessen redeten sie über Sean und darüber, dass er immer noch in Catford war und ob Millie ihn verlassen sollte oder nicht und wie sie sich fühlte und was mit dem Baby passieren würde. Wahnsinnig, ungeheuer, riesig wichtige Gespräche über das Leben und die Liebe und alles, was dazwischen lag. Doch jedes Mal, wenn er den Hörer auflegte, hatte er fast vergessen, worüber sie geredet hatten. Alles, was er tat, schien in einer kleinen Luftblase zu existieren, unabhängig von allem anderen. Es gab keine Verbindung zwischen den Elementen seines Lebens, keine Kontinuität.

Er hatte sich nie besser gefühlt.

Und nun das. Vierzehn Stone und etwas. Alles war klasse. Das Leben bekam seinen güldenen Schein wieder.

Er strahlte alle im Raum an, und alle strahlten zurück. Er hatte das Gefühl, alle zu lieben, sogar Kelvin. Tonia schenkte ihm ein extra besonderes Lächeln und zwinkerte ihm zu. Er errötete und sah auf seine Schuhe.

»Also, möchtest du über deine Woche sprechen, Tony?«, fragte Jan. »Irgendwelche besonderen Probleme? Irgendwelche Triumphe?«

»Nein«, antwortete er, »eigentlich nicht. Ich habe nur die Regeln befolgt. War ein braver Junge.«

»Du hast es also ziemlich einfach gefunden?«

»Ja«, er lächelte, »war wohl Anfängerglück.« Er lachte, und alle anderen stimmten ein, und Jan wandte sich dem Nächsten zu. Er lauschte hingerissen den Geschichten, als sie über ihre Woche sprachen. Er zählte den gesamten Gewichtsverlust zusammen, während die Leute auf die Waage und wieder herunterstiegen, und rechnete aus, dass sie alle acht zusammen wahnsinnige eineinhalb Stone verloren hatten – und das, obwohl Kelvin drei Pfund zugenommen hatte. Er war so aufgeregt wegen seiner Leistung, dass er es nach seiner Sitzung kaum erwarten konnte, mit der Gruppe ins Bubbles zu gehen. Er wollte mit Menschen reden, gesellig sein.

Er saß wieder neben Tonia, und diesmal erwiderte er ihre Flirtversuche.
»Also«, sagte sie und fuhr mit ihren krallenartigen Fingerspitzen den Stiel ihres Glases auf und ab, »der Gewichtsverlust scheint dir zu bekommen.«
»Was meinst du damit?«
»Nun ja, du wirkst einfach ein bisschen *lebendiger* als letzte Woche.«
»Wirklich?«
»Ja. Letzte Woche hatte ich das Gefühl, dass du ein bisschen zerstreut warst – als ob du mit etwas beschäftigt warst. Aber diese Woche, nun ja, bist du einfach dynamisch.«
»Dynamisch, ja?«, wiederholte er lächelnd. »Nun ja, ich nehme an, ich hatte einfach eine gute Woche.«
»Das ist gut«, sie lächelte ihn wieder an. »Irgendeinen besonderen Grund?«
Er dachte einen Moment darüber nach und lächelte. »Nein«, sagte er dann, »nur eine dieser Wochen, in denen nichts ein Problem zu sein scheint, nehme ich an, in denen das Leben wirklich einfach und unkompliziert erscheint.«
»Gott, ich könnte ein bisschen davon brauchen«, sagte sie lachend. »Was ist dein Geheimnis?«
»Ich weiß es nicht«, sagte er und dachte: *Deinem Bruder zu sagen, wie du dich wirklich ihm gegenüber fühlst, Annäherungsversuche bei seiner Freundin zu machen und dann gleich danach den besten Sex deines Lebens mit deiner Langzeitbeziehung zu haben, so in etwa.*
»Einfach eines Morgens aufzuwachen und sich um nichts mehr zu scheren, denke ich«, antwortete er.
Sie lachte und sah ihm in die Augen, und er lachte und sah in sein Weinglas. Er könnte sie haben, dachte er triumphierend, er könnte Tonia haben. Sie war sein. Sie dachte, er sei fantastisch. Er müsste nur seinen Charme anknipsen, und er könnte alles haben, was er wollte. Wenn Kylie jetzt hier hereinkäme, könnte er

sie wahrscheinlich auch haben. Und Tamsin Outhwaite. Und alle Mädchen im S Club 7. Er war unbesiegbar.
Er wollte sie aber nicht, das war das Seltsame. Er wusste nicht, was er wollte. Es war kein Platz in seinem von Seratonin überschwemmten Hirn für Gedanken über das, was er wirklich wollte. Er konnte nur – nicht planen, nicht denken, nur reagieren.
Er trank sein Glas Wein aus und verabschiedete sich von allen. Als er sich von Tonia verabschiedete, gab er ihr einen besonders bedeutungsvollen Kuss auf die Wange, obwohl er sich nicht ganz sicher war, warum. Er stieg in sein Auto und fuhr mit offenem Verdeck nach Hause, die Musik voll aufgedreht und aus voller Kehle singend; ihm war egal, dass er wie ein Irrer aussah, er *merkte* nicht mal, dass er aussah wie ein Irrer.
Überall, wo er fuhr, schien es Frauen zu geben, ganze Horden, alle in jenen vorsommerlichen Stil gekleidet, den er liebte – er erhaschte Blicke auf blasse Zehen und Knöchel, Bäuche und Schultern. Bald war es offiziell heiß, und Beine, Rücken und ganze Bäuche würden sichtbar werden, doch in gewisser Weise zog Tony diese schüchternen Enthüllungen von Frühlingsfleisch vor.
Frauen drehten sich nach ihm um, während er vorbeifuhr, schöne Frauen, junge Frauen. Er erwiderte ihren Blick, cool und distanziert, sicher in dem Wissen, dass sie ihm gehörten, dass er sie haben konnte, alle. Er müsste nur sein Auto anhalten, die Beifahrertür aufmachen und sie hereinlassen.
Er parkte sein Auto vor seiner Wohnung und pfiff, während er durch den Gemeinschaftsteil ging, seine Post mitnahm, zwei Stufen auf einmal nahm. Ness war da, als er die Tür öffnete, sie saß auf dem Sofa und las den *Standard*, sie trug ein wirklich schönes geblümtes Kleid mit Puffärmeln und einem tiefen Ausschnitt. Eine Flasche Wein stand geöffnet auf dem Tisch vor ihr.
»Hallo, Schöner«, grinste sie ihn an und sprang auf, um ihn zu begrüßen.

»Ich liebe dieses Kleid«, gab er zurück und hielt sie auf Armeslänge von sich, um es zu bewundern. »Es steht dir.«

»Wirklich?«, sagte sie und strich sich geistesabwesend über den Rock. »Es gefällt dir?«

»Mmh. Lässt dich aussehen wie ein lüsternes junges Weib.«

Sie lächelte ihn freundlich an. »Nun ja«, sagte sie, »das bin ich ja auch. Lüstern, jung und irgendwie auch ein Weib. Ein Glas Wein?«

Er sah auf die Flasche auf dem Tisch und schüttelte den Kopf. »Nein«, lehnte er ab, »ich habe gerade eines getrunken.«

»Ach ja?«, fragte sie. »Mit wem?«

»Oh – nach der Arbeit. Du weißt schon. Jemand hatte Geburtstag.«

»Ach, du wirst tatsächlich noch *gesellig* auf deine alten Tage. Komm schon. Nur ein Glas. Wir können uns auf die Terrasse setzen. Wenn du magst. Es ist ziemlich mild draußen.«

»Okay«, antwortete er und sah wieder auf die gekühlte Flasche, »aber nur ein kleines.«

Ness nahm die Flasche, und Tony folgte ihr durch das Wohnzimmer zu den Schiebetüren, die nach hinten hinaus auf die Terrasse führten. Die Plastikstühle waren mit totem Laub und Stadtstaub bedeckt, den er mit dem Handrücken wegwischte, bevor er sich setzte. Ness reichte ihm ein Glas, und einen Augenblick lang saß er nur da, genoss die milde Luft und das Gefühl der Leichtigkeit in allem. Wenn das Leben doch nur immer so sein könnte, dachte er, wenn er nur immer auf dieser energiegeladenen Wolke dahinschweben könnte, nur die Oberfläche von allem streifen, es sehen und wissen könnte, aber nichts daran ändern müsste. Er streckte die Beine aus, nippte an seinem Wein und seufzte zufrieden.

Und dann kam Ness und verdarb alles.

»Tony«, begann sie, rückte ihren Stuhl näher an seinen und packte liebevoll seinen Schenkel.

»Ja-a.«
»Erinnerst du dich an letzte Woche, auf dem Weg zu Rob und Trisha? Erinnerst du dich, worüber wir geredet haben?«
Tony spürte, wie seine Wolke etwas von ihrer Geschwindigkeit verlor und ein bisschen an den Rändern des Lebens schabte. Er stellte sein Weinglas ab.
»Na ja, ich habe mich gefragt, hast du noch mal drüber nachgedacht?«
Tony atmete tief durch und zählte von drei rückwärts. »Äh, nein«, antwortete er schließlich und rieb sich den Nacken. »Ich hatte wirklich keine Zeit. Du weißt schon.«
»Es ist nur – ich will keinen Druck auf dich ausüben oder so, aber ich habe letzte Woche meine Wohnung schätzen lassen, und rate mal, was sie wert ist?«
»Ich weiß es nicht«, meinte Tony schwerfällig, »wie viel ist sie wert?«
»Einhundertzwanzigtausend Pfund! Ich habe fünfzigtausend daran verdient, Tony! Fünfzigtausend Pfund. Und der Makler nahm an, ich könnte sogar noch mehr dafür bekommen, nun, da es Sommer wird. Und ich habe nur daran gedacht, was wir mit dem Geld machen könnten, wenn ich hier einziehen würde. Du könntest dir freinehmen, ein Sabbatjahr, wir könnten für ein paar Wochen irgendwohin fahren, vielleicht sogar ein paar Monate. Ich meine, du hast dein ganzes Leben lang gearbeitet, Tony – du hast nie eine Pause gemacht. Und ich glaube, es würde dir gut tun.«
Ein Sabbatjahr, dachte Tony, Auszeit. Was für eine völlig absurde Idee.
»Du könntest diese Wohnung vielleicht vermieten, und das Geschäft könnte eine Zeit lang alleine weiterlaufen, das weißt du genau.«
Als ob, dachte Tony. Der Laden würde in die Knie gehen, noch bevor das Flugzeug abgehoben hätte.

»Und dann, wenn wir zurückkommen, könnten wir vielleicht diese Wohnung auch verkaufen und etwas Größeres nehmen, du weißt schon, mit einem Garten?«

Die Wolke begann wieder schmerzhaft gegen raue Ränder zu reiben.

»Vielleicht etwas weiter draußen, weißt du, Richtung Bromley.«

Und dann traf Tonys schöne weiche Wolke einen riesigen gezackten Felsen, und Tony spürte, wie er buchstäblich von dem sicheren warmen Ort weggeschleudert wurde, auf dem er in den letzten Tagen geruht hatte. Er sah Ness an, die zu ihm mit ihren großen grünen Augen aufblickte, ein Spitzen-BH lugte aus ihrem hübschen Blümchenkleid heraus, ihr blondes Haar hing in Strähnen herab, und er erkannte, dass seine Nummer dran war. Game over.

Es war Zeit, die Kontrolle zu übernehmen.

Es war das Allermindeste, was Ness verdiente.

»Ness«, sagte er, »nein.«

»Nein was?«

»Nein – ich will nicht mit dir zusammenziehen.«

Ness' Gesicht fiel in sich zusammen. »Aber ich dachte …«

»Ich weiß, was du dachtest, Ness. Aber es ist … Schau, es tut mir wirklich Leid. Aber ich will nicht den Rest meines Lebens mit dir verbringen, Ness.« Er ergriff ihre Hände, die erschlafft auf seinen Knien lagen, und drückte sie.

Ihre Augen füllten sich mit Tränen. »Aber – Tony. Ich verstehe nicht. Wir sind in letzter Zeit so gut miteinander ausgekommen. Du schienst so glücklich zu sein.«

»Ich weiß. Und ich war es auch. Aber die Sache ist die, Ness …« Wieder drückte er ihre Hände und spürte, wie sich Tränen in seiner Kehle ansammelten. »Ich bin nicht der Richtige für dich. Du verdienst jemanden, der viel besser ist als ich. Jemand, der dich wirklich liebt …«

»Aber – neulich Nacht. Du hast mir gesagt, dass du mich liebst, und du hast geweint, Tony. Du hast geweint. Also liebst du mich wirklich … du hast es mir gesagt …«

Tony seufzte und sah zum Himmel auf. Wie, zum Teufel, sollte er Ness einen Augenblick in seinem Leben erklären, wenn er ihn selbst nicht verstand. »Natürlich liebe ich dich, Ness. Alle lieben dich. Wer würde dich nicht lieben? Du bist von Grund auf liebenswert. Aber du bist nicht … diejenige welche. Verstehst du?«

»Was willst du also sagen, Tony? Willst du damit sagen, dass es … dass es *aus* ist?«

Tony sah Ness wieder an und fühlte einen stechenden Schmerz in seiner Brust. Nichts hatte sich seit so langer Zeit wirklich angefühlt. Er war von Unglück und Enttäuschung so lange gelähmt gewesen, dass er vergessen hatte, wie es war, richtig zu fühlen. Und in den letzten Tagen war er dann mit dem Kopf voraus ans andere Ende des Spektrums geschleudert worden, und erst jetzt befand er sich irgendwo in der Mitte, an dem Ort, an dem es keinen Platz für Träume und Ausflüchte gab, der Ort, an dem er Entscheidungen treffen musste – selbst wenn das hieß, dass er den nettesten Menschen verletzen musste, den er jemals in seinem Leben gekannt hatte.

»Ja«, sagte er, »es ist aus.«

Ness riss ihre Hände von seinem Schoß und erhob sich kerzengerade. »Du Schuft!«, sagte sie und schlang die Arme um ihre Brust. »Du elender Schuft! Nach allem, was wir durchgemacht haben, all den *Scheiß*, den ich von dir ertragen habe – *Himmel!* Ich habe mir deine Launen gefallen lassen und deinen Egoismus und deine Erbärmlichkeit. Ich habe dir durch den schlimmsten Teil deines Lebens geholfen, nachdem dich Jo verlassen hat. Ich war geduldig und … und … liebevoll. Ich habe dich so geliebt. Und ich bin geblieben, wo jede *vernünftige* Frau aufgegeben hätte. Und *nun* – nun, wo ich endlich mit dir irgendwo angelangt zu sein schien, wo du endlich glücklich und nett bist und es Spaß mit dir macht – lässt du mich *sitzen*. Du hast mir sogar gesagt, dass du mich liebst, du Schuft. *Weißt* du, wie lange ich darauf gewartet habe? Ja? Hast du eine *Ahnung*, wie viel mir das bedeutet hat? Es war einer der besten Augenblicke meines Lebens, Tony. Ich dachte … ich dachte, *endlich* – endlich habe ich die Wand durchbrochen, die du um dich aufgebaut hast, nachdem dich Jo verlassen hat …«

»Welche Wand?«

»Ach, komm schon, Tony – du weißt, wovon ich rede. Du warst ein gebrochener Mann, als ich dich kennen gelernt habe. Aber ich konnte dein wahres Wesen sehen, wie es mich angeschielt hat. Und ich wollte nur dein gebrochenes kleines Herz kitten, Tony, alles besser machen. Und jetzt geht es dir besser, und du willst … du willst … mich nicht mehr …«

Sie fing an zu schluchzen, und Tony streckte die Hand aus, um sie zu trösten. Sie stieß sie weg. »Nein, Tony«, sagte sie, stand auf und schob ihren Stuhl zurück an die Wand. »Nein. Fass mich nicht an. Rede nicht mit mir. Lass mich nur allein, Okay?«

Sie überquerte die Terrasse und ging ins Wohnzimmer. Tony stand auf und folgte ihr. »Wohin gehst du?«

»Nach Hause. Ich gehe nach Hause.«

»Aber können wir denn nicht reden?«

»Was, verdammt noch mal, gibt es da noch zu reden, Tony? Hm?« Sie nahm ihre Leinenjacke und ihre Autoschlüssel. »Lass mich einfach gehen. Und lass mich mein Leben weiterleben. Ich will dich nie, *nie* wieder sehen.« Sie blieb stehen und starrte ihn an, Tränen liefen ihr über das Gesicht, sie hielt die Hand an die Brust. »Du hast … mir das *Herz gebrochen*.«

Sie starrten sich einen Augenblick an, bevor Ness sich umdrehte und langsam zur Haustür und aus Tonys Wohnung ging.

Tony stand noch da, nachdem sie fort war, lauschte der Stille, die in seinen Ohren tönte, bis er Ness' Golf auf dem Parkplatz starten, die Sicherheitstore sich knarzend öffnen und Ness wegfahren hörte.

Wie betäubt ging er in der Wohnung umher, nachdem sie weg war. Es lagen Tüten von Sainsbury in der Küche. Er spähte hinein. Zwei Thunfischsteaks, eine Tüte Rucola, Pestosauce, zwei Schokoladenmousse mit niedrigem Fettgehalt, eine Ausgabe von *OK!*, ein Lottoschein. Sie hatte eine Bratpfanne auf den Nagel gehängt und die Becher und Gläser abgewaschen, die heute Morgen im Spülbecken gewesen waren.

Und jetzt war sie fort.

Er öffnete den Kühlschrank und zog einen Becher Kartoffelsalat und ein paar kalte Würstchen heraus. Dann nahm er sie hinaus auf die Terrasse und aß sie, während er zusah, wie die Sonne unterging, und trank fast die ganze Flasche Wein aus.

Eine Tür geht zu …

Ned spielte gerade mit dem Gedanken, sich einen runterzuholen, als es an diesem Abend um neun Uhr an der Tür läutete. Er hatte seine Hand schon in der Hose und hatte gemächlich und auf eine halbherzige Weise an seiner Vorhaut herumgefummelt, die eher tröstlich als erregend war. Mum und Dad waren zum Abendessen zu Mickey's gegangen, und Gervase war irgendwo mit Bud. Er hatte das ganze Haus für sich, und es kam ihm wie eine vergeudete Gelegenheit vor, es nicht zu tun.

Seine erste Reaktion, als er die Türglocke hörte, bestand, abgesehen davon, dass er die Hand aus der Unterhose zog, aus Urangst. Normale Menschen läuteten in London nicht um neun Uhr abends an der Tür. Nur Einbrecher oder Geistesgestörte. Ihm stockte der Atem, und er beschloss schließlich, dass es wahrscheinlich Gervase war, der seine Schlüssel oder so vergessen hatte, er machte sich wachsam auf den Weg in den Flur und rief vorsichtig »Hallo« durch die geschlossene Tür.

»Ned – ich bin's. Ness.«

Ness. Scheiße. Ned warf einen verstohlenen Blick auf sein Bild im Flurspiegel. Er sah scheußlich aus. Sein Haar war schmutzig, und er hatte sich vorher ausgiebig die Pickel ausgedrückt, so dass sein Gesicht nun aussah wie ein Teller Corned Beef. »Ness«, sagte er, zog seine Hose zu, fuhr mit den Fingern durch sein strähniges Haar, zog ein Paar besonders ekelhaft aussehende Socken aus, knüllte sie zusammen und warf sie ins Esszimmer. »Bleib da. Ich bin … nur. Bleib da.« Er zog die Tür auf und wurde begrüßt von einer belämmerten, aber immer noch entschieden flott aussehenden Ness, die auf der Schwelle stand und ein sexy Blümchenkleid, eine Leinenjacke und einen seltsam stoischen Gesichtsausdruck trug.

»Ist … ist Bernie da, Ned?«, fragte sie krächzend und beherrscht.

»Äh, nein. Nein. Sie ist mit Dad aus.«

»Oh«, schniefte sie, »kommt sie bald wieder?«

Ned sah auf seine Uhr. »In einer halben Stunde oder so. Geht es dir gut?«

»Ja«, antwortete sie, »mir geht es gut.«

»Willst du reinkommen – und warten?«

Ness sah sich einen Moment um, blickte auf ihr Auto, das auf der Straße hinter ihr parkte, dann auf ihre Uhr und auf den Flur hinter Ned. »Ja«, sagte sie dann, »okay. Ich störe dich doch nicht, oder?«

»Nein – gar nicht. Ich war gerade … äh … Nein – *komm rein.*«

Er nahm ihr die Jacke ab, bot ihr etwas zu trinken an, ließ sie sich aufs Sofa setzen.

»Also«, fing er an, als er ihr ein Lager brachte und sich auf den Sessel neben ihr fallen ließ, »was willst du anschauen?« Er schlug *heat* auf und las die Möglichkeiten vor.

»Ist mir egal«, gab sie zurück, »irgendwas.« Ihre Stimme stolperte über die letzte Silbe, und Ned sah sie besorgt an.

»Ness«, fragte er, »bist du sicher, dass du okay bist?«

Sie nickte, es war ein steifes, gezwungenes kleines Nicken. Und dann fing sie an zu weinen.

Ned sprang aus seinem Sessel und setzte sich neben sie. »Ness – Scheiße – was ist los? Ist was passiert?«

»Hm«, machte sie und nickte wieder. »Tony hat mich gerade sitzen lassen.«

»*Was?!* Scheiße – du machst Witze. Ich meine – wann?«

»Gerade eben. Wortwörtlich. Ich komme gerade von ihm.«

»Mist«, meinte Ned. »Mist. Ness. Es tut mir wirklich Leid. Das ist schrecklich. Was hat er gesagt? Hat er dir einen Grund gesagt?«

»Hat gesagt, ich sei nicht ›diejenige, welche‹.« Sie schrieb mit den Fingern Anführungszeichen in die Luft und lachte schief.

»Diejenige welche?«, wollte er wissen. »Was, zum Teufel, soll das denn heißen?«

»Ich weiß es nicht«, antwortete sie, »aber je länger ich darüber nachdenke, desto mehr frage ich mich, ob er eine andere hat.«

»Nein.«

»Mmh. Er ist in letzter Zeit ziemlich aufgedreht gewesen, hat viel abgenommen. Hat viel gepfiffen. Hat sich mehr Mühe mit seinem Aussehen gegeben.«

»Nein«, widersprach Ned und schüttelte heftig den Kopf, »nicht Tony. Tony würde nicht betrügen. Tony gehört zu den guten Typen.«

»Ja. Das habe ich auch immer gedacht. Ich meine, er ist mürrisch und schlecht gelaunt, aber ich habe das immer an mir abgleiten lassen, weil ich tief drinnen wusste, dass er anständig ist – dass er mir nicht wehtun würde ...«

»Das ist also alles, was er gesagt hat? Nur dass du nicht die Richtige seist?«

»Hm. Ich hatte mit ihm übers Zusammenziehen geredet ...«

»Ach ja, dann ...«, sagte Ned und schlug sich mit den Händen auf die Knie, »das erklärt alles. Du hast ihn abgeschreckt. Das ist alles. Genauso war es, als ich mit Carly zusammen war: Wir waren ein tolles Paar, wirklich toll, und ich habe nie darüber nachgedacht, wohin unsere Beziehung führen sollte – ich habe nur für den Augenblick gelebt, du weißt, was ich meine? Habe es wirklich nie infrage gestellt. Und dann eines Abends, aus heiterem Himmel, hat sie mich gebeten, sie zu heiraten. Und ich bin einfach ausgeflippt. Frag mich nicht, warum. Ich weiß nicht, warum. Nicht, dass ich nicht mit ihr zusammen sein wollte.

Aber da war etwas …« Er strengte sich an, die Worte zu finden, um die Phase in seinem Leben zu beschreiben, die er immer noch nicht verstand. »Ich weiß nicht – es war, als ob ich jahrelang dahingetrieben wäre, mein Ding durchgezogen hätte und als ob ganz plötzlich jemand anderer mir das Lenkrad entrissen und mir die Kontrolle über mein Leben genommen hätte. Es hat mich einfach erschreckt.«

»Deshalb bist du mit dem Mädchen aus der Sportsbar weggegangen?«

»Das weißt du?«

»Natürlich. Bernie hat es mir erzählt. Sie hat gesagt, es sei schrecklich gewesen.«

»Es war schrecklich. Es war das Schlimmste, was ich jemals getan habe.«

»Was ist das denn? Irgendein Anti-Beziehungs-Gen der Familie London?«

»Nein!«, entgegnete Ned leidenschaftlich. »Nein. Gar nicht. Ich bin ein geheilter Beziehungsphobiker. Carly sitzen zu lassen – das sag ich dir – war der größte Fehler, den ich je in meinem Leben gemacht habe. Das ist mal sicher. Und ich habe meine Lektion gelernt. Tony hat einfach *Angst*. Er hat Angst. Gib ihm Zeit. Er wird es schon schaffen.«

»Meinst du?«

»Klar. Eindeutig.«

»Ach, ich weiß nicht. Ich habe ihn vor ein paar Wochen gefragt, ob wir zusammenziehen, und er war wirklich cool, hat gesagt, er würde drüber nachdenken. Damals hat er nicht ängstlich ausgesehen. Tatsächlich war er danach noch netter zu mir, hat mehr Zuneigung gezeigt, hat mir Komplimente gemacht. Er hat sogar … er hat neulich Abend sogar gesagt, dass er mich liebt. Warum sollte er mir erzählen, dass er mich liebt, wenn er sich in der Falle und verängstigt fühlt? Warum sollte er so superliebevoll sein?«

Ned seufzte und rieb sich mit der Hand übers Kinn. »Ich habe keine Ahnung, Ness. Aber ich sag dir eines – der Junge sollte sich sein Hirn untersuchen lassen.«

»Was?«

»Na ja – du – du bist …« Ned fühlte, wie sein Gesicht explodierte und heiße Flammen der Verlegenheit über seine Wangen leckten. »Du bist hinreißend.«

Da gelang ihr ein kleines Lächeln.

»Und du bist schön. Er muss verdammt verrückt sein, wenn er dich sitzen lässt.«

»Ach, Ned – das ist wirklich süß, aber du musst nicht versuchen, mich besser fühlen zu lassen …«

»Das versuche ich auch nicht, Ness. Ich sage nur – du bist hinreißend, du bist witzig, du bist süß, du bist sexy … du bist … du bist … du bist die *perfekte Frau.*« Ned schluckte. Sein Gesicht war nun so heiß, dass es sich anfühlte, als ob er kurz vor einer spontanen Selbstentzündung stünde.

Ness warf ihm einen seltsamen Blick zu und fing dann an zu kichern. Viel zu unbeherrscht für Neds Geschmack. Es war nicht so lustig. Es war eigentlich gar nicht lustig.

»O Ned«, sagte sie und wischte mit einer Ecke ihres zerknüllten Taschentuchs eine Träne weg. »Das ist so lieb. Willst du mich heiraten?«

»Ja«, antwortete Ned. »Äh, ich meine, nein. Vielleicht. Ich …« Er presste die Zähne zusammen, damit nicht noch mehr lächerliche Worte herauskonnten.

Ness sah ihn liebevoll an. »Du hast dir den Bart abrasiert«, stellte sie fest.

»Ja«, antwortete Ned und rieb sich mit den Fingerspitzen über das nackte Kinn, »Ja. Es wurde einfach ein bisschen … du weißt schon.«

Er wollte jetzt, dass sie ging. Das hier war einfach nur noch peinlich.

»Viel besser«, lobte sie und nickte zustimmend. »Kann jetzt dein schönes Gesicht sehen.«
Okay, dachte er, vielleicht wollte er doch, dass sie blieb.
Und dann hörte er den Schlüssel im Schloss der Haustür, und das Lachen seiner Eltern schwebte durchs Haus und ins Wohnzimmer. Ness setzte sich aufrecht hin und blickte eifrig zur Tür.
»Ness!«, sagte Gerry, als er das Zimmer betrat. »Was machst du denn hier, meine Liebe?«
Sie lächelte und zuckte die Achseln.
»Tony hat gerade Schluss mit ihr gemacht«, erklärte Ned hilfsbereit.
»Nein!«
»Doch. Gerade eben.«
»Ness. Du Arme. *Bern*. Bernie!«
Bernie tauchte noch im Mantel in der Tür auf.
»Ness. Was ist los?«
»Tony hat gerade mit ihr Schluss gemacht«, erklärte Ned wieder.
»Nein!«
»Doch. Gerade eben.« Vielleicht sollte er sich Schilder drucken lassen, fragte er sich müßig.
»Aber … aber … warum??«
»Ich weiß nicht, Bernie«, sagte Ness und fing an zu schniefen, »ich weiß nicht.«
»Ach, komm her, meine Liebe.« Bernie öffnete die Arme, und Ness fiel hinein und begann sich das Herz auszuschluchzen.
Ned und Gerry sahen sich an, verließen das Zimmer und setzten sich dann in die Küche.

»Nun, nun, nun«, sagte Gerry, goss sich ein Glas Wasser ein und setzte sich schwer an den Küchentisch. »Ach, geh rüber, du dreckiger alter Klumpen, in Gottes Namen.« Goldie sah einen Augenblick traurig zu Gerry auf, bevor er sich langsam ein paar

Zentimeter über den Boden schleppte und dann wieder zu einem Haufen zusammenbrach. Gerry sah ihm zu und gab Geräusche von sich. »Ich denke nicht, dass er es noch viel länger macht.«
Ned warf ihm einen entsetzten Blick zu. »Sag das nicht«, meinte er.
»Nun«, sagte Gerry, »schau ihn doch an.«
Sie sahen ihn an.
»Es ist grausam.«
»Nein«, sagte Ned, »es geht ihm gut. Schau ihn dir an. Er ist glücklich – er lächelt.«
»Lächelt?«, wiederholte Gerry und zog Tabak aus einem Beutel. »Er lächelt nicht, du Spinner – er hat nur keine Lippen mehr. Sie sind ganz abgenutzt. Wie sein Kehlkopf und seine Augenhornhaut und seine Zähne. Armer Kerl.«
»Das wirst du auch eines Tages sein«, sagte Ned empört, »du wirst ganz abgenutzt sein und riechen und keine Lippen mehr haben. Möchtest du, dass wir dann dasitzen und sagen: *Glaube nicht, dass er es noch viel länger macht*? Häh? Solange der arme Kerl noch mit dem Schwanz wedeln kann, bleibt er hier. Nicht wahr, Kumpel?« Er beugte sich herunter, um eine Ecke von Goldies Hintern zu tätscheln, und dieser vollführte gehorsam ein einsames Wedeln mit seinem fast kahlen Schwanz. »Siehst du. Er ist glücklich.«
»Hmm.« Gerry leckte an einem Rizla.
Keiner von beiden sprach eine Zeit lang, und Ned fragte sich, was wohl nebenan passierte. Wie hatte Tony Ness das antun können?, fragte er sich. Wie hatte er in dieses offene, süße Gesicht, auf dieses bisschen Spitze von BH, das man erkennen konnte, sehen und sie verlassen können? Aber schließlich, erinnerte er sich, hatte er es ja auch getan. Er hatte es mit Carly getan.
»Also – noch ein Doppelzimmer, das wir nicht brauchen.«

»Hä?«
»Im Ritz.«
»Dad!«
»Na ja. Diese Doppelzimmer sind verdammt teuer. Wenn ich gewusst hätte, dass ihr Jungs alle Single sein würdet, hättet ihr euch ein Zimmer teilen können.«
»Schau«, meinte Ned, »es sind doch noch fast drei Wochen bis dahin. Schreib mich doch nicht einfach ab.«
»Bern wird so enttäuscht sein, dass Ness nun nicht kommt. Sie sind so …« Er drehte den Zeigefinger über den Mittelfinger. »Irgendwie scheint es nicht recht zu sein.«
»Sie kann doch trotzdem kommen, oder? Nur weil sie nicht mehr mit Tony geht. Sie ist doch auch Mums Freundin.«
»Ja«, sagte Gerry, »das nehme ich an. Hier«, meinte er und lächelte plötzlich, »sie könnte deine Verabredung sein. Wie wäre das denn? Du und Ness.« Er kicherte vor sich hin und zündete sich eine Zigarette an.
»Dad. Hör auf.«
»Na ja – warum nicht? Sie ist jung, frei und Single. Und du auch. Ein Doppelbett zu viel. Scheint mir eine Schande zu sein, es zu vergeuden.«
»Dad! Das ist ein bisschen weit hergeholt. Sie haben sich erst vor fünf Minuten getrennt, verdammt noch mal.«
»Hä hä hä. Wäre das nicht eine Sensation, hä?«
»Ich nehme nicht an, dass sie überhaupt kommen wird – nicht wenn Tony dabei ist und so. Sie wird sich ein bisschen … *zerbrechlich* fühlen. Du weißt schon.«
»Was – *Ness*? Auf keinen Fall. Das Mädchen hat Mumm. Sie hat Schneid. Sie wird sich schon rechtzeitig wieder berappeln. Außerdem, kannst du dir vorstellen, dass Ness ablehnt, wenn es umsonst Champagner gibt?« Wieder kicherte er. »Sie wird da sein. Merk dir meine Worte. Und ich denke, du solltest sie mitnehmen. Es wäre sehr nett von dir.«

»Zur Hölle, Dad – ihre Beziehung ist noch nicht mal aus dem Leichenschauhaus raus. Gib Ruhe.«

Gerry kicherte wieder, und Ned zog eine Grimasse.

Doch tief in ihm wuchs eine kleine Saat, eine Saat, die sich anfühlte, als ob sie sich eines Tages zu einer ausgewachsenem Schwärmerei entwickeln könnte. Oder sogar … Nein. Er konnte das nicht denken. Es war Irrsinn. Völliger Irrsinn. Doch dann dachte er an diesen Hauch von Spitzen-BH, an das zerzauste Haar, die blitzenden grünen Augen, das strahlende Lächeln, das ansteckende Lachen.

»Wie alt … wie alt ist sie? Ness?«, fragte er so lässig, wie er nur konnte.

»Keine Ahnung«, antwortete Gerry, »achtundzwanzig. Neunundzwanzig.«

»Stimmt«, meinte Ned, »stimmt. Und was, äh … was hat sie für einen Beruf?«

»Sie ist Anwältin.«

Anwältin. Scheiße. Er hatte gehofft, Dad würde sagen, sie fülle die Regale bei Tesco oder sie sei Maniküre oder Sekretärin oder so. Etwas, womit er auf gleicher Ebene mithalten konnte. Etwas, das vereinbar war mit einem »siebenundzwanzigjährigem Pressematerialzusammensteller, der bei seinen Eltern wohnt«. Aber nein. Sie war eine verdammte Anwältin. Mit einer Wohnung. Und einem schicken kleinen VW Golf.

Wieder mal typisch.

Das war es also, überlegte er, er war in diesem Alter. Jede Frau, die er von nun an traf, würde irgendeinen verdammten hochfliegenden Job machen, sie würden alle wie Becky sein – und nach jemandem suchen »mit ein bisschen mehr eigenem Leben«. Er müsste anfangen, über sein Alter zu lügen, sich als männliches Spielzeug verkaufen. Oder es einfach mit jüngeren Frauen probieren. Aber er mochte keine jüngeren Frauen; er mochte Frauen in seinem Alter. Er hatte keine Ahnung, womit man mit einer Frau im frühen Stadium einer Beziehung sprach, wenn die kulturellen Bezugspunkte alle verdreht und unpassend waren. Und außerdem, er würde gerne in ein paar Jahren sesshaft werden und sich nicht von einer Zwanzigjährigen in Nachtclubs und laute Weinlokale schleppen lassen, die ihn wahrscheinlich sitzen lassen würde, wenn jemand daherkam, der besser aussah, so dass er wieder bei null anfangen müsste. Er wollte, was Sean hatte. Was Bud hatte. Was Mum und Dad hatten. Aber er hatte es verpatzt – und zwar gründlich. Er könnte inzwischen verheiratet sein, überlegte er, verheiratet mit Carly und irgendwo auf halbem Weg die Karriereleiter nach oben.

Er seufzte und schüttelte diesen sinnlosen kleinen Gedanken aus seinem Kopf. Er musste Gervases Rat von ihrer Nacht in Wood Green beherzigen, anfangen, das Leben ein bisschen philosophischer anzugehen, mit dem Strom schwimmen, das Beste erwarten. Und vielleicht konnte Ness ja über Neds Mangel an Status hinwegsehen, sein Potenzial erkennen oder ihn zumindest als jemand Nettes ansehen, der sie zu Mums und Dads Party mitnahm.

Dad hatte Recht. Es wäre nett von ihm. Es würde nicht räuberisch wirken. Es wäre altmodisch – er wäre ihr Begleiter für den Abend, ihr Gefährte. Würde ihr jemanden verschaffen, mit dem sie hereinkommen könnte, der sie sich als Teil der Familie fühlen ließ und nicht nur als Tonys Ex, so dass es ihr nicht so peinlich wäre. – Ja, dachte er, eindeutig.

Er würde eine angemessene Zeit verstreichen lassen und dann würde er sie bitten, sich mit ihm zu verabreden. Er würde sie darum bitten, einen angenehmen Abend mit ihr zu verbringen und dann versuchen, ein bisschen Philosophie auf sein Leben anzuwenden.

Im Regen stehen gelassen

»Ned – hier ist Sean.«
»Ach ja – wie steht's?«
»Hab gerade ein weiteres Kapitel beendet, hab gedacht, ich komm mal rüber – was hast du heute Abend vor?«
»Äh, wir wollen Mum in der Tavern zuhören.«
»Wir?«
»Ja, ich und Gervase.«
»Oh«, machte Sean und kam sich leicht überflüssig vor, »in Ordnung. Okay. Dann mach dir mal keine Sorgen um mich.«
»Nein, nein. Warum kommst du nicht mit?«
»Was – mit dir und Gervase?«
»Ja – Gervase ist in Ordnung, weißt du.«
»Ja – er ist schon okay, aber ich weiß nicht …«
»Ich weiß, du und Tony seid nicht gerade scharf auf ihn, aber sobald ihr ihn richtig kennt, werdet ihr merken, er ist ein echt guter Typ. Du solltest mitkommen.«
Sean dachte darüber nach. Der Gedanke, mit Gervase in den Pub zu gehen, war sehr merkwürdig, vor allem nach dem, was neulich Abend vor dem Haus passiert war. Aber er wollte wirklich ein bisschen Zeit mit Ned verbringen, und wenn die einzige Möglichkeit dafür hieß, ihn mit Gervase zu teilen, so war er dazu bereit. Außerdem wäre es gut, Mum singen zu sehen – es würde sie glücklich machen. Sean fand nicht oft Gelegenheit, Mum glücklich zu machen, deshalb wäre es das allein schon wert.

»Okay«, sagte er also, »ja. Um wie viel Uhr?«
»Gegen sieben.«
»Cool – bis dann.«

Eine halbe Stunde später radelte Sean in einem furchtbar heftigen Platzregen durch Crystal Palace nach Beulah Hill. Seine Hosen waren voll gespritzt mit Matsch, sein Haar klebte ihm an der Stirn, und er fragte sich, warum er nicht einfach zu Hause geblieben war und weiter gearbeitet hatte. Er spürte ein Vibrieren in seiner Hose, als er an einer Ampel halten musste, und nahm sein Handy aus der Tasche.
Millie.
Er und Millie hatten sich seit dem Abend bei Tony nicht mehr gesehen. Ja, er war sich bewusst, wie schrecklich das war und wie er sich deshalb fühlen sollte, doch um ehrlich zu sein, hatte er den Raum genossen, den er zum Atmen gehabt hatte – er hatte fast so tun können, als ob er keine schwangere Freundin hätte, als ob er ein unbeschwerter junger Mann wäre, dessen einzige Sorge in der Fertigstellung seines letzten Manuskripts bestand. Er hatte auch nicht mit Tony gesprochen und war sich nicht sicher, ob er es eigentlich wollte. Er hatte eine bleibende Erinnerung an jenen Abend, und die bestand in dem Anblick von Millie, die, die Hände auf Tonys Schultern, dastand und ihm klar machte, was für ein »Mann« er sei. Und der Anblick von Tony, der mit verschränkten Armen dasaß und Sean ansah, als ob er ein Stück Dreck wäre – sein eigener Bruder.
Er hatte halb gehofft, dass Tony am anderen Tag anrufen würde, um sich zu entschuldigen oder wenigstens zu versuchen, die Dinge wieder ins Lot zu bringen. Sean hatte an jenem Abend ein paar sehr verletzende Dinge zu Tony gesagt, doch nichts konnte die Tatsache mindern, dass Tony sein großer Bruder war und er zu ihm aufsah und ihn achtete, wie es ein kleiner Bruder

eben tat. Er saß in der Zwickmühle zwischen einem ekelhaften Überlegenheitsgefühl und einer tiefen, tiefen Traurigkeit darüber, dass sein großer Bruder ihn immer noch nicht respektierte – trotz all seinem Erfolg und obwohl er sich zehnmal selbst bewiesen hatte. Sean war auf dem aufsteigenden Ast – sein Leben hatte gerade begonnen.

Tonys Leben hatte vor Jahren begonnen und wieder geendet. Jetzt konnte er sich nur noch auf die mittleren Lebensjahre und auf einen noch fetteren Hintern freuen. Tony war, wie Sean schließlich erkannt hatte, eifersüchtig.

Nun ja, zum Teufel mit Tony – und zum Teufel auch mit Millie. Das war Seans Einstellung. Er wusste, dass diese Haltung ihm angesichts der Realität nicht helfen würde, aber im Augenblick musste sie genügen. Und sie sollte jetzt gleich ihren ersten Test bestehen. Mit Millie reden. Sein Daumen zögerte ein paar Sekunden über seinem Handy, schwankte zwischen »Annehmen« und »Abweisen«, und schließlich biss er in den sauren Apfel und nahm den Anruf an.

»Millie.« Er richtete seine Stimme irgendwo zwischen »entspannt« und »sensibel für ihre gemeinsame Situation« ein.

»Wo bist du?« Millies Stimme lag eindeutig bei »unwiderruflich sauer«.

»Auf dem Weg zu Mum.«

»Oh«, erwiderte sie wie jemand, der gerade davon informiert wurde, dass sein Flug gestrichen war. Es gab eine lange Pause. »Warum?«

Sean erkannte plötzlich, dass er gerade durch ein gesprächsmäßiges Minenfeld schritt, und watete im Geiste durch die Myriaden von Gründen, warum er zu Mum fuhr; er versuchte den einen Grund zu entdecken, von dem er sich vorstellte, dass Millie ihn am wenigsten provozierend finden würde, »Ich will Ned besuchen«, sagte er.

»Das ist nett«, gab sie trocken zurück. »Ich dachte, du solltest schreiben.«
»Na ja, ich habe gerade ein Kapitel beendet, und es schien mir ein guter Augenblick zu sein …«
»Um Zeit mit jemandem zu verbringen, den du wirklich magst.«
»Millie …«
»Schau. Ich habe dich nicht angerufen, um zu streiten, Sean. Ich habe tatsächlich angerufen, um mich zu entschuldigen.«
Sean fuhr zusammen. Das war das Letzte, was er von ihr erwartet hätte.
»Ich habe seit Mittwochabend nachgedacht – sehr viel. Wir haben beide schreckliche Dinge gesagt – nun ja, *ich* habe eindeutig schreckliche Dinge gesagt. Ich war betrunken und überemotional, und es war falsch von mir, dich mit deinem Bruder zu vergleichen. Ganz falsch. Ich weiß, wie ich mich fühlen würde, wenn jemand das jemals mit mir und Helena täte. Es würde mich wirklich nerven …«
Sean spürte, wie ein kleiner eisiger Fleck in ihm begann, aufzutauen.
»Aber wir müssen das klären, Sean. Ich kann so nicht leben. Ich habe absolut keine Ahnung, woran ich mit dir bin, und ich kann damit nicht umgehen. Eines der Dinge, über die ich an diesem Wochenende besonders nachgedacht habe, ist, dass ich ohne dich leben kann. *Wir* können ohne dich leben. Tatsächlich wollte ich ohne dich leben. In meinem Kopf war es vorbei – deshalb habe ich nicht angerufen. Aber dann ist mir plötzlich bewusst geworden, wie seltsam es für dich sein muss, dass ich schwanger bin, dass du vielleicht das Gefühl hast, dass alles nur mir passiert und du keine Beziehung dazu aufbauen kannst …«
Sean schob sein Rad auf den Bürgersteig und hörte Millie mit einem wachsenden Gefühl der Zuneigung und der Hoffnung

zu. Das schönste Geschenk, das eine Frau einem Mann machen konnte, so erkannte er plötzlich, bestand darin, ihn zu verstehen.

»... und in gewisser Weise, nehme ich an, ist es ein bisschen wie meine Haltung deinem Buch gegenüber. Ich habe keine Ahnung, was du durchmachst – es ist etwas, was vollständig in deinem Kopf existiert, wie dieses Baby vollständig in meinem Körper existiert. Es gerät zwischen uns. Und in gewisser Weise sind wir beide schwanger. Es ist einfach nur ein schreckliches Timing, dass wir gleichzeitig schwanger sind. Deshalb habe ich gedacht – wir müssen uns bemühen, uns zu *verstehen* ...«

O Gott, dachte er, sie will mich einen dieser umschnallbaren Bäuche tragen lassen.

»Nächste Woche ist mein erster Ultraschall.«

»Ultraschall?«

»Mmh. Du weißt schon – schleimiges Zeug auf den Bauch, kleiner Ultraschall, ein undeutliches Bild des Babys auf dem Bildschirm. Der aufregendste Teil der Schwangerschaft für alle glücklichen jungen zukünftigen Eltern.«

»Was muss ... muss ich etwas *tun*?«

»Nein – du musst nur dasitzen und meine Hand halten und ganz gefühlvoll werden, wenn die Schwester auf die kleinen Finger und Zehen deines Kindes zeigt. Wenn möglich, weinen. So in etwa. Genau das, was dir liegt.«

Das klang in Seans Ohren einigermaßen vernünftig.

»Okay«, stimmte er zu, »sag mir nur, wann ich wo sein muss.«

»Ich habe dir die Einzelheiten schon zugemailt. Und im Austausch werde ich dein Buch lesen, um diese Übung in gegenseitigem Mitfühlen zu vervollständigen.«

Sean fiel die Kinnlade herunter. »Nein!«, rief er aus, ohne auch nur an die Folgen zu denken.

»Was?«

»Nein – niemand liest mein Buch. Nicht bevor es beendet ist. Auf keinen Fall.«

»Sean, ich bin nicht irgendwer. Ich bin deine Freundin.«

»Schau, du kannst die Fahnen lesen. Ich gebe dir den ersten Abzug, ich verspreche es dir. Aber du kannst es nicht lesen, bevor es fertig ist. Ich meine es ernst.«

»Schau – ich weiß nicht, was dieser … dieser *Aberglaube* soll, aber das hier ist wichtiger als ein Aberglaube. Hier geht es um uns. Darum, diese Krise zu überstehen. Darum, einander zu verstehen.«

»Aber das ist genau das, Millie – genau das ist das Problem. *Du verstehst mich nicht.* Wenn du mich wirklich verstehen würdest, dann würdest du mich niemals um so etwas bitten. Denn es gibt einen großen Unterschied, ob ich ein Bild in deinem Bauch zu sehen bekomme oder ob du mein Buch liest. Das eine ist körperlich. Das andere geistig. Wenn du kommen und zusehen willst, wie ich mir das Hirn durchleuchten lasse – nur zu. Das würde mich nicht stören. Ich habe nichts dagegen, wenn du meinen Geist siehst – ich will nur nicht, dass du meine Gedanken siehst …«

»In Ordnung. Das ist es also …«

O Gott, dachte Sean, hier wären wir also wieder.

»Zum Teufel mit dir. Zum Teufel mit dem Ultraschall. Zum Teufel mit uns. Ich habe genug. Ich habe es versucht. Ich habe es so sehr versucht. Ich habe eine ganze Woche versucht, mir auszudenken, wie ich diese Beziehung rette, damit dieses kleine, hilflose Ding, das in mir wächst, die Chance auf ein glückliches Aufwachsen mit *Eltern* hat – du weißt schon, wie du und ich. Aber ich sehe jetzt, dass ich meine Zeit vergeudet habe. Du bist egoistisch, Sean – egoistisch bis ins Mark. Ich dachte, es gäbe Hoffnung für dich. Ich dachte, dass ich dich vielleicht unterschätzt hätte, dass es vielleicht irgendwo unter all dem Ich-ich-ich jemanden gäbe, der teilen und Kompromisse eingehen kann.

Aber Tony hatte Recht: Du hast keine Ahnung, wie man etwas teilt. Du bist ein scheußlicher kleiner Junge, der sein Spielzeug nicht teilen mag, und ich will keinen scheußlichen kleinen Jungen. Ich will einen Mann. Tatsächlich will ich nicht mal einen Mann. Ich will niemanden. Ich will alleine sein. Nur ich und das Baby …«

»Millie …«

»Was?! Was, Sean?! Ich will mir deinen Scheiß nicht mehr anhören. Ich habe immer gedacht, ich könne einen Charakter gut beurteilen, doch bei dir bin ich so falsch gelegen. Ich habe wirklich geglaubt, du seiest etwas Besonderes. Ich habe wirklich geglaubt, du seiest ein anständiger, guter Mensch. Aber das bist du nicht. Du bist ein Arschloch. Und ich bin eine Närrin. Auf Wiedersehen, Sean.«

Und dann legte sie auf.

Sean stand ein paar Sekunden da und glotzte sein Handy an, als ob es plötzlich eine vernünftige Erklärung für das bieten könnte, was gerade passiert war. Millie hatte gerade mit ihm Schluss gemacht. Millie, die in sein Leben getreten war und es umgekrempelt hatte, die ihn glücklicher gemacht hatte, als er es jemals für möglich gehalten hätte; Millie, deren Schönheit berauschend war, deren Körper er verehrt hatte, mit der er den Rest seines Lebens hatte verbringen wollen. Millie mit den magischen bacchantischen Nächten im Paradise Paul, mit den von Drogen befeuerten Partys und Wochenenden auf dem Lande, mit den glitzernden, nach Mottenkugeln riechenden Trödlerläden, den glänzenden nach Trüffeln duftenden italienischen Restaurants und den kostbaren ägyptischen Bettlaken aus Baumwolle. Millie mit der Haut und den Lippen und den Haaren und den Augen. Millie, die ihm das Gefühl gab, sein Leben wäre ein langer Hollywood-Film. Millie, in die er so verliebt gewesen war, dass es sich fast wie Wahnsinn angefühlt hatte. *Diese* Millie. Sie hatte ihn abserviert.

Und das Seltsamste daran war, dass es Sean egal war.
Er fühlte nichts. Sein Herz brach nicht, er empfand keine Schuld, keine Traurigkeit. Nur ein betäubtes Bewusstsein davon, dass sein Leben nun in eine neue Phase trat. Er steckte sein Telefon wieder in seine Hosentasche, stieg wieder aufs Fahrrad und fuhr langsam und aufmerksam nach Beulah Hill.

»The Way You Look Tonight …«

Ned sah Sean besorgt an.

»Geht's dir gut?«

Sean blickte aus den Augenwinkeln zu Gervase und nickte. »Ja, mir geht es gut. Warum?«

»Weiß nicht. Du siehst einfach ein bisschen gereizt aus. Das ist alles.«

»Mir geht es gut«, wiederholte er und trank einen großen Schluck von seinem Lager. Gervase starrte ihn immer noch an. Er hatte ihn so komisch angeschaut, seit sie im Pub angekommen waren und sich hingesetzt hatten. Wenn er »ein bisschen gereizt« aussah, dann wahrscheinlich, weil ein Typ mit einem Spinnennetz-Tattoo im Nacken ihm mit seinem Blick Löcher in seine Schläfen brannte.

Er drehte sich um, um auf die Bühne zu schauen, wo Mum unter zwei blinkenden rosafarbenen und blauen Scheinwerfern stand und sang »Do You Know The Way To San José?« Sie sah glänzend aus und klang erstaunlich, doch tief in ihm gab es einen kleinen Teil, dem es peinlich war, ihr beim Singen zuzusehen, als ob er zwölf Jahre alt wäre und sich vor seinen Kumpels vorführen lassen müsste.

»Also, Sean«, begann Gervase, dessen Gesicht kurz von einem vollkommen runden Rauchring eingerahmt wurde, den er gerade aus seinem Mund geblasen hatte, »wie läuft es so?«

»Na ja, cool«, antwortete er.

»Und wie geht es deiner schönen zukünftigen Braut?«

»Sie ist in Ordnung. Ihr geht es gut.«
Gervase blinzelte ihn an und nickte rätselhaft. »Gut«, meinte er, »das ist schön.« Er nickte wieder, und Sean wandte sich ab, doch Gervase starrte ihn weiter an und hörte erst damit auf, als Mum ihren Song beendet hatte, dann stand er plötzlich auf – die Kippe hing ihm immer noch aus dem Mund – und begann zu klatschen, zu pfeifen und zu jubeln.
Sean warf Ned einen Blick zu, und Ned zuckte die Achseln. »Das macht er immer so«, flüsterte er.
Der Beifall verebbte langsam, und Mum beugte sich zum Mikrofon. »Okay, meine Damen und Herren. Das hier ist mein Lieblingslied«, verkündete sie, »es war das erste Lied bei meiner Hochzeit vor, oh, ungefähr hundert Jahren.« Das Publikum lachte höflich. »›The Way You Look Tonight‹«, sagte sie, und Stille legte sich über den ganzen Pub.
Gervase beugte sich zu Sean und flüsterte ihm gebieterisch ins Ohr: »Das ist, verdammt noch mal, der romantischste Song, der jemals geschrieben wurde. Jemals.«
Die Scheinwerfer drehten sich nicht mehr und verdunkelten sich zu Lila und Marineblau, und Sean wandte sich auf seinem Platz um, um ihr zuzusehen. Und während er dem Text lauschte, passierte etwas Unerwartetes mit ihm. Er fing an, an Millie zu denken. Bilder von ihr aus den ersten beiden Monaten ihrer Beziehung begannen in seinem Kopf aufzublitzen – wie sie Rucola in ihren Mund gelöffelt hatte, als er sie das erste Mal gesehen hatte, wie sie in einem bestickten Morgenmantel aus Seide auf ihrer riesigen Stuckstufe vor der Tür stand und darauf wartete, dass er zurückkam, als er das erste Mal die Wohnung ohne sie verlassen hatte, wie sie zusammengerollt mit ihren Katzen auf ihrem großen alten Bett lag, wie sie an der Bar im Paradise Paul's saß, Lager trank und ihm durch den Raum zuzwinkerte, wie sie im Wohnzimmer seiner Eltern saß und Goldie streichelte, wie sie von seinem Balkon über die Dächer gerufen hatte an dem

Abend, als er ihr den Antrag gemacht hatte … Und dann drängte sich ihm ein anderes Bild auf: ihr Gesicht an jenem Abend in seinem Bad, als sie ihm diesen Schlag versetzte, ihr Geständnis machte – nervös und unsicher, aber voller Hoffnung. Voller Hoffnung, dass Sean glücklich darüber sein würde, dass er sich mit dem Gedanken anfreunden, sie aufheben und herumwirbeln würde. Und stattdessen hatte er sie platt gedrückt wie eine ärgerliche Fliege.

Und seitdem hatte er sie nicht mehr lächeln sehen.

Er schluckte und spürte etwas, dass sich erschreckend wie Tränen anfühlte, tief unten in ihm ausbrechen. Doch es war zu spät, um etwas daran zu ändern. Er drehte sich leicht um, als er spürte, wie eine ihm entwischte und ihm den Nasenrücken herunterlief. Heimlich wischte er sie fort. Und dann sah er Gervase, der ihn anblickte. Gervase warf ihm einen fragenden Blick zu, und Sean drehte sich wieder weg. Mum beendete ihren Song, und alle klatschten. Gervase beugte sich wieder zu Sean. »Hab's dir ja gesagt«, meinte er, »der verdammt noch mal romantischste Song, der jemals geschrieben wurde.« Er tippte sich mehrmals gegen die Nasenflügel und stand dann auf, um wieder überschwänglich zu jubeln.

Sean erhob sich, um auf die Toilette zu gehen. Diese ganze unerwünschte Aufmerksamkeit von Gervase ließ in ihm ein Gefühl der Klaustrophobie und der Panik ausbrechen. Er ging durch den Pub, stieß die Toilettentür auf und brach am Waschbecken zusammen. Er starrte sich eine Zeit lang im Spiegel an. Die Beleuchtung über ihm war hart und fluoreszierend, und er sah blass und alt aus. Schatten lagen unter seinen Augen, und ab und zu blitzte eine silberne Strähne in seinem dunklen Haar auf. Er drehte den Kaltwasserhahn auf und ließ eine Zeit lang eisiges Wasser über seine Hände laufen.

»Habe ich da gerade Putz aus deiner Mauer fallen sehen?« Gervase stand neben ihm und sprach sein Spiegelbild an.

Sean fuhr zusammen und griff sich ans Herz. »Himmel noch mal. Scheiße.«
»Tut mir Leid, Kumpel. Hatte nicht vor, dich zu erschrecken. Dachte, du hättest mich reinkommen sehen.«
»Nein«, erwiderte er, »habe ich nicht.«
»Das tut mir Leid. Nur, nun ja – ich konnte nicht umhin zu bemerken, dass du da draußen ein bisschen erregt wirktest. Ein bisschen kaputt. ›Way You Look Tonight‹ kann das manchmal bewirken. Hat mich darauf gebracht zu denken, dass die Mauer zu bröckeln anfängt.«
»Welche Mauer?«
»Die Mauer, über die wir neulich Abend geredet haben. Erinnerst du dich?«
»Ja. Ich erinnere mich. Aber ich habe, verdammt noch mal, immer noch keine Ahnung, wovon du sprichst, Kumpel. Tut mir Leid.«
»Hast du wohl!«
»Bitte?«
»Du weißt, wovon ich spreche. Letzte Woche wusstest du es nicht. Aber jetzt schon. Was ist passiert? Willst du darüber reden?«
»Nein, will ich nicht.« Er zog ein paar Papierhandtücher aus dem Spender und trocknete sich grob die Hände ab.
Und dann nahm ihm Gervase sanft die Tücher ab, warf sie in den Eimer und hielt seine Hände. Sean bekam sofort wieder dieses flüssige Gefühl tief in sich drin, als ob die Stahlstützen, die ihn aufrecht hielten, dahinschmolzen. »Du solltest wirklich mit jemandem reden. Dann würdest du dich besser fühlen. Dir geht es schlecht.« Gervase sah ihm in die Augen, und Sean spürte, wie er schlaff wurde. »Rede mit mir, Sean. Du brauchst Hilfe. Ich weiß, du kannst mit deiner Familie über solche Dinge nicht reden – ich weiß, wie Familien funktionieren. Du hast das Gefühl, dass du es deiner Familie schuldig bist, munter zu sein. Du

willst ihnen keine Sorgen machen. Dann benutze doch mich, oder? Rede mit mir. Es wird nicht weitergetragen werden. Ich bin ein Ausbund an Diskretion.

Und ich weiß nicht, was es ist«, fuhr er fort, ließ eine von Seans Händen fallen und legte sich seine eigene ans Herz, »aber ich bekomme diese sehr seltsame Schwingung, dass ich dir helfen könnte.«

Sean sah Gervase an, sah in seine undurchschaubaren Augen und spürte, wie sein Hirn plötzlich zusammen mit seinem Mund zu arbeiten begann. All die Gedanken, die er wochenlang für sich behalten hatte, begannen durch sein Bewusstsein zu sprudeln und blitzend ans Licht zu steigen, und dann fing er an zu reden.

»Millie hat mich einfach sitzen lassen.«

»Was?«

»Ja – gerade eben, auf dem Weg hierher. Am Telefon. Sie hat mich sitzen lassen.«

»Zum Teufel. Was ist passiert?«

Und dann erzählte ihm Sean alles, von dem ersten Augenblick, als er sie erblickt hatte, bis zu dem Abend, als er ihr den Antrag gemacht hatte, bis zu ihrem Geständnis und darüber hinaus. Er erzählte ihm, wie sehr er sich in der Falle fühlte und wie viel Angst er hatte und dass sie wolle, dass er sie sein Buch lesen lasse, und wie verletzlich das ihn sich fühlen ließ, dass er sie nicht begriff und dass sie ihn nicht verstand.

Und während er redete, hörte Gervase nur zu und nickte. Er unterbrach ihn nicht mit Fragen, er stellte nicht mal Augenkontakt zu Sean her, ließ ihn einfach nur brabbeln und brabbeln – und das war eines der befreiendsten Erlebnisse in Seans ganzem Leben. Er war nie jemand gewesen, der sich anderen Menschen gegenüber öffnete – er behielt seine Gedanken und Gefühle gerne für sich. Auf diese Weise war er sicher. Doch da war etwas an Gervase, an seiner Berührung und an seinem Blick und an seiner Gegenwart, das Sean das Gefühl vermittelte, dass er alles sagen konnte. Und er hatte keine Mühe, die Worte zu finden – er war präzise und redegewandt, drückte seine Gefühle und Emotionen auf eine Art aus, von der er bei seinem Schreiben nur träumen konnte.

Er hörte so plötzlich zu reden auf, wie er angefangen hatte, und war sich der tönenden Stimme auf der Toilette bewusst. Ein Wasserhahn tropfte laut, und der Klang von Mum, die draußen sang, war ein entferntes, geisterhaftes Echo. Gervase ließ seine Hand los und sah ihn an.

»Ihr Jungs …«, sagte er und schüttelte langsam den Kopf.

»Was?«

»Nichts«, antwortete er. »Nichts. Schau, Sean. Ich erteile nicht oft Ratschläge – na ja, auf jeden Fall keine besonderen Ratschläge. Normalerweise kann ich nicht mit den Problemen anderer Menschen in Beziehung treten – ich kann sie nämlich nur *fühlen*. Aber du – mein Gott. Ich weiß nicht, was ich dir sagen soll. Ich will so viel sagen. Aber ich weiß nicht, wo ich anfangen soll. Es ist nur – schau, es tut mir Leid, Kumpel.«

»Was?«

»Das hier.« Gervase ergriff wieder Seans Hand und drückte sie plötzlich an seine Brust. Sean konnte Gervases Rippen, seine Brustwarze, seinen Herzschlag spüren. Und dann wurde er von dem intensivsten, qualvollsten Schmerz überwältigt, den er je in seinem Leben empfunden hatte. Kein körperlicher Schmerz, sondern ein Gefühl, als ob alle Traurigkeit und alles Elend auf der Welt in seiner Seele ruhte, als ob man die schlimmsten Nachrichten hörte, die man je gehört hatte, als ob man jeden verlöre, den man liebte – es war wie die *Hölle*.

Gervase starrte in seine Augen, als er seine Hand an seine Brust drückte, und Sean versuchte verzweifelt, sich aus Gervases Griff zu winden, doch er war wie gelähmt. »Hör auf«, gelang es ihm durch die zusammengebissenen Zähne hervorzupressen. Doch

Gervase starrte ihn nur an. Und während er ihn anstarrte, fühlte Sean wieder Tränen, keine schwächlichen, von schmalzigen Songs hervorgerufenen Tränen diesmal, sondern riesige, schmerzhafte Tränen, die seinen ganzen Körper erschütterten. Und dann fing er an zu schluchzen, wie er nicht mehr geschluchzt hatte, seit er vier Jahre alt gewesen war.

Gervase nahm schließlich seine Hand von seiner Brust weg, und der ganze Schmerz löste sich sofort auf und hinterließ in Sean nur ein nagendes Gefühl der Traurigkeit und der Leere.

Er fiel nach hinten gegen die Wand und umklammerte seine Knie. »Scheiße.«

»Ja. Es tut mir Leid.« Gervase zog seine Chesterfields aus der Jeanstasche und zündete sich eine an.

»Was, zum Teufel, hast du mit mir gemacht?«

»Ich habe dir eine Einsicht vermittelt, Kumpel.«

»Einsicht? Wovon, zum Teufel, redest du?«

»Ich habe dir gerade einen Blick in meine Seele erlaubt.«

»Deine Seele? Aber das war – das war die *Hölle*.«

»Stimmt.«

»Himmel.« Sean stand auf und taumelte zum Waschbecken, wo er sich sein tränenfleckiges Gesicht mit kaltem Wasser bespritzte.

»Es war aber nicht meine ganze Seele. Bedauere mich nicht. Es war nur eine kleine Ecke meiner Seele.« Er nahm einen tiefen Zug von seiner Zigarette und sah Sean an. »Die Ecke, in der mein Sohn lebt.«

»Du hast einen Sohn?« Sean zog noch ein Papierhandtuch aus dem Spender und trocknete sich das Gesicht ab.

»Ja. Charlie. Er ist sechzehn.«

»Du verwirrst mich, Kumpel. In der einen Minute sprichst du von mir, in der nächsten redest du … redest du … Jesus Christus, wovon auch immer, und jetzt erzählst du mir von deinem Sohn. Was hat er denn mit alldem zu tun?«

»Alles, Sean. Alles. Schau. Als ich achtzehn war, habe ich dieses Mädchen getroffen, ja. Sie hieß Kim. Sie war schön. *Hinreißend.* Winzige kleine Hände hatte sie. Das süßeste Gesicht – wie ein kleiner Engel. Sie war siebzehn. Und sie hat mich *wirklich* geliebt, weißt du. Sie war der erste Mensch in meinem Leben, der mich wirklich so geliebt hat. Ich war damals ein bisschen ein Hansdampf in allen Gassen. Hab mich rumgetrieben, du weißt schon, dachte, ich sei der Größte. Sie war nicht mein einziges Mädchen – ich hatte noch ein paar andere. Ich war schließlich achtzehn, ja? Die Welt war voller schöner Frauen – ich dachte, ich sei es ihnen schuldig, für sie verfügbar zu sein.
Nun, und Kim – sie wusste nichts von den anderen Mädchen. Sie war eine sensible kleine Seele; es hätte sie zu sehr aufgeregt. Ich glaube, sie dachte, ich gehörte nur ihr. Sie kommt also eines Tages zu mir und lächelt und sagt, sie ist schwanger. Nun ja, ich bin einfach nur ausgeflippt. Hab einfach den Verstand verloren. Konnte nicht damit umgehen – überhaupt nicht. Hatte zu viele meiner Kumpels gesehen, die diesen Weg gegangen waren, hatten sich an Ehefrauen und Kinder gebunden und waren vor ihrer Zeit alt geworden. Also habe ich mich davongeschlichen. Bin einfach gegangen. Habe die Gegend und alles verlassen. Und dann eines Tages, drei Jahre später, stehe ich vor diesem Waschsalon in Eltham und höre diese leise Stimme – ›Gervase?‹ –, und ich sehe nach unten und da ist meine kleine Kim. Sie schiebt einen Kinderwagen mit diesem Kind darin. Das süßeste Kind, das ich jemals in meinem Leben gesehen habe – pechschwarzes Haar, große blaue Augen, und grinst mich an. Mein Sohn.
›Das ist Charlie‹, sagt sie. ›Sag hallo zu Gervase, Charlie.‹ Und dieses kleine Kind, das kaum sprechen kann, weißt du, er ist noch klein, er sagt: ›Hallo, Giraffe, hallo.‹ *Giraffe.*« Er kicherte. »Na ja, ich fühlte mich, als ob man mich in den Bauch getreten hätte, weißt du. Ich war wie magnetisch angezogen von diesem kleinen Kind. Meinem Kind. Aber Kim war, nun ja – cool.

Nicht wie sie früher einmal war. Die Lippen geschürzt, ganz die Tüchtige und Geschäftige. Sagt mir, sie müsse gehen. Ihr *Mann* warte zu Hause auf sie. Sie ist einfach gegangen und hat jemand anderen geheiratet. Und mein Kind, dieses schöne kleine Kind, wird von einem anderen Mann aufgezogen. *Mick*. Was ist denn *Mick* für ein blöder Name? Das hat mich umgebracht. Also sage ich: ›Schau, Kim, gibt es eine Möglichkeit, dass ich dich besuchen könnte? Dich und das Kind?‹ Sie presst die Lippen noch fester zusammen, so wie einen Katzenarsch. ›Nein‹, sagt sie, ›das ist nicht fair gegenüber dem Kind. Mick ist jetzt sein Dad. Mick ist sein Dad, seit er sechs Monate alt war. Du hattest deine Chance.‹ Und dann geht sie. Und ich stehe da und sehe zu, wie mein Kind die Eltham High Street runtergeschoben wird. Und während ich diesem Kind zusehe, dreht es sich in seinem Wagen um, dreht sich richtig um und grinst mich an – dieses breite, schöne, verdammte Lächeln. Und es winkt. Dann sind sie um die Ecke gewesen. Und das war es. Das letzte Mal, dass ich ihn gesehen habe.

Und diesen Schmerz hast du gerade empfunden. Das ist der Schmerz, den ich jedes Mal empfinde, wenn ich an diesen Augenblick denke. Jedes Mal, wenn ich an Charlie denke. Es ist, als ob da ein großes Loch in mir wäre, das Kälte und Regen und Wind hereinlässt. Du weißt schon.

Ich dachte, ich würde mich kennen, als ich die Entscheidung traf, Kim sitzen zu lassen – dachte, ich wüsste, was wichtig ist, was ich wollte. Aber ich wusste verdammt gar nichts. Das Baby kam mir damals nicht wirklich vor. Ich konnte nur das Problem sehen. Ich dachte nie daran, was es wirklich bedeutete, ein Kind zu haben – *ein verdammtes Kind*. Es war nicht wirklich. Ich dachte, es sei so, als ob sie einen Tripper hätte oder so – ihr Problem. Nichts mit mir zu tun. Sie musste damit umgehen. Aber ich war erst achtzehn. Du aber, Sean – ich will nicht hart sein, aber, Himmel noch mal, du bist dreißig Jahre alt. Du hast einen

Haufen Geld. Nimm dich zusammen, Mann. Ernsthaft. Ich will nicht, dass du fühlst, was ich fühle, dass du mit dieser großen Leere in dir herumläufst, wo dein Kind sein sollte, dein Kind und deine Frau. Zu wissen, dass ein anderer Mann dein Kind aufzieht. Weil ein anderer Mann dein Kind aufziehen *wird*, merk dir meine Worte. Und du würdest es verdienen.
Worauf genau wartest du? Auf etwas Besseres? Denn wenn du darauf wartest, wirst du herbe enttäuscht werden. Das ist es nämlich. Millie. Dein Kind. Hier. Jetzt. Reiß dich verdammt noch mal zusammen. Geh zu dem verdammten Ultraschall, lass sie dein verdammtes Buch lesen, und dann, verdammt noch mal, heirate sie. Und hör auf rumzugammeln. Okay?«
Sean und Gervase standen unbeweglich und starrten sich atemlos einen Augenblick lang an. Und dann öffnete sich die Tür, und Ned, der besorgt und verwirrt aussah, stürzte herein. »Wo wart ihr denn?«, fragte er.
»Nur hier«, antwortete Gervase und sog plötzlich ruhig an seiner Chesterfield, »haben nur ein bisschen geplaudert.«
»Himmel – ich dachte, es sei etwas passiert. Ihr seid seit einer Ewigkeit weg. Alles in Ordnung?«
Gervase sah hinüber zu Sean. »Alles in Ordnung, Sean?«, fragte er.
Sean blickte auf zu ihm. »Ja«, antwortete er, »alles ist cool.«
»Gut«, meinte Gervase, löschte seine Zigarette unter dem Wasserhahn und drehte sich um, um sein Haar im Spiegel zurechtzuzupfen. »Gut. Jetzt lasst uns zurückgehen und uns den Rest vom Set eurer Mum anhören. Ja?«

Tee und Empathie

Tonys goldener Aufschub vom knirschenden menschlichen Leben dauerte weniger als eine Woche. Von der Sekunde an, in der Ness zur Tür hinausging und er hörte, wie sich die elektrischen Tore hinter ihr schlossen, fiel alles wieder auf ihn zurück. Aller Selbstzweifel, die Apathie, das Gefühl völliger und äußerster Sinnlosigkeit. Nur dass er es dieses Mal erkannte. Es hatte sich vorher so langsam an ihn herangeschlichen, dass er es erst erkannt hatte, als es zu spät war. Doch diesmal wurde er so schnell aus der Vorderreihe der Harmonie auf die dunklen Plätze des Beschissengehens geworfen, dass es ihm wirklich allen Wind aus den Segeln nahm.

Mum hatte nicht geholfen. Sie hatte ihn gleich am Dienstagmorgen angerufen, um ihn wegen Ness zusammenzustauchen.

»Erst Carly«, hatte sie gesagt, »jetzt Ness. Es ist so, als ob man Kinder verliert, Tony. Was hast du dir dabei gedacht?«

»Ich weiß es nicht, Mum, ja? Es hat einfach nicht geklappt.«

»Aber dieses Mädchen *betet* dich an.«

»Ja, Mum, das weiß ich. Aber sie betet dich auch an. Und Dad. Und Taxifahrer. Und jeden, den du auch nur erwähnen magst. Menschen anzubeten ist ihre Spezialität.«

»Ich habe keine Ahnung, wie du es schaffst, dass das wie ein Makel klingt, Anthony. Die meisten Männer würden ihr linkes Auge für ein Mädchen wie Ness hergeben. Jemanden, der so warm und treu und attraktiv ist.«

»Ich weiß, Mum, aber ich bin offenbar nicht wie die meisten

Männer, oder? Schau – ich mag Ness sehr gern, wirklich. Aber sie war nicht die Richtige für mich. Ich bin fünfunddreißig. Ich habe keine Zeit rumzugammeln. Ich habe es sich viel länger hinziehen lassen, als ich es hätte tun sollen, so ist es.«

»O Tony. Ich verstehe nicht. Wirklich nicht. Ich dachte, du und Ness würdet … du weißt schon.«

Ja, Tony wusste, was sie meinte. Sie dachte, sie würden heiraten und sie mit anbetenswürdigen kleinen ringellockigen Enkeln versorgen.

»Ja, nun ja, wir tun es eben nicht, okay? Es wird nicht passieren. Es tut mir wirklich Leid, dich enttäuschen zu müssen, aber wir reden hier von meiner Zukunft, und es wird langsam Zeit, dass ich irgendeine Kontrolle darüber übernehme.«

»Nun, ich bin sehr enttäuscht, mein Lieber. Wirklich. Ich möchte nicht egoistisch klingen, aber so bist du …«

Keine Überraschung, hatte Tony gedacht. Er hatte die ganze Zeit gewusst, dass der mütterliche Keks zerbröckeln würde, wenn er und Ness sich jemals trennen sollten.

In der Woche hatte es noch weitere Anrufe gegeben, von Rob, von Trisha, von seinen ganzen Kumpels, einer nach dem anderen. Und keiner von ihnen sagte: »Wie geht es dir, bist du in Ordnung?« Sie sagten alle dasselbe: »Bist du *verrückt*? Was, zum Teufel, spielst du da für ein Spiel? Wir dachten, du und Ness, ihr würdet *für immer* zusammenbleiben.«

Der einzige Mensch, der ihn aus Sorge angerufen hatte, war Ned gewesen. Guter alter Ned – Gott, er liebte diesen Jungen wirklich, mehr denn je. Natürlich kein Wort von Sean, und es war wohl kaum möglich, dass er es nicht wusste. Tony wusste, wie das familiäre Netzwerk funktionierte – Mum hatte Sean sicher innerhalb von Sekunden angerufen, ihn wahrscheinlich gebeten, zu ihm zu gehen und ihm die Leviten zu lesen. Aber Sean schmollte offenbar noch immer.

Tony hatte daran gedacht, ihn anzurufen, sich für die Dinge zu

entschuldigen, die er neulich Abend gesagt hatte, doch er konnte einfach nicht die Begeisterung aufbringen, es zu tun. Er würde ihn ja sowieso bald sehen, auf Mums Party.
Es war also eine Mistwoche gewesen – lang, leer und einsam. Es weckte wirklich keine Euphorie in ihm, sich endlich von Ness getrennt zu haben, keine Freude auf die Zukunft. Aus irgendeinem merkwürdigen Grund war er nur in der Lage, ein positives Gefühl in Bezug auf die Zukunft zu haben, wenn sein Leben sich abspielte wie eine Folge der *EastEnders*. Vielleicht war er süchtig nach Drama, überlegte er. Das letzte Mal, dass er so viel Euphorie empfunden hatte wie letzte Woche, war, als er herausgefunden hatte, dass Joy eine Affäre hatte und sie sich trennten. Er wünschte, er könnte irgendwo in der Mitte zwischen Verzagtheit und Euphorie ein schönes, gemütliches Heim für sich finden – das wäre nett, dachte er.

Am Donnerstagnachmittag war er bei einer Besprechung in der Bond Street und beschloss, bei seinem Dad bei Grays vorbeizugehen. Er hatte seit einer Ewigkeit nicht mehr seinen Dad auf der Arbeit besucht und war ganz aufgeregt bei der Aussicht darauf, als er die South Molton Street entlangschritt, vorbei an schicken Schuhgeschäften und glamourösen Mädchen mit riesigen Sonnenbrillen, die in der Sonne Salate aßen. Dad würde kein Urteil fällen oder Partei ergreifen. Dad würde ihm einfach eine Tasse Tee bringen und über Fußball reden.
Er trat aus dem hellen Frühlingstag hinein in die dämmrige Schattenwelt des Grays-Antiquitätenmarktes und wurde sofort wieder zurück in seine Kindheit versetzt – der Geruch nach altem Silber, uraltem Papier, modrigem Holz und puderigem Samt, das Glitzern von Kristall und Vergoldungen, das Strahlen von auf Hochglanz poliertem Mahagoni und Rosenholz, das Leuchten von Messing und altem Kupfer. Er wanderte durch die schmalen Durchgänge zwischen den

Ständen, an denen verblichene Theaterrechnungen, hundert Jahre alte Schaukelpferde und abgeschabte Teddybären, Militaria, Erinnerungsstücke, französische Hörner und Saxophone, Art-déco-Glas, Art-nouveau-Silber und steifröckige Abschlussballkleider verkauft wurden.
Er erkannte ein paar vertraute Gesichter aus seiner Kindheit, Männer in Tweed-Jacketts und Frauen in selbst gestrickten Jacken, die schon dort gewesen waren, bevor er geboren wurde, alle mit der Patina aus Blässe behaftet, die davon kam, wenn man vierzig Jahre lang in schlecht beleuchteten Hasenställen saß.
Keiner von ihnen erkannte ihn jedoch – er war wohl dünn gewesen, als sie ihn das letzte Mal gesehen hatten – dünn und mit einem eng sitzenden Anzug und einem zielstrebigen Ausdruck, nicht diese verlorene, taumelnde Seele in zu engen Chinos und einem straff sitzenden Hemd.
Dad hatte sich gerade eine Zigarette gedreht, als Tony um die Ecke bog und ihn in seiner Aladin-Höhle aus blinkendem Silber sitzen sah.
»Hallo, mein Sohn«, begrüßte er ihn, sprang flink von seinem Schemel und umschlang ihn in einer großen, nach Tabak duftenden Umarmung. »Was führt dich denn her?«
»Komm gerade von einer Besprechung. Hatte eine Stunde frei. Dachte nur, ich …« Und dann brach er ab, als er eine Gestalt entdeckte, die in der Ecke hockte.
Gervase.
»Gut, Tone«, sagte er, »wie geht's, wie steht's?«
Tony murmelte irgendeine Antwort, und Gervase schlenderte davon, um ihnen allen Tee zu holen.
»Was macht *der* denn hier?«, zischte Tony sofort.
»Was – Gervase? Er hat ein paar Erledigungen für mich gemacht. Ist zum Mittagessen vorbeigekommen.«
Tony murmelte voller Groll etwas in seinen Bart.

»Du solltest Gervase wirklich eine Chance geben. Ich weiß, nach außen hin ist er ein bisschen … unangenehm. Aber er ist in seinem Inneren ein guter Kerl – ein wirklich guter Kerl.«
»Egal«, erwiderte Tony, »aber ich mag ihn nicht. Er ist mir unheimlich.«
»Na«, Gerry schüttelte den Kopf, »er ist ein guter Mann. Wusstest du, dass Gervase …« Gerry legte die Hände an die Stirn und wackelte mit den Fingern.
Tony starrte ihn verständnislos an. »Er ist was?«
Gerry beugte sich näher zu ihm und flüsterte Tony ins Ohr: »Er hat übersinnliche Kräfte.«
»*Übersinnlich?!*«, brach es aus Tony heraus. »Mach dich nicht lächerlich.«
»Nein. Ehrlich. Er hat sie. Er kann Dinge *spüren*. Dinge *fühlen*.«
»Was für Dinge?«
»Na ja, zum Beispiel habe ich vor ein paar Monaten daran gedacht, das Haus zu verkaufen …«
»Das Haus? Dad! Du kannst das Haus nicht verkaufen!«
»Beruhige dich. Keine Panik. Ist schon gut. Ich habe meine Meinung geändert. Aber ich habe damals keinem davon erzählt – deiner Mum nicht, keiner Menschenseele. Es war eigentlich eine finanzielle Geschichte. So ein großes Haus in London – ist heute ein Vermögen wert, und ich und deine Mum brauchen den ganzen Platz nicht mehr, wir werden nur mehr und mehr Krimskrams anhäufen. Also habe ich gedacht, verkauf den Kram, kassier das Geld, kauf irgendwo eine schöne Wohnung. Aber seit ich das erste Mal daran gedacht habe, fing ich an unruhig zu werden, wurde nervös, konnte nicht mehr schlafen.
Dann, eines Tages, sitze ich hier mit Gervase, trinke eine Tasse Tee, und plötzlich packt er meine Hände, so, schaut mir in die Augen und sagt: ›Du hast eine wichtige Entscheidung zu treffen. Sie verursacht dir Schmerz. Aber du musst diese Entscheidung

nicht treffen, ja? Keiner außer dir setzt dich da unter Druck.‹ Er hat gesagt: ›Was immer es ist, es kann warten. Der Zeitpunkt ist offenbar noch nicht richtig. Warte, bis es sich richtig anfühlt.‹ Und er hat es tatsächlich haargenau getroffen. Ich hatte mich wegen nichts und wieder nichts verheddert. Also habe ich seinen Rat angenommen und die Idee fallen lassen. Und seitdem bin ich wieder froh und munter.«

Tony starrte seinen Dad an, versuchte zynisch und ungläubig dreinzuschauen, wunderte sich aber allmählich über seine eigene, einzigartige Erfahrung mit Gervase. »Scheiße«, meinte er, »findest du nicht, dass das ein bisschen … *unheimlich* ist?«

»Na ja, ja. Ich meine, ich bin damals ausgeflippt, dachte, es wäre einfach schlicht und ergreifend seltsam. Doch im Rückblick hat mir der Mann eigentlich nur einen Gefallen getan. Als ob er gesehen hätte, wie ich mit einer großen Kommode oder so gekämpft habe – er hat mir nur ein bisschen geholfen.«

Gerry verstummte und sah Tony durch einen Nebel aus Tabakrauch an. »Ich habe ihn gestern Abend gebeten, mit deiner Mum zu reden.«

»Ach ja? Worüber?«

»Er soll versuchen, sie zu beruhigen wegen dieser … äh, Sache mit Ness. Sie hat es ziemlich schwer genommen.«

»Ja«, murmelte Tony, »ich weiß.«

»Weiß nicht, ob es ihm gelungen ist, mit ihr vernünftig zu reden oder nicht, dachte aber, es wäre einen Versuch wert. Er ist wirklich ein geschickter Kerl. Er hat, wie nennt man das noch mal? *Emotionale Intelligenz*, weißt du. Und sie würde mir nicht zuhören.«

Tony spöttelte bei sich. Er wusste sehr wohl, dass Dad sich nur sehr flüchtig bemüht hatte, mit Mum darüber zu reden. Dad mochte es nicht, sich in peinliche Situationen hineinziehen zu lassen.

»Also – wie geht es dir? Bist du okay?«
Tony zuckte die Achseln. »Ja. Ich bin in Ordnung.«
»Gut«, antwortete Gerry und drückte seine Selbstgedrehte mit nikotinverfärbten Fingern aus. »Gut.«
Gervase kam mit einem Tablett mit drei Tassen Tee und drei dicken Scheiben Kuchen darauf zurück.
»Oh, gut gemacht«, stellte Gerry fest, der voller Begeisterung die Kuchenstücke in der Größe von Ziegelsteinen beäugte und sich die Hände rieb.
Na toll, dachte Tony und sah auf die beiden von Natur aus dürren Männer, die sich leicht riesige Kuchenstücke zwischen den Mahlzeiten leisten konnten. Er dachte an Montagabend, an die Euphorie, die er empfunden hatte, als Jan ihm erzählt hatte, dass er unter fünfzehn Stone wog. Er dachte an den Kreis aus stolzen Gesichtern, und er dachte an seine schönen French-Connection-Hosen und an »Bryan«, der in geblümten Shorts durch die Brandung watete.
Und dann packte er einen Kuchenteller und aß das Ganze auf, dabei schmeckte er kaum, was er verschlang.

»Gut«, stellte Gervase ein paar Minuten später fest, nachdem er den Rest Tee heruntergespült hatte, und schlug sich auf die Knie. »Ich bin weg.«
Gerry sah erst Gervase, dann Tony an. »Tatsächlich«, sagte er, »muss ich, äh … eine Zeit lang selbst weg.«
»Oh«, meinte Tony mit einem Hauch von Enttäuschung. Er hatte es sich gerade gemütlich gemacht.
»Ja. Tut mir Leid. Aber ich sag dir was – Gervase, du fährst doch jetzt nach Battersea, oder?«
»Ja. Lavender Hill.«
»Du hast doch nichts dagegen, Tony bis nach Clapham mitzunehmen, oder? Es liegt nur fünf Minuten von deinem Weg ab.«
»Nein. Gar nichts.«

»Nein. Ehrlich. Es ist schon in Ordnung«, widersprach Tony. »Ich kann mir ein Taxi rufen. Ehrlich.«
»Warum willst du Geld für ein Taxi verschwenden? Gervase wird dich mitnehmen.«
Gerry warf Tony einen seiner Blicke zu, die besagten: »Und das ist endgültig«.
»Okay«, fügte er sich, »auch egal.«

Tony sah sich voller Abscheu in Dads Lieferwagen um. Alte Lottoscheine, Packpapier, Einwickelpapier von Süßigkeiten, Klumpen von schmuddligem Seidenpapier, leere Flaschen. Die Polsterung war abgenutzt und schäbig, Drähte hingen aus allem heraus, und die Matten auf dem Boden waren schon lange weg und ließen nur das nackte Metall erkennen. Gervase drückte eine Zigarette in einem Aschenbecher voller Chesterfields und Selbstgedrehten aus und schob ihn dann zu.
»Also, Tony«, begann Gervase, »du hast ja wohl eine ganz schön schwere Woche gehabt.«
»Ja«, gab er zurück, »das kann man wohl so sagen.«
»Alles, was recht ist, Tone, ich glaube, du hast richtig gehandelt.«
Tony warf ihm einen überraschten Blick zu.
»Ja – es war offensichtlich, dass sie dich nicht glücklich macht. Das Leben ist zu kurz. Es hat keinen Sinn, die Dinge hinauszuziehen.«
»Genau!«, stimmte Tony zu, dem leicht schwindlig war vor Erleichterung über dieses menschliche Mitgefühl.
»Und diese Ness wird sich auch wieder gut fühlen. Ein so fröhliches Mädchen – sie wird sich in null Komma nichts wieder gefangen haben. Wird jemanden finden, der sie glücklich macht.«
»Das weiß ich. Genau. Das habe ich versucht, allen zu erklären. Sie wird ohne mich viel besser dran sein. Sie war viel zu gut für mich.«

»Oh, aber jetzt, Tone. Setz dich nicht selbst herab. Du bist ein netter Kerl. Ness war einfach nicht die Richtige für dich. Das ist alles. Vielleicht war sie zu … *unkompliziert*?«

»Ja.« Tony stürzte sich auf das, was mit Ness nicht stimmte und was Gervase genau in Worte gefasst hatte. »Ja. Das ist alles. Mir gefallen ein paar Konflikte in meinem Leben, weißt du, ein bisschen Drama. Ich brauche jemanden, der mich in Spannung hält, der mich davon abhält, immer meinen Kopf durchzusetzen und mich wie ein verwöhntes Gör aufzuführen. Ness war *zu anpassungsfähig*, verstehst du? Zu leicht zu haben.«

Gervase kicherte. »Na ja – das muss es auch geben, nehme ich an. Die meisten Männer können nur von einem Mädchen träumen, das so anpassungsfähig ist.«

»Ich weiß. Aber ich bin anders. Ich habe andere Bedürfnisse. Ich habe in den letzten Wochen viel über mich gelernt, eines, was ich erkannt habe, ist, dass ich verwöhnt bin. Wir sind es alle – wir drei Jungs – auf unsere jeweils eigene Art. Es ist nicht Mums und Dads Schuld; sie lieben uns so sehr, sie haben niemals unsere Entscheidungen oder unseren Lebensstil infrage gestellt – solange wir gesund und in der Nähe waren, war das alles, was zählte. Sie haben uns nie dazu getrieben, etwas zu tun, was wir nicht wollten, und wenn ich bei jemandem gelandet wäre wie Mum – jemanden wie *Ness* –, wäre ich am Ende nur immer verwöhnter geworden. Ich brauche jemanden, der mich in Schach hält, der mir sagt, wenn ich selbstgefällig werde, jemand, der bereit ist, die Hosen anzuhaben. Verstehst du?«

Gervase nickte nachdenklich und holte einen Kaugummi aus einem Päckchen auf dem Armaturenbrett. »Und ich sehe, du hast der ungesunden Besessenheit eins über den Schädel gezogen.«

»Was?«

»Als wir uns das letzte Mal gesehen haben. Du warst verknallt in jemand anderen. Ich habe dir gesagt, du solltest der Verknalltheit eins über den Kopf ziehen. Und das hast du getan.«

Tony schüttelte verblüfft den Kopf. »Was ist nur *los* mit dir?«, fragte er. »Wo hast du das alles nur her?«

Gervase zuckte die Achseln. »Weiß nicht. Wahrscheinlich von meiner Mum. Sie hatte die Gabe. Sie ist gestorben, und dann hatte *ich* die Gabe. Es war so etwas wie ihr Vermächtnis an mich. Ist schon gut so, da sie mir nicht viel anderes vermacht hat.« Er kicherte wieder. »Und ich sag dir was – es ist mir bei euch London-Jungs zugute gekommen.«

»Was – du meinst, du hast was über meine Brüder gesehen?«

»Ja«, antwortete er unverbindlich, »in ihrem Leben geht auch so einiges vor. Einiges, über das sie lieber nicht mit ihrer Familie reden wollen. Also reden sie mit mir. Und ich helfe ihnen.«

»Was denn?«

Gervase grinste und schüttelte den Kopf. »Nein«, sagte er. »Nichts geht über mich hinaus. Niemals. Also – diese Besessenheit – was ist passiert?«

Tony zuckte die Achseln. »Hab einfach das Licht gesehen, nehme ich an. Hab erkannt, dass ich ihr Freund sein sollte, dass ich in meinem Hirn alles durcheinander gebracht hatte. Hab erkannt, dass es mehr mit jemand anderem zu tun hatte als mit der Frau, an der ich interessiert war. Ich habe nur meine Enttäuschung und meine Eifersucht verlagert.«

Gervase nickte und schob sich das Kaugummi in den Mund. »Gut«, stellte er fest, »ich freue mich. Sieht so aus, als ob du in den letzten Wochen wirklich eine Menge gelernt hast.«

Tony nickte. »Ja. Ich habe etwas mehr darüber herausgefunden, wie ich funktioniere. Du weißt schon.«

Gervase warf ihm einen Blick zu. »Du bist aber immer noch nicht glücklich, nicht wahr, Tone?«

Tony schluckte und sah auf seine Hände. »Nein«, antwortete er leise. »Nein. Das bin ich nicht.«

»Weißt du, Tony – vielleicht brauchst du gar kein anderes Mädchen. Ja? Vielleicht brauchst du ein anderes Leben.«
»Was – du meinst, ich sollte meine Fingerspitzen in Säure tauchen und meine Identität ändern?«
»Nein, ich meine, du solltest eine Weile weggehen. Ein bisschen was von der Welt sehen.«
Tony lächelte und schüttelte den Kopf. »Das ist genau das, was Ness gesagt hat«, meinte er, »aber ich kann nicht. Auf keinen Fall. Ich muss ein Geschäft führen ...«
»Aber musst du das wirklich, Tone? Wirklich? Hast du keine Partner? Assistenten? Leute, an die du delegieren könntest? Oder du könntest das Geschäft verkaufen.«
»Verkaufen?!«
»Ja. Warum nicht? Deine Anteile verkaufen. Geschäftsführer werden – Ein Aushängeschild, weißt du? Aber du müsstest nicht mehr jeden Tag da sein.«
»Ja, aber mein Job – mein Unternehmen – es ist mein *Leben.*«
»Genau, Tone. Genau. Was ist das denn für ein Leben? Na? Du hast die Saat gesetzt, nun zieh auch etwas Vergnügen daraus. Ernsthaft, Tone – das würde ich tun, wenn ich du wäre. Verkaufen und losfahren und irgendwo einen verdammt langen Urlaub machen. Du hast in den letzten Jahren eine Menge durchgemacht. Du verdienst es ...« Gervase nickte entschieden und schlug dann mit der Hand auf die Hupe, als ein Kurier auf einem großen knatternden Motorrad versuchte, ihn an einer Kreuzung zu schneiden.
Tony sah Gervase von der Seite an und versuchte seine Gedanken zu lesen. Er sah wirklich aufrichtig aus, fand er; er sah echt aus, als ob ihm Tonys Interessen wirklich am Herzen lägen. Er sah aus, als ob er ihm wichtig wäre. Wirklich. So wie heutzutage den Menschen andere Leute eigentlich nicht mehr wichtig waren.
»Wer *bist* du?«, fragte er, bevor er die Möglichkeit hatte, sich daran zu hindern.

»Wer – ich?«, fragte Gervase zurück. »Ich bin nur ein Freund. Ein Freund der Familie – das ist alles.«
Er drehte sich zu Tony und zwinkerte ihm zu, und Tony lächelte ihn kurz an, bevor er wieder aus dem Fenster starrte und sich fragte, wie, um alles in der Welt, dieses Skelett sich in den einzigen Menschen auf Erden verwandelt hatte, der ihn wirklich verstand.

Eine sehr wichtige Verabredung

Sean hörte, wie der Drucker auf der anderen Seite des Zimmers verstummte, und zog die letzten Seiten Text aus dem Ständer. Er fügte sie dem kleinen Stapel auf seinem Schreibtisch hinzu und blätterte diesen durch, dabei genoss er das Gefühl der Wichtigkeit. Und dann setzte er sich auf seinen Balkon und las die ersten hundertfünfzig Seiten seines Buchs durch und versuchte es aus Millies Perspektive zu sehen; dabei fragte er sich, wie sie wohl auf seine Überlegungen zu dem Zustand ungewollter Vaterschaft reagieren würde, und hoffte, sie würde nicht zu viel in das Kapitel hineinlesen, in dem der Protagonist mit einer Achtzehnjährigen nach Hause geht; er wollte, dass sie es erhellend und unterhaltsam fände und nicht bedrohlich und ärgerlich.

Er sah auf seine Uhr. Halb elf. Zeit zu gehen. Er steckte die Seiten seines Buchs in eine Plastikhülle, ließ sie in eine Tragetüte von Sainsbury fallen, warf sich seine Jacke über und machte sich auf den Weg zum Bahnhof und zur Viertel-nach-elf-Verabredung mit seinem ungeborenen Kind.

Sean sah zu, wie die Krankenschwester Gel auf Millies nackten Bauch schmierte, und betrachtete ihn verwundert. Millies normalerweise waschbrettflacher Bauch war ganz gewölbt. Sie hatte einen *Höcker*. Keinen großen Höcker, aber doch einen eindeutigen, erkennbaren Hallo-Daddy-Höcker. Wann, zur Hölle, war das passiert?

Sean schluckte und lächelte Millie an, die mit einem angespannten Heben der äußersten Mundwinkel antwortete. Er sah sich im Zimmer um und notierte sich im Geiste einiges. Für sein Buch. Weil das hier natürlich auch hineinmusste. Er sog die Atmosphäre und jedes Detail und die Stimmung in sich auf. Tief atmete er ein, um die Gerüche aufzunehmen, und fuhr mit der Fingerspitze über das Gel an der Seite von Millies Bauch, um sich die Beschaffenheit zu merken.

Und dann hörte er nur einen Moment auf, blendete das endlose Geplauder der Schwester und die Geräusche vom Flur draußen aus und sah in sich hinein, versuchte in seinem Inneren in Worte zu fassen, wie er sich fühlte, während er in einer Geburtsvorbereitungsklinik mit einer Frau saß, die ihm kaum in die Augen schauen konnte, um den kaum ausgebildeten Menschen zu sehen, der seine Beziehung zerstört hatte, und dabei nicht wusste, was, zum Teufel, als Nächstes passieren würde.

Er warf die Worte in seinem Kopf herum:

Verängstigt.

Dumm.

Unwissend.

Erbärmlich.

Verwirrt.

Wütend.

Aufgeregt …

Das Letzte überraschte ihn, doch dann lauschte er dem Adrenalin in seinen Ohren, dem Hämmern seines Herzens in seiner Brust, und er wusste, dass es stimmte. Er war aufgeregt. Ungeduldig. *Beeil dich*, wollte er zu der Schwester sagen, schalt ein, bring es dort drauf, ich will dieses Ding sehen, dieses Ding, das das Schlimmste in mir hervorgebracht und mich in einen Menschen verwandelt hat, den ich wirklich nicht sehr mag.

Lass uns eine Gegenüberstellung machen.

Von Angesicht zu Angesicht.

Lass mich zu ihm.

Die Schwester schaltete einen Apparat ein, der ein hohes Summen von sich gab, und holte dann ein pistolenähnliches Ding, mit dem sie über Millies glänzenden Bauch rieb, während sie auf den Bildschirm starrte. Und als sie den Scanner über Millies Bauch bewegte, begannen sich Umrisse auf dem Monitor auszubilden. Einfarbig, fast geisterhaft. Wie etwas aus einem Fritz-Lang-Film.

Die Schwester begann auf den Schirm zu zeigen, erklärte Umrisse und Körperteile, und unter den Tintenklecksen und Wirbeln auf dem Schirm konnte Sean ein Kind erkennen. Es war wirklich eines. Ein richtiges Kind. Arme, Beine, Finger, Zehen, Augen, ein Mund. Alles. Sean starrte verwundert auf den Bildschirm. Das war wie in einem Science-Fiction-Film, so unwirklich. Es hatte sogar ein Gesicht – ein freundliches, sanftes Gesicht mit einem angedeuteten Lächeln. Sein linker Arm war zu seinem Gesicht gehoben, und es … es …?

»Sehen Sie«, sagte die Schwester und zeigte auf die Hand des Babys, wo sie auf seinen Mund traf, »es lutscht am Daumen.«

Sein Baby lutschte am Daumen.

Wie ein richtiges Baby.

Wie Ned es getan hatte, als er noch klein gewesen war.

Und plötzlich kam ihm aus dem Nichts eine Erinnerung – Mum, wie sie im Krankenhaus lag, ihr blondes Haar ganz zerzaust und in einem türkisfarbenen Bettjäckchen aus Nylon. Dad stand neben ihr in einem grünen Pullover mit einem blauen Hemd darunter, Tony hüpfte am Fuß des Bettes auf und ab, und Mum sah liebevoll zu Sean herab und fragte: »Willst du ihn mal halten?« Er war zuerst schüchtern gewesen, versteckt hinter Dad, hatte den Kopf geschüttelt, doch Mum hatte ihn ermutigt, ihm gesagt, es sei in Ordnung, also hatte er genickt, und Mum hatte ihm dieses winzige Ding in einer gelben Decke gereicht. So klein, so leicht, sogar in Seans drei Jahre alten Armen. Er hatte die gelbe Decke zurückgezogen und in die blicklosen Augen seines neuen

Bruders geschaut. Und dann hatte er ihn auf die Wange geküsst, verblüfft von dem Gefühl seiner Lippen an so einer frischen neuen Haut. Mum hatte ihn darauf wieder genommen und in seine Wiege gelegt, und Sean erinnerte sich, wie er wohl stundenlang vor der Wiege stand und nur diesen neuen Menschen anstarrte – diesen erstaunlichen, neuen Menschen. Er hatte schon damals gewusst, dass er das neue Baby mochte, dass das neue Baby sein Freund sein würde.

Und dann traf es ihn plötzlich wie ein Blitz aus heiterem Himmel, dass dieses Ding, das in Millie wuchs – es war ein kleiner Ned. Es war ein erstaunlicher neuer Mensch. Es war jemand, der sein Freund sein würde.

Es war *sein Kind*.

Sean stockte der Atem, und er drückte Millies Hand so fest, dass sie zusammenzuckte.

Und dann fing er an zu weinen.

Putting on the Ritz

Ned richtete im Spiegel seine Fliege und merkte, dass sie immer noch völlig schief saß. Er hatte in dem Verleih wirklich nicht daran gedacht, nachzusehen, ob sie ihm eine schon fertige gaben oder eine von diesen blöden, bei denen man alles selbst machen musste. Wenn er jetzt in einem Film wäre, überlegte er, würde eine schlanke, schicke Frau in einem Abendkleid hereingleiten und sie ihm binden. Doch wie die Dinge lagen, war der einzige andere Mensch im Haus Gervase, und Ned konnte sich nicht vorstellen, dass der ihm eine große Hilfe wäre. Dad war in der Arbeit, wo er Mum treffen würde, und er und Gervase sollten ein Taxi mit Ness teilen, die auf dem Weg zu ihnen war.

Er hatte sie letzte Woche endlich gefragt. Er hatte all seinen Mut zusammengenommen, um sie anzurufen, und er hatte es immer wieder aufgeschoben, doch Dad hörte einfach nicht auf, ihn zu nerven – und dann hatte Gervase Wind davon gekriegt, was anlag, und hatte sich auch noch eingemischt.

Er hatte zuerst Tony angerufen, nur um sicherzugehen, dass der kein Problem damit hatte, wenn er Ness fragte, und er war wirklich cool gewesen, und dann hatte Ned schließlich Mut gefasst, um Ness anzurufen, und es war völlig in Ordnung gewesen. Nicht, dass er sie auf eine Weise gefragt hatte, die besagte: »Würdest du mir die große Ehre erweisen?« Er hatte nur gesagt: »Dad sagt, du sollst kommen, und ich dachte, es wäre schöner für dich, wenn du mit jemandem kämst, möchtest du also mit mir kommen?« Sie war sehr freundlich am Telefon gewesen und schien nicht zu denken, dass es ziemlich seltsam war, dass Tonys kleiner Bruder sie aus heiterem Himmel anrief, um sie zu einer Party einzuladen. Sie machte sich lediglich Sorgen darüber, möglicherweise Tony zu verärgern und bei Bernies Party eine schlechte Stimmung zu verursachen, was Neds Meinung nach klassisch selbstlos von ihr war und wieder einmal bewies, was für ein toller Mensch sie war. Und sie hatte gesagt, sie sei froh, dass er sie eingeladen hatte, weil sie schon ihr Kleid für den Abend gekauft hätte und es habe sie ein Vermögen gekostet.

Er öffnete die Fliege wieder und fing von vorne an; es endete schließlich mit einem Gebilde, das fast symmetrisch war und vage einer Fliege ähnelte, wofür er sich schließlich entschied. Zum Teufel. Er war sowieso kein glatter Fliege-und-Smoking-Typ. Er würde niemals schneidig aussehen, ganz egal, wie gut gebunden seine Fliege war, also konnte er sich genauso gut für den leicht schlampigen, aber charmanten Look entscheiden.

Little Richard dröhnte aus Gervases Zimmer, und Ned hämmerte mit der Faust an seine Tür.

»Oi – Carl Perkins. Das Taxi ist in fünf Minuten da.«

»No Problemo«, schrie Gervase durch die Tür, »ich bin auf dem Weg.«

Ned sprang die Treppe hinunter und sah im Flur noch einmal in den Spiegel, dabei widerstand er der Versuchung, wieder an seiner Fliege herumzufummeln. Er packte Mums und Dads Geschenk, das er im Esszimmer versteckt hatte, und kritzelte schnell etwas auf eine Karte. Und dann hörte er Schritte auf der Treppe hinter sich, drehte sich um und entdeckte Gervase, der ein riesiges in Silberpapier eingewickeltes Geschenk in den Händen hielt. Er trug ein grässliches blaues Abendhemd mit Rüschen vorne, dazu eine passende Satinfliege, einen babyblauen Umhang und kreischend blaue Schlappen. Ned blieb stehen und starrte ihn eine Sekunde an, nicht ganz sicher, wie er auf so eine Erscheinung reagieren sollte. »Zum Teufel aber auch«, sagte er schließlich, »du siehst .... *extrem* aus.«

»Na ja, vielen Dank, Ned. Du siehst selbst nicht ganz schlecht aus. Aber diese Fliege – die ist ja ganz wacklig.« Gervase kam mit ausgestreckten Armen auf ihn zu, und Ned schob ihn weg. »Nein«, sagte er, »ich habe es zwanzig Minuten lang probiert. Besser wird es nicht mehr werden.«

Gervase zuckte die Achseln und toupierte sich im Spiegel hinter Ned sein Haar. Und dann klingelte es an der Tür.

Ned hatte plötzlich ein bis zwei Schmetterlinge im Bauch und atmete tief durch. Er öffnete die Tür und atmete noch einmal.

»Ness!«, sagte er dann atemlos. »Du siehst ... Himmel – du siehst *unglaublich* aus.«

Das tat sie wirklich. Sie trug ein schwarzes, trägerloses Satinkleid mit einer großen schwarz-weißen Blume am Mieder und einem engen Rock, der knapp bis unters Knie reichte. Ihr Haar war hochgesteckt, glitzernde Diamantdinger blinkten darin, und blonde Locken hingen locker um ihr Gesicht. Doch die Schuhe gaben Ned den Rest – schwarze Stilettos mit Diamantenschnallen und bleistiftdünnen hohen Hacken. Die Art von Schuhen, die in ihm den Wunsch weckten, sich auf Hände und Knie zu begeben und ihre Knöchel zu küssen, weil sie so sexy waren. Sie umklammerte eine kleine schwarze Tasche und ein kleines Geschenk mit einer Karte in einem roten Umschlag, und sie war die reine, unvermischte Essenz von Schick.

»Danke«, sagte sie, zog ihren Rock einen oder zwei Zentimeter hoch, so dass sie es die Stufe herauf schaffte, »hat aber nichts mit mir zu tun. Ich habe keine Ahnung von Klamotten, deshalb habe ich für den Nachmittag einen persönlichen Einkaufscoach angeheuert.« Sie musterte Ned von oben bis unten mit einem kleinen Lächeln auf den Lippen. »Mensch, Ned«, stellte sie fest, »du siehst aber sehr gut aus.«

Ned errötete und achtete nicht auf Gervases Finger, der ihm in den verlängerten Rücken piekste.
»Nur eines noch«, sagte sie und stellte ihre kleine Handtasche und ihr Geschenk ab, »diese Fliege. Komm her. Ich richte sie dir.«
Ned machte einen Schritt auf sie zu und hörte zu atmen auf, als sie seinen erbärmlichen Versuch aufband und von vorne anfing. Sie roch nach teurem Parfüm, und er wollte sein Gesicht in die glatte Fläche aus nackter Haut zwischen ihren Schultern und ihren Brüsten versenken. Er wollte mit den Händen auf und ab über den nachgiebigen Satin fahren, der ihre schmalen Hüften bedeckte, wollte ihr die Diamantendinger aus dem zerzausten Haar ziehen und sich eines dieser langen, glatten Beine um seine Taille schlingen. Er wollte das Taxi abbestellen, die Party vergessen und die schmutzigste Nacht seines Lebens verbringen.
»So, das wär's«, sagte sie, tätschelte seine Fliege und trat zurück, um sie zu bewundern. »Viel besser.«
»Danke«, sagte Ned, und seine Stimme klang seltsam wie die von Lisa Simpson. »Vielen Dank.«
Und dann klingelte es an der Tür, und ihr Taxi kam, um sie ins Ritz zu bringen, und während Ned zusah, wie Ness in ihrem schwarzen Satinkleid hüftenschwingend die Auffahrt zur Straße ging, beschloss er, dass dies sich als die beste Nacht seines Lebens erweisen könnte.

»Hallo«, grüßte Sean und setzte seinen besten Fünf-Sterne-Akzent ein, »ich gehöre zur London-Gesellschaft. Auf den Namen meines Vaters sollte ein Zimmer für mich reserviert sein?«
Er lächelte Millie nervös an, als der livrierte Portier die Buchungen in seinem Computer nachsah. »Ach ja. Es sind vier Zimmer reserviert.«
»Genau. Sind die anderen schon da?«
»Nein, Sir – Sie sind der Erste.«

Sie trugen sich ein, lehnten das Angebot ab, ihr winziges Übernachtungsgepäck von einem Pagen hochtragen zu lassen, und gingen einen Aufgang mit einem roten Teppich hinauf, vorbei an hübschen Trompe-l'œil-Wänden und zu ihrem Zimmer im ersten Stock. Sie sprachen beim Gehen nicht, trotteten nur schweigend die plüschigen Gänge entlang. Sean beobachtete Millie, die vor ihm ging, und lächelte bei sich. Sie hatte jetzt eine zusätzliche Schicht auf den Hüften, ihre Arme waren etwas runder, und ihr Haar, bemerkte er plötzlich, war ziemlich lang geworden. Es war kinnlang gewesen, als er sie kennen gelernt hatte, und nun hing es ihr über die Schultern. Sie fing an sehr mütterlich auszusehen. Er bemerkte, wie Millie ihre Übernachtungstasche von einer Hand in die andere schob, und erinnerte sich, dass er eigentlich solche Dinge erledigen sollte.

»Hier«, sagte er und nahm sie ihr ab, »lass mich das tragen.«

Sie drehte sich um, wollte schon widersprechen, schloss dann jedoch den Mund und lächelte ihn stattdessen an. »Danke«, sagte sie.

Sean merkte, wie sie ihren Bauch mit einer Hand umfasste, als sie vor ihm her ging. Ihr Baby umfasste. Ihr gemeinsames Baby. Er tastete nach seiner Jacke und zog das Foto wieder heraus. Es sah jetzt allmählich ganz eselsohrig aus. Er hatte nichts anderes getan als es anzuschauen, seit die Schwester ihm letzte Woche einen Abzug gegeben hatte. Beim Schreiben lehnte es an seinem Computer.

Es verblüffte ihn.

Verwirrte ihn.

Völlig.

Sean konnte schon sehen, dass es ein gutes Baby sein würde. Er konnte es am friedlichen Lächeln auf seinem Gesicht erkennen. Er war offenbar ein braves Baby gewesen, und Millie auch. Ihre Mutter hatte ihm das am letzten Wochenende erzählt, als sie nach Suffolk gefahren waren, um die Neuigkeiten mitzuteilen.

Millies Eltern kennen zu lernen – nun, das war ein Erlebnis gewesen. Es hatte fünf Minuten gedauert, die Privatstraße zu ihrem Haus hinaufzufahren. Es gab eine Auffahrt mit Kies und einen Obstgarten, einen richtigen Garten voller in Form geschnittener Bäume und tropischer Pflanzen, einen Speisesaal, ein Empfangszimmer, ein Wohnzimmer und ein Spielzimmer. Mr. und Mrs. Buckleigh waren auf die netteste Art völlig verrückt und noch mehr davon beeindruckt, dass Sean ein veröffentlichter Autor war, als Sean es von der Größe ihres Anwesens war. Ihr Bruder und ihre Schwester waren auch dort gewesen mit ihren Männern und Frauen, Kindern und aufgeregten Tieren.

Sie hatten die Neuigkeiten so aufgenommen, wie Sean und Millie es erhofft hatten; sie scherten sich nicht um Kinder, die unehelich geboren wurden, oder um Blitzhochzeiten, waren nur erleichtert, dass Millie nicht den Babyzug verpasst hatte und exzentrisch und allein enden würde wie Mrs. Buckleighs legendäre Alkoholikerschwester, von der sie alle befürchtet hatten, dass Millie ihr buntes Leben einmal nachahmen würde.

Auch sie gaben alle »Ahs« und »Ohs« über das Ultraschallfoto von sich, zeigten auf kaum erkennbare Züge und sagten Dinge wie: »Sieht aus, als ob er Onkel Nathans Nase hat, der arme Kerl« oder »Schau dir nur diese Knöchel an – gut und fest wie Helenas«.

Und das Komische an dem ganzen Tag war gewesen, wie sehr sich Sean beteiligt gefühlt hatte. Es war ihr gemeinsames Kind, über das sie sprachen, ihr Kind, das im Mittelpunkt der Aufmerksamkeit stand, und dabei hatte es noch nicht mal etwas getan. Alle waren so begeistert, dass er ihnen einen Enkel, eine Nichte, einen Neffen oder Cousin lieferte, und Sean hatte sich stolz und beteiligt gefühlt.

Er hatte sich niemals aktiv von Millie und ihrem Baby lösen wollen, doch Gervase hatte ihn zu der Einsicht gebracht, dass er genau darauf zusteuerte, dass er einen Pfad beschritten hatte, der ihn möglicherweise zu einem Ort führen würde, an dem er sein eigenes Kind niemals kennen lernte – zu einem Ort, den Gervase ihm gezeigt hatte. Und das konnte er nicht ertragen.

Doch die Dinge zwischen ihm und Millie waren noch ein bisschen zerbrechlich. Sie hatten ihre Beziehung noch nicht wieder aufgenommen – sie gingen die Dinge langsam an. Sean war noch tief in sein Buch verstrickt, doch nun, da sie ihre »Übung in gegenseitigem Mitgefühl« beendet hatten, verstand sie besser, dass er in den nächsten Wochen nicht da sein würde. Sie war sogar über den schlimmsten Teil der Schwangerschaft hinweg, sagte sie. Nicht mehr so müde, so krank vor Übelkeit, so deprimiert. Sie fing tatsächlich an, es zu genießen, fühlte sich energiegeladener, weniger bedürftig und erbärmlich.

Bei ihren Eltern hatten sie am Wochenende ein Bett geteilt, waren jedoch nicht weitergegangen, als dass sie sich nachts aneinander gekuschelt hatten. Sie hatten nicht über ihre Hochzeitspläne gesprochen. Das war noch außer Reichweite. Die Dinge waren noch nicht geklärt. Millie war sehr vorsichtig, und Sean konnte ihr keine Vorwürfe deswegen machen. Er hatte sie unglaublich verletzt, hatte sie dazu gebracht, ihre Liebe zu ihm und ihre eigene Urteilskraft infrage zu stellen. Sie brauchte Zeit, um sicher zu sein, dass sie nicht wieder denselben Fehler machen würde. Und so eine dramatische Kehrtwendung, was das Baby anging, war wahrscheinlich ziemlich schwer zu begreifen. Nicht, dass Sean nun weniger nervös oder weniger unsicher in Bezug auf die Aussicht war, ein Baby in seinem Leben zu haben – er kannte keine Babys; sie waren für ihn etwas völlig Fremdes und Unbegreifliches. Doch er war bereit, es nun zu versuchen. Eindeutig. Wollte sich beteiligen. Fifty-fifty. Schlaflose Nächte. Schmutzige Windeln. Lasst sie nur kommen …

Er steckte seine Codekarte in das Schloss ihres Zimmers und stieß die Tür auf.
»O mein Gott«, sagte Millie, ging sofort zum Fenster, und sah hinaus über den Hyde Park. »Das ist ja *fantastisch!*« Sie wirbelte weg vom Fenster und ließ sich auf die glatte Matratze fallen. »Ich kann nicht glauben, dass wir wirklich hier sind! Ich fühle mich wie ein großes Kind!« Sie hüpfte hoch vom Bett und entdeckte die Minibar. »Ah«, machte sie, zog eine kleine Flasche Champagner heraus und beäugte sie liebevoll. »Früher einmal hätte ich die Minibar in den ersten fünf Minuten leer getrunken.« Sie seufzte und lächelte und wollte die kleine Flasche gerade wieder in den Kühlschrank zurückstellen, als Sean sie ihr aus der Hand nahm.
»Du kannst ein kleines Glas trinken, weißt du?«
Sie zuckte die Achseln. »Ich weiß nicht«, meinte sie, »ich sollte es wirklich nicht tun. Ich habe immer noch solche Schuldgefühle wegen des Abends bei Tony.«
»Nur ein winziges Glas?«, drängte er und zog die Folie vom Flaschenhals. »Ich wette, das Baby würde einen Tropfen Champagner mögen, nicht wahr, mein kleiner Freund?«, fragte er, an Millies kleine Wölbung gerichtet.
Millie lächelte und stimmte zu. »Also gut. Nur ein kleines.«
Sean köpfte die Flasche und schenkte ihnen beiden je ein Glas ein. Er reichte Millie eines und hob dann seines zum Toast.
»Worauf?«, fragte Millie.
Sean atmete ein. Worauf?
Darauf, dass wir uns begegnet sind. Darauf, dass du du bist. Darauf, dass wir zu den ein Prozent Leuten gehören, bei denen ein Kondom versagt hat. Auf unser Baby. Auf den Sommer. Auf das Leben. Auf den Erfolg. Auf die Liebe. Auf Gervase. Auf Charlie. Darauf, dass wir Fehler machen und unsere Lektionen lernen. Auf meine Eltern. Auf deine Eltern. Auf die winzige Knospe aus Möglichkeiten, die in deinem schönen Körper

blüht. Aufs Erwachsenwerden. Darauf, ein Mann zu sein. Auf alles …

»Auf dich und das Baby«, sagte er schließlich. »Weil ihr ein besseres Ich aus mir gemacht habt.«

Tony sah auf seine Uhr. Mist. Er kam zu spät. Er stieß die Tür im Büro seines Buchhalters auf und stand in Smoking und Fliege auf dem Bürgersteig und suchte wie wild nach einem Taxi. Er hatte gerade eine Verabredung mit seinem Buchhalter gehabt – um sechs Uhr an einem Samstagabend. Er hatte das alles so schlecht geplant, so entsetzlich getimt. Doch er wollte es so bald wie möglich geklärt haben, es konnte einfach nicht warten. Und sein Buchhalter hatte sehr freundlich zugestimmt, ihn in seinem Büro an einem Samstag zu treffen, weil er seine Frau sowieso zum Abendessen im West End ausführen wollte.

Er fuhr sich mit der Hand durchs Haar und sah sich hoffnungslos um. Nicht mal ein Auto in Sicht, geschweige denn ein Taxi. Scheiße. Er begann die Great Portland Street Richtung Oxford Circus zu gehen, achtete nicht auf die neugierigen Blicke der Flüchtlinge aus der Oxford Street, die mit Tüten beladen auf dem Nachhauseweg waren. Als er endlich ein Taxi gefunden hatte, war er fast zehn Minuten gegangen und hatte angefangen, ziemlich ausgiebig zu schwitzen. Es war ein diesiger Abend, bewölkt, aber feucht, und er kochte wirklich.

Er brach erleichtert im Taxi zusammen und machte das Fenster weit auf, er genoss die frische Luft an seiner klammen Haut, als das Taxi über den Soho Square fuhr. Er steckte den Finger in den Kragen seines geliehenen Abendhemdes, um etwas von der Enge zu mindern, und zog dann die Papiere, die sein Buchhalter ihm gerade gegeben hatte, aus seinem Übernachtungsgepäck und schaute sie durch.

Es sah gut aus, fand er und nickte bei sich. Machbar. Eindeutig.

Er hatte sich am Anfang der Woche auch mit seinem Anwalt getroffen, und es sah so aus, als ob alles perfekt laufen würde. Er musste jetzt nur noch heute Abend mit Ned reden, und dann konnte er mit dem amüsanten Teil anfangen – Pläne für die nächste Phase seines Lebens schmieden.

Überraschung

»Champagner?«

Ein großer, dünner Mann in Schwarz-Weiß hielt ihnen beiläufig ein Tablett mit Champagner hin, als sie die Marie-Antoinette-Suite betraten, in der Mums Party gefeiert wurde. Ned hatte eigentlich in sein großes, schickes Doppelzimmer einchecken wollen, als sie ankamen, doch sie blieben am Victoria-Bahnhof im Verkehr stecken, und Mum und Dad sollten in zwei Minuten eintreffen, weshalb sie keine Zeit mehr gehabt hatten. Ned ergriff das vollste Glas auf dem Tablett und sah sich im Raum um. Scheiße, dachte er, diesmal hatte Dad es aber wirklich wissen wollen. Es war ein riesiger Raum mit einer hohen Decke und ornamentalem Gipsstuck an den Wänden, einem handgewebten Teppich unter ihren Füßen und einem großen Kristalllüster, der von der Decke herabhing. Kerzen flackerten in riesigen Ständern auf einem übergroßen Marmorkamin, und ein Violinquartett spielte in der Ecke irgendeine undefinierbare klassische Musik.

Das hier war reine Klasse.

Ned erkannte Verwandte und Mums und Dads Kollegen, die nervös in Trauben an den Seiten des üppigen Raumes herumstanden und in ihren Leihanzügen und Kleidern, die nicht ganz großartig genug für die Umgebung waren, verlegen ausschauten. Er winkte steif ein paar Leuten zu, die verzweifelt versuchten, auf sich aufmerksam zu machen, konnte die Aussicht aber nicht ertragen, mit jemandem Konversation zu betreiben, bis er zumindest ein Glas Champagner getrunken hatte.

Er, Ness und Gervase schlenderten auf eine Seite des Raums und bildeten ihre eigene kleine verlegene Traube, dabei machten sie eine große Schau daraus, ihre Geschenke auf einen Tisch zu legen. Sie sahen sich alle ehrfürchtig im Raum um und kamen sich völlig deplatziert vor.

»Wow«, machte Ness und trank einen großen Schluck von ihrem Champagner. »Das hier ist so cool. Muss ein *Vermögen* gekostet haben.«

Ein weiterer herangleitender Mann tauchte an ihrer Seite auf und trug auf einem Silbertablett eine ganze Menge interessant aussehender Dinge zum Knabbern herbei.

»Was ist das?«, fragte Ned und zeigte auf ein vollkommen aussehendes rosa Ding mit Tomaten darauf.

»Das ist ein Mosaik aus gewürzten Scampi und marinierten Tomaten, Sir.«

»Hmm«, machte Ned, nahm eines und schob es sich in den Mund.

»Und was ist das?«, fragte Ness, deren Augen beim Blick auf die Kanapees fast herausfielen.

»Das ist ein Foie Gras Melba mit schwarzen Trüffeln.«

»Oh«, meinte sie, während ihr fast sichtbar das Wasser im Munde zusammenlief, und nahm vorsichtig eine davon zwischen die Fingerspitzen.

»Sir?«, fragte der Mann Gervase, der stoisch und unbeeindruckt in seinem Aufzug wirkte.

Gervase warf nur einen flüchtigen Blick auf die Kanapees. »Äh, nein, Kumpel«, sagte er dann, »ich hätte aber nichts gegen eine Schale Erdnüsse, wenn Sie welche haben?«

»Sicher, Sir«, antwortete der Mann und wandte sich zum Gehen. Ness nahm noch ein paar Kanapees vom Tablett, bevor er ging.

Ned spürte einen Rippenstoß – von Gervase, der ihm mitteilte, dass Tony gerade angekommen war.
»Ness«, flüsterte Ned in ihr mit Diamanten behangenes Ohr, »Tony ist hier. Bist du … du weißt schon?«
»Mmh«, sagte sie, nickte heftig und schob ein weiteres Kanapee in ihren Mund. »Mir geht es gut. Wirklich.«
»Tone!«, bellte Gervase durch den Raum, so dass sich alle umdrehten und eine Sekunde in seine Richtung schauten.
Tony drehte sich um und winkte, während er befangen auf sie zuging.
Aus der Nähe wirkte er verschwitzt und ungekämmt, und sein Bauch wölbte sich leicht über den schlecht passenden geliehenen Hosen. »Verdammter Verkehr«, stellte er fest, »nur eine Spur auf der Grosvenor Road. Ein Albtraum. Ness. Hi.« Er beugte sich zu seiner Exfreundin und gab ihr einen freundlichen, aber leicht verlegenen Kuss auf die Wange. »Du siehst toll aus«, sagte er.
»Danke, Tony. Du auch.«
»Hmpf«, lachte Tony scherzhaft und war sich offenbar der Tatsache bewusst, dass er alles andere als das aussah. »Mum und Dad sind auf dem Weg. Ich habe gerade gesehen, wie ihr Auto vorfuhr.«
»Wo sind Sean und Millie?«
»Das weiß der Himmel. Stecken wahrscheinlich auf der Grosvenor Road.«
Aber genau in diesem Augenblick betraten Sean und Millie den Raum und wirkten strahlend und eindeutig postkoital. Sean sah unglaublich gut in seinem Smoking und mit seiner schwarzen Krawatte aus, und Millie war atemberaubend in einem roten Seidenkleid im japanischen Stil mit einer riesigen roten Kette und roten hochhackigen Schuhen.
»Ganz James Bond«, bemerkte Ness, als sie in ihrer Ecke des Raums auftauchten.

»Wo wart ihr beiden denn?«, fragte Ned und beäugte ihre erröteten Wangen und ihr leicht zerzaustes Haar belustigt.
»Oben«, antwortete Sean bedeutungsvoll, »haben die Matratzen getestet. Du weißt schon.«
Millie warf ihm einen boshaften Blick zu, und Ned musste einfach hinüber zu Ness schauen und sich nach der Qualität seiner eigenen Matratze fragen. Sie sprach mit Tony, und Ned versuchte die Chemie zwischen ihnen beiden abzuschätzen. Tony sah nervös und gequält aus, und Ness wirkte ruhig und gefasst. Ihre Körpersprache schien keine latente Sehnsucht auszudrücken, doch Ned konnte unmöglich das Wissen wegwischen, dass, wenn sein Bruder sie nicht sitzen gelassen hätte, Ness immer noch zu hundert Prozent zu Tony gehören würde.
»Sie sind da, sie sind da!«, rief jemand in lautem Bühnengeflüster. Jemand dämpfte die Beleuchtung und schloss die Türen, und alle scharten sich zusammen und flüsterten aufgeregt miteinander.
»Meine Damen und Herren«, verkündete ein silberhaariger Mann mit einem lächerlich englischen Akzent, »ich darf Ihnen unsere Ehrengäste ankündigen, Mr. und Mrs. Gerald London.«
Die Türen gingen auf, und die Lichter aus. Alle riefen: »Überraschung«, und Mum und Dad betraten wie betäubt und erregt in ihren besten Kleidern den Raum. Mums Hände fuhren direkt zu ihren Wangen, und ihre weit geöffneten Augen arbeiteten sich durch den ganzen Raum, schauten auf Leute, die sie erkannte, bis ihr Blick auf ihre drei Jungs fiel, die ganz ungesellig in der Ecke standen, und sie in Tränen ausbrach.
»O Gerry!«, wiederholte sie ständig. »Was hast du getan, du großer Trottel? Was hast du getan?« Menschen umringten sie ein paar Minuten lang, und Ned und seine Brüder standen geduldig Schlange, bevor sie es schließlich schafften,

ihre Mum und ihren Dad zu umarmen und ihnen zu gratulieren.

»Gut gemacht, ihr Alten«, sagte Ned und drückte seine Mutter in einer bärenhaften Umarmung. »Verdammte vierzig Jahre.«

»Herzlichen Glückwunsch«, sagte Tony, umarmte seinen Dad und drückte die Hand seiner Mum.

»Ness!«, sagte Mum, als sie ihre expotenzielle Schwiegertochter entdeckte. »Du bist hier!« Sie sah eine Sekunde von Ness zu Tony, und Hoffnung leuchtete in ihren Augen auf.

»Natürlich bin ich hier«, erwiderte Ness, »hätte das nicht um alles in der Welt versäumen wollen. Und dein jüngster Sohn war so freundlich, mich zu begleiten.« Sie schenkte Ned ein Lächeln, verschränkte ihren Arm mit seinem, und Ned blähte sich auf wie ein stolzer Täuberich.

»Millie!«, sagte sie, schlang die Arme um ihre zukünftige Schwiegertochter und drückte sie. »Du siehst toll aus! Gervase! O mein Gott – schau dich nur an! Schau dir das Hemd an! Der letzte Heuler!«

Dad stand hinter Mum, strahlte stolz und trieb höflich Konversation mit Bernies redseligem Bruder, Onkel Liam. Ned wurde entführt von einem alten Typen vom Antiquitätenmarkt, der sich offenbar an ihn erinnerte aus der Zeit, als er drei Jahre alt gewesen war und er ihm eine Tüte mit Zitronenbonbons geschenkt hatte. Ned lächelte höflich und wünschte bei Gott, dass er sich an die Sache mit den Bonbons erinnerte, damit sie etwas hätten, über das sie reden konnten. Er trank noch mehr Champagner, aß noch mehr Kanapees, redete mit noch mehr alten Trotteln und gelangte schließlich an den Punkt, an dem er fliehen musste, als er spürte, wie jemand ihn am Ellbogen zupfte.

Es war Tony.

»Ned«, sagte er, »kann ich mit dir reden?«

Ned warf ihm einen unsicheren Blick zu. »Äh, ja«, antwortete er, »sicher. Ist es ernst?«
»Ja. Nun ja. Nein. Es ist gut. Glaube ich. Hoffe ich. Schau – lass uns hinauf in mein Zimmer gehen und plaudern, ja?«

Big Brother passt auf dich auf

Ned folgte seinem großen Bruder hinauf in den dritten Stock und spürte dabei ein wachsendes Unbehagen in sich. Was würde Tony sagen? War er krank? Waren Mum oder Dad krank? Oder vielleicht würde er ihm sagen, er solle sich von Ness fern halten, weil er sie wieder zurückhaben wollte. Vielleicht konnte er sehen, wie sehr Ned sie wollte, und hatte nun seine Meinung geändert. Scheiße. Ihm war überhaupt nicht nach dem allen hier. Tony ließ ihn in sein Zimmer hinein, und Ned nahm schnell den Raum in sich auf. Verdammt *fantastisch.*

»Scheiße«, sagte er, »haben wir alle solche Zimmer?«

»Ja«, antwortete Tony, lockerte seine Fliege und setzte sich an den Schreibtisch. »Soweit ich weiß.«

»Cool!«, stellte Ned fest und hockte sich auf den Rand von Tonys großem Doppelbett.

»Schau«, sagte Tony und zog Papiere aus einer Tasche. »Ich werde mich kurz fassen. Ich habe dir etwas vorzuschlagen.«

Dann hielt er inne und starrte Ned auf eine Art an, die dessen Gefühl der Bestürzung noch vergrößerte.

»Ich gehe weg«, verkündete er.

O Gott, dachte Ned, Tony stirbt! Tony wird sterben, und er gibt mir sein Testament.

»Im Augenblick klappen die Dinge für mich wirklich nicht so ganz. Ich bin ein wenig verloren und weiß nicht, wohin ich mich als Nächstes wenden soll. Ich habe immer gedacht, dass, wenn ich erst mal mein jetziges Alter hätte, verheiratet wäre,

Kinder hätte, diese Dinge. Aber es hat sich wirklich nicht so ergeben. Also werde ich eine Zeit lang das Land verlassen und ein bisschen herumreisen …«

Ned schnaubte, teilweise vor Erleichterung, dass Tony nicht sterben würde, und teilweise, weil der Gedanke, dass Tony »ein bisschen herumreisen« könnte, völlig absurd war. »Was meinst du mit *Reisen*?«, fragte er verächtlich.

»Ich meine, ich werde in ein Flugzeug steigen und irgendwo hinfliegen und dort einige Zeit verbringen und dann ein anderes Flugzeug besteigen und woanders hinfliegen.«

»Ja, aber mit wem?«

»Alleine.« Tony sah ihn an, und Ned erkannte ein kurzes Aufblitzen der Unsicherheit in seinen Augen, einen Mangel an Selbstvertrauen, und ihm wurde klar, dass Tony ihn jetzt brauchte, damit er ihn ermutigte, und nicht damit er Scherze machte.

»Alleine. Scheiße, Tony – das ist, nun ja – Jesus. Das ist cool. Wirklich. Gut für dich. Aber was ist mit dem Geschäft?«

»Na ja«, antwortete Tony und verschränkte langsam die Beine, »da kommst du nun ins Spiel.«

»Ich?«

»Ja. Schau, ich habe lange darüber nachgedacht und ich habe lange über dich nachgedacht. Es muss hart sein, zu tun, was du getan hast – wegzugehen, eine Auszeit zu nehmen, wiederzukommen und zu erkennen, dass sich alles verändert hat außer dir. Mum sagt, dass du als Aushilfe arbeitest, dass es dir nicht sehr gefällt. Und ich verkaufe London Cards. Verkaufe es und werde Geschäftsführer. Ich werde immer noch beteiligt sein, aber nicht mehr ständig da. Und ich will in den nächsten Wochen ein paar Veränderungen im Geschäft vornehmen, bevor ich es aufgebe. Das Geschäft ein bisschen erweitern, es verjüngen, neue Ideen einbringen, neues Blut. Und es gibt einen Bereich, den wir bei London Cards niemals wirklich entwickelt haben – Kunst. Also dachte ich, wie würde es dir gefallen, ins Geschäft einzusteigen und eine neue Sparte einzurichten?«

»Was?!« In Neds Kopf begann es leicht zu summen. »Meinst du das ernst?«

»Todernst. Ich habe an ein neues Segment gedacht, sagen wir, zehn Designs gleichzeitig. Du müsstest die Rechte einholen, sie kaufen, sie designen – andere Leute sollen sich um die Details kümmern, das Marketing, die Finanzierung, den Etat. Du wärst mein Kunsteinkäufer.«

»Scheiße.« Ned ließ den Kopf in die Hände fallen und fuhr sich mit den Fingern durchs Haar. »Himmel. Das ist eine Menge, die da auf mich einstürzt – es ist wie … es ist …«

»Es ist ein richtiger Job, Ned. Mit Verantwortung und Druck.«

»Ja. Eindeutig. Das sehe ich. Scheiße. Kann ich darüber nachdenken?«

»Natürlich. Arbeitest du Montag?«

»Nein.«

»Komm ins Büro. Um neun. Dann reden wir weiter. Aber ich wollte es dir einfach jetzt schon sagen – dir die Möglichkeit geben, darüber nachzudenken, dir Fragen einfallen zu lassen. Den Gedanken zu verdauen.«

»Gott. Tony. Ich kann es nicht glauben. Ich dachte, du hältst mich für hoffnungslos.«

»Na ja, das warst du.«

»Oh, danke.«

»Nein. Ich meine es ernst. Du warst es. Ihr wart es beide, Sean und du. Aber jetzt schau ich mir an, was Sean getan hat, was er erreicht hat, und dann denke ich, dass ihr es beide habt, dass du nur noch deine Nische finden musst. Sean hat seine gefunden. Und jetzt brauchst du deine. Du bist schlau. Und ich nehme an, dass du schwer arbeiten kannst.«

»Ja.« Ned nickte. »Eindeutig.«

»Aber ich bin nicht ganz selbstlos. Ich bin ein Kontrollfreak, weißt du. Und es wird sehr schwer für mich sein, das Geschäft ganz loszulassen – einfach zu wissen, dass da mein Blut an Bord ist, dass da ein London ist, jemand mit dem Namen des Unternehmens, das wird mir sehr helfen. Und meinem Personal.« Er lächelte. »Sie sollen es spüren. Ich vertraue dir, Ned. Du bist mein Bruder, und du gehörst zur Familie, und ich weiß, dass ich mich auf dich verlassen kann. Aber es wird an dir liegen, deinen Job zu erfüllen, sobald ich weg bin. Ich werde keine Strippen mehr für dich ziehen können. Wenn du Mist machst, wirst du gefeuert werden wie jeder andere. Aber du wirst ein anständiges Gehalt beziehen ...«

Ned biss sich auf die Zunge, um nicht nachzufragen, *wie viel* genau.

»... und jetzt kommt das andere. Meine Wohnung. Wie würde es dir gefallen, dort zu wohnen, während ich weg bin?«

»Was – im Ernst?«

»Ja. Wirklich. Ich habe keine Lust, sie an Fremde zu vermieten. und ich will nicht, dass sie leer steht. Ich weiß, dir gefällt es bei Mum und Dad, aber du bist jetzt siebenundzwanzig, und vielleicht willst du etwas mehr Freiheit. Und außerdem – es geht doch nicht, dass mein Kunsteinkäufer jeden Abend zu Mum und Dad heimgeht, oder?« Er grinste. »Also, was meinst du?«

Ned machte ein paarmal den Mund auf und wieder zu und versuchte die richtigen Worte zu finden. »Was ich meine?« Er lachte. »Ich meine, ich bin geehrt und überrascht und aufgeregt und ängstlich und ... Gott! Ich kann es einfach nicht glauben.«

»Denk einfach drüber nach. Denk über alles nach und lass uns dann am Montag lange und gründlich drüber reden. Ja?«

»Ja!«, stimmte Ned zu, ging auf Tony zu und umarmte ihn fest. »Danke, Tone«, sagte er und drückte seine breiten, fleischigen Schultern, »danke, dass du an mich gedacht hast. Danke, dass du an mich glaubst. Ich liebe dich, Mann.«

»Ich dich auch, Ned«, erwiderte Tony, »du bist ein guter Kerl. Der Beste.«

Und dann klingelte das Telefon.

»Das war Sean«, erzählte Tony und legte den Hörer auf. »Wir müssen jetzt runter – offenbar will Dad eine Rede halten.«

Gerry wird sentimental

Nun«, begann Gerry, der sich nervös in dem Meer aus erwartungsvollen Gesichtern umsah und mit einem Stück Papier herumspielte, »zuerst einmal lasst mich euch allen danken, dass ihr die Mühe auf euch genommen habt, heute Abend herzukommen. Ich weiß, einige von euch hatten eine lange Anreise. Manche von euch sind sogar aus dem Osten Londons gekommen. Und wenn ich mich so umsehe, erkenne ich, dass Moss Bros. heute Abend gut an uns verdient haben, also danke dafür.
Ich habe Bernie hier das erste Mal vor über vierzig Jahren gesehen, im Frühling 1961. Sie war sechzehn und verkaufte Nippes bei Simpsons of Piccadilly. In der Minute, als ich sie gesehen hatte, dachte ich, ich werde dieses Mädchen heiraten. Glücklicherweise stellte sich das als leicht heraus. Ich sagte, ich wolle ein schönes Geschenk für mein Mädchen, wisse aber nicht, was ich kaufen solle, also bat ich sie, etwas für mich auszusuchen. Sie wählte ein Paar Korallenohrringe. Ich wartete, bis sie sie eingepackt hatte, und schenkte sie ihr dann. Dann lud ich sie ins Kino ein, und sie sagte ja. Und bis zum heutigen Tag weiß ich immer noch nicht, ob es die Ohrringe waren oder meine charmante Persönlichkeit, die den Ausschlag gaben; ich weiß nur, dass wir seit dieser ersten Verabredung zusammen waren und dass ich jede Sekunde meines Lebens mit ihr geliebt habe.
Manche Menschen, die auch vierzig Jahre mit demselben Menschen zusammen sind, mögen vielleicht sagen, na ja, wir hatten unsere Hochs und Tiefs, aber ich nicht. Wir hatten

keine Tiefs. Wenn ich Bernie heute anschaue, sehe ich immer noch die jugendliche Verkäuferin bei Simpsons, ich sehe immer noch das Mädchen mit dem hellen Haar und den blauen Augen, das ich für unsere erste Verabredung in Piccadilly ausgesucht habe, und ich habe immer noch dieselben Schmetterlinge im Bauch. Bernie ist der Mittelpunkt meiner Welt, der Grund meines Daseins. Sie ist echt und talentiert und nüchtern. Sie ist freundlich und liebevoll. Sie ist auch lustig und lebhaft und bringt mich jeden Tag zum Lachen. Sie hat niemals versucht, mich zu verändern oder mir das Gefühl zu geben, ich sei weniger als ein Mann. Ich mag den Menschen, der ich bin, wenn ich mit meiner Frau zusammen bin. Es gibt niemanden auf der Welt, dessen Gesellschaft ich mehr genieße als ihre, und ich fühle mich nur schlecht, wenn ich mit Bernie zusammen bin, wenn ich mir vorstelle, wie mein Leben ohne sie wäre.

Ich weiß nicht, worin das Geheimnis unserer glücklichen Ehe besteht – ich denke oft, wir hatten einfach nur Glück. Aber ich denke auch, dass ich und Bern mehr *Spaß* haben als viele andere Paare – nichts macht mich glücklicher, als Bernie lächeln zu sehen, und ich glaube, das gilt auch andersherum. Viele Paare vergessen, Spaß zu haben, herumzualbern und sich gegenseitig zum Lächeln zu bringen. Doch den meisten Spaß in unserer Ehe hatten wir bis jetzt, indem wir diese drei da großgezogen haben.« Er zeigte auf seine Söhne, die vorne in der Menge standen. »Von dem Augenblick an, als Anthonys kleines Gesicht das erste Mal vor fünfunddreißig Jahren ins Licht der Welt blinzelte, habe ich eine ganze Reihe mehr Gründe gefunden, mich als der glücklichste Mann auf der Welt zu fühlen. Die Menschen scheinen heutzutage so eine große Leistung in Kindern zu sehen. Sie machen sie zu noch einer weiteren Sache, über die sie sich sorgen müssen, auf ihrer großen Liste aus Sorgen. Aber wir waren mit unseren dreien niemals so. Wir haben sie einfach genossen. Sie

hatten ihre Schläge und Beulen und ihre Fahrten in die Notaufnahme. Sie hatten ihre Kratzer in der Schule und ihre furchtbaren Zeugnisse. Aber wir haben nie zugelassen, dass das uns störte, denn wir wussten, dass wir drei gute Jungen haben und dass, was immer in der Zukunft passieren mag, sich alles für sie zum Guten wenden würde. Solange wir sie liebten und sie ermutigten und ihr Heim zu einer lebenswerten Umgebung machten, würde es ihnen gut gehen. Und ich schaue sie alle nun an, und ich weiß, wir hatten Recht.
Ich bin so stolz auf euch, Jungs«, sagte er, und Tränen schimmerten in seinen Augen, »so stolz auf alles, was ihr getan habt, und auf alles, was ihr noch tun werdet, und ich bin so stolz auf meine Familie. Ich bin der glücklichste Mann auf Erden – und das schulde ich alles meiner geliebten Bernie. Bernie ...« er wandte sich nun an seine schluchzende Ehefrau, »... umarme uns.« Bernie brach in Gerrys Armen zusammen, und Tränen strömten ihr über die Wangen; sie war hochrot vor Stolz und Glück, und der Raum brach in Beifall und Pfiffe aus.
Sean wischte sich eine Träne aus dem Auge. Er war überwältigt von Gefühlen und euphorisch vor Freude. Das war die fantastischste Rede, die er jemals gehört hatte. Und während er dem aus dem Herzen kommenden Applaus lauschte und zärtlich seine Eltern beobachtete, die sich vor allen, die sie kannten und liebten, umarmten, wusste er plötzlich, dass es Zeit war. Er gab Millie einen Kuss auf die Lippen und begab sich nach vorne vor die Menge.
»Meine Damen und Herren«, sagte er, während er mit einem Löffel an sein Glas klopfte, »meine Damen und Herren. Ich habe etwas zu verkünden.« Die Menge beruhigte sich und drehte sich zu ihm um. »Zunächst einmal wollte ich alles bestätigen, was Dad gerade über unsere Mutter gesagt hat. Sie ist ein wahrhaft wunderbarer Mensch, und ich will ihr aus tiefster Seele für alles danken, was sie getan hat, um uns das Gefühl

zu geben, dass wir alles erreichen könnten, was wir nur wollen. Ich wäre nicht da, wo ich heute bin, wenn meine Mutter es nicht bedingungslos gebilligt hätte. Ich möchte auch sagen, dass ich echt hoffe, dass etwas an diesem ganzen Astrologiekram dran ist und dass die großzügige und lustige Persönlichkeit meiner Mutter etwas mit dem Datum zu tun hat, an dem sie geboren wurde. Denn am ersten Dezember in diesem Jahr wird ein neuer Mensch geboren werden. Und meine Eltern werden Großeltern. Denn ich und Millie – *wir sind schwanger!*«

Den Bruchteil einer Sekunde herrschte vollkommenes Schweigen, und dann öffneten sich Bernies Augen weit und rund, und ihre Hände fuhren zu ihren Wangen, und sie machte ihren großen Mund auf und schrie wie ein sieben Jahre altes Mädchen bei einem Steps-Konzert.

»Und wenn jemals jemand es verdient hat, Großeltern zu werden, dann diese beiden. Ich liebe euch beide. Auf Bernie und Gerry«, schloss Sean und hob sein Glas, bevor er von seinen Eltern umzingelt und mit Umarmungen und Küssen überhäuft wurde.

Sean fand Millies Hand und drückte sie. Sie wandte sich von dem Gespräch ab, das sie gerade mit Bernie und Gerry führte, und schenkte ihm ein Lächeln. Und Sean spürte, wie Stolz und das Gefühl des Vollständigseins in ihm anschwollen. Denn dies war es, erkannte er, das war Liebe. Liebe bestand nicht aus angesagten Clubs, aus Unvorhersehbarkeit und nächtlichem Sex. Sie existierte nicht in einem Vakuum und tat nicht so, als ob es die Welt da draußen eigentlich nicht gab. Liebe, das waren er und Millie, die zusammenwuchsen, teilten, lachten und zusammen Spaß hatten. Es war Familie. Das war es.

Ein paar Stunden später trafen sich Tony, Sean und Ned im Pissoir wieder, von links nach rechts dem Alter nach aufgestellt und gemeinsam pinkelnd.

Sie waren alle ziemlich betrunken.
»Scheiße – Sean!«, sagte Ned, machte seinen Reißverschluss zu und lehnte sich an die Wand. »Ich kann es immer noch nicht glauben. Du wirst, verdammt noch mal, Papa! Wie lange weißt du es schon?«
»Seit sechs Wochen.«
»Und du hast es mir nicht erzählt? Du Blödmann.«
»Tut mir Leid, Kumpel«, gab Sean zurück, der ein wenig hin und her schwankte, während er seine Hose zumachte. »Tut mir Leid. Ich habe mich eine Zeit lang ein bisschen in einer Phase der Verweigerung befunden. Konnte vor mir selbst nicht zugeben, was passiert ist, ganz zu schweigen, es jemand anderem zu erzählen.«
»Und jetzt hast du dich also in dein Schicksal ergeben?«, fragte Tony, der sich umdrehte, um sich die Hände zu waschen.
»Ja«, antwortete Sean und sah auf seine Füße. »Na ja – nein. Ich habe mich nicht *ergeben*. Ich *glaube* dran. Das ist der Unterschied. Vorher war es nicht wirklich. Jetzt ist es aber so. Und es ist verdammt *toll!* Schau, Tone«, sagte er, »der ganze Kram neulich Abend. Es tut mir wirklich wahnsinnig Leid, ja? Du hattest Recht. Ich hatte Unrecht. Ich mache dir keine Vorwürfe, weil du für Millie Partei ergriffen hast …«
»Was?«, unterbrach Ned. »Was geht hier vor?«
»… und ich habe das alles gesagt, weil ich wusste, du hattest Recht und ich es vor mir selbst nicht zugeben konnte …«
»Wovon redest du?«, fragte Ned.
»Und ich wollte nur sagen – danke, dass du dich um Millie gekümmert hast, als ich es nicht tat. Ich werde es niemals vergessen, ehrlich. Und sie auch nicht. Du bist in den letzten Wochen für uns beide ein Bruder gewesen. Ein wirklicher, richtiger Bruder. Und ich habe es nicht zu schätzen gewusst. Und alles tut mir so Leid, Tone, so Leid …«
»Mir auch, Kumpel«, gab Tony zu. »Mir tut es auch Leid. Ich

war außer der Reihe. Ich habe das, was ich gesagt habe, nicht so gemeint. Ich habe selbst einiges durchgemacht, weißt du. Hab mich unsicher und ohne Selbstvertrauen gefühlt. Ich war so eifersüchtig auf dich. Aber du hast es so gut gemacht und ich bin so verdammt stolz auf dich, wirklich.«
Sean starrte Tony einen Augenblick an, und Ned sah Tränen in seinen Augen glitzern. »Ich liebe dich, verdammt noch mal, Tone. Also wirklich, wirklich«, er klopfte auf sein Herz, »ich liebe dich.« Und dann schlang er die Arme um ihn und drückte und klopfte ihn, und Tony drückte und klopfte zurück.
»*Was?!*«, fragte Ned und begann sich ausgeschlossen zu fühlen.
»Nichts!«, rief Sean jubelnd, »einfach und verdammt nichts! Alles ist perfekt! Komm her!« Er öffnete weit seine Arme, um Ned in die Gruppe zu lassen, und ein, zwei, drei Minuten lang kuschelten sie sich zusammen in einem warmen, alkoholgetränkten Kreis brüderlicher Liebe.
Und dann tauchte eine Gestalt an der Toilettentür auf. »Gervase!«, sagte Ned und lächelte seinen neuen Freund an. »In Ordnung?«, fragten Sean und Tony grinsend, die immer noch, die Arme umeinander gelegt, dastanden.
»Wie steht's, Gervase?«, fragte Sean, der auf ihn zuging und den Arm um seine Schulter legte.
»Ausgezeichnet«, antwortete Gervase, rieb sich die Hände und sah sich im Raum um und auf die drei Brüder. »Ihr Jungs seht so glücklich aus. Amüsiert ihr euch?«
»Wahnsinnig«, erwiderte Ned.
»Gut«, meinte Gervase und nickte weise, »das ist schön. Also – sind alle glücklich?«
Die Jungen sahen sich an. »Ja«, antwortete Ned, »das nehme ich an. Hier. Schau. Ich möchte einen Trinkspruch vorschlagen. Ich möchte einen Trinkspruch auf Gervase vorschlagen. Den wahnsinnigsten Typen, den ich kenne, und einen wahren Freund.«

»Ja«, stimmte Sean zu, und Tony nickte zu Neds Überraschung heftig. »Auf Gervase. Prost.«

Die vier Männer nahmen ihre Bierflaschen, die sie aus der Bar mitgebracht hatten, und stießen damit an. Dann stellte Sean seine ab, sah Gervase eine Minute lang an und sprang plötzlich auf ihn zu und umarmte ihn. »Du bist der Beste, Gervase«, sagte er, »du bist der Allerbeste. Ich werde niemals vergessen, was du für mich getan hast. Niemals!«

Ned sah verwundert zu. Sean war offensichtlich besoffener, als er aussah. Gervase sah erfreut, aber verlegen drein und entzog sich sanft Seans welpenhafter Umarmung. »Ihr Jungs«, sagte er und sah sie alle an, »ihr habt so ein verdammtes Glück, wisst ihr das eigentlich?«

Sie nickten.

»Sean – du hast Millie und das Kleine, das unterwegs ist. Tone – du hast eine Weile deine Freiheit. Ned – du hast deine ganze Zukunft vor dir und diese ganzen Menschen hinter dir. Aber vor allem habt ihr einander. Was für ein Geschenk, hä?« Er lächelte. »Brüder – was für ein Geschenk. Nehmt es niemals als selbstverständlich hin, ja? Wisst es zu schätzen, jeden Tag. Kümmert euch umeinander. Ja?«

Sie nickten alle begeistert und klopften einander noch mehr.

»Nun ja«, sagte er und sah auf sein Bild im Spiegel. »Ich bin nur hergekommen, um euch zu sagen, dass erstens eure Süßen euch suchen.« Er sah zu Sean und Ned. »Nummer zwei, dass eure Mum und Dad euch suchen. Und Nummer drei, dass ich es packe, also verabschiede ich mich jetzt.«

»Du gehst?«, fragte Ned und sah ungläubig auf die Uhr.

»Ja. Ich bin hinüber. Und ich bin außerdem verdammt hungrig. Konnte es mit diesen schicken kleinen Dingern auf Tabletts nicht aushalten. Ich gehe zu KFC.«

»Ach, komm, Gervase. Bleib doch. Wir gehen rauf in unsere Zimmer. Bestellen Room Service oder so.«

»Nein – im Ernst, Jungs. Ich bin weg. Ich brauch Fleisch, wisst ihr.« Er rieb sich den Magen. »Aber ihr begebt euch wieder da rein, ja? Hier geht es nicht nur um eure Mum und euren Dad – es geht auch um euch, Jungs. Ihr solltet bei ihnen sein. Ja?«

Er steckte die Hände in die Taschen und sah sie alle an. Ned sah auf seinen Freund, der dort in seinem lächerlichen Ensemble stand, und spürte, wie Wärme durch seinen Körper strömte.

»Dann Nacht, Gervase«, sagte er und streckte die Hand aus, um seine zu schütteln. »Und danke für alles.«

»Pah de problemme«, erwiderte Gervase und schüttelte allen Männern die Hand und ging dann zur Tür. »Es war mir ein Vergnügen, mit euch Geschäfte zu machen.«

Und dann fuhr er mit der Hand über seinen Kopf, und als sich die Tür hinter ihm schloss, fühlte Ned, wie ihm ein Schauer über den Rücken lief.

Etwas fehlt

Das Frühstück am nächsten Morgen war eine vorsichtige, gedämpfte Angelegenheit, typisch englisch mit Tee in Silberkannen, drei verschiedenen Toastsorten, vier verschiedenen Marmeladensorten, großen Tischdecken aus Leinen und nicht gerade großer Gesprächigkeit. Ned blickte auf eine blasse und übel aussehende Ness auf der anderen Seite des Frühstückstisches und spürte ein Gefühl der Beruhigung und Sicherheit darüber, sie hier zu haben. Er wollte, dass sie immer hier wäre. Bei allem. Für immer.

Die Party hatte bis Mitternacht gedauert, danach hatte sich eine größere Gruppe an die Bar zurückgezogen, um noch mehr zu trinken. Mum und Dad hatten es geschafft, ziemlich heldenhaft noch bis drei Uhr aufzubleiben, und Tony, Sean, Ned und Ness hatten noch bis fünf Uhr früh getrunken. Nichts war letzte Nacht zwischen ihm und Ness passiert – sie hatten eigentlich nicht mal Zeit allein miteinander verbracht – doch sie hatten sich unglaublich gut verstanden. Sie hatten sich die ganze Nacht zum Lachen gebracht, und Ness hatte ihn oft am Arm gepackt und sein Knie gedrückt, während sie sprachen. Am Ende der Nacht, als sich alle allmählich grün vor Müdigkeit und Trunkenheit gefühlt hatten, hatte sie gesagt, sie würde sich ein Taxi rufen, doch Ned war es gelungen, sie zum Bleiben zu überreden, indem er ihr sein Bett anbot. Nicht mit ihm darin natürlich. Er war zu Tony ins Zimmer gegangen und hatte mit dem Kissen über dem Kopf geschlafen, um dessen lautes Schnarchen auszublenden.

»Was für eine Nacht!«, stellte Bernie fest, als sie später an diesem Nachmittag vor Beulah Hill aus Dads Auto stieg. »Was für eine fantastische Nacht!«
»Das ist der schlimmste Kater, den ich jemals gehabt habe«, ergänzte eine zerbrechlich aussehende Ness, die sich mühsam aus dem Auto hievte und sich dann an der Seite festklammerte, um sich zu stabilisieren.
»Du brauchst einen Kaffee, meine Liebe«, riet Bernie. »In diesem Zustand kannst du nicht nach Hause fahren.«
»Nein«, gab sie zu, »du hast Recht. Ich bleibe noch eine Weile hier.«
Ned lächelte bei sich. Gerry schloss die Haustür auf und drehte sich dann plötzlich um und riss Bernie hoch, hob sie auf und versuchte, sie über die Schwelle zu tragen.
»Lass mich los!«, protestierte Bernie und schlug mit ihrer Handtasche nach ihm. »Setz mich ab, du blöder Kerl. Was, um Himmels willen, fällt dir denn ein?«
»Ach, halt den Mund, *Oma*«, sagte Gerry und gab ihr einen dicken Kuss auf die Wange.
»Oma«, sagte Bernie, probierte das Wort aus und lächelte, als Gerry sie im Flur absetzte. »O mein Gott – ich werde Oma!«
Goldie schlurfte in den Flur, um seine abwesende Familie zu begrüßen, und sein Gesichtsausdruck sagte ihnen, dass er nicht ganz glauben konnte, dass sie alle die Nacht weg gewesen waren und sich ohne ihn amüsiert hatten.
Mum und Ness gingen in die Küche, um Kaffee zu kochen, und Ned sah sich im Haus um. Etwas fühlte sich nicht richtig an, aber er war sich nicht ganz sicher, was es war. Es lag etwas Seltsames in der Luft. Etwas fehlte. Er wanderte durchs Wohn- und Esszimmer und ging dann nach oben; er wusste bereits, was es war, konnte es aber noch nicht ganz glauben.
Die Tür zu Gervases Zimmer war verschlossen. Ned klopfte an. Keine Antwort. Er klopfte wieder. »Gervase. Bist du da?« Im-

mer noch keine Antwort. Langsam stieß er die Tür auf und sah sich einem leeren Zimmer gegenüber. Und nicht nur leer von Gervase, sondern auch geleert von Gervases Dingen. Seiner Gitarre. Seinem Kassettenrekorder. Seiner Plattensammlung. Seiner Lederjacke. Sein Schrank war leer. Seine Schuhe standen nicht mehr aufgereiht unter seinem hohen Spiegel. Die Fahne der Konföderierten stand nicht mehr in seinem Fenster, und das Bild von Elvis fehlte an der Wand. Sein Bett war bis auf die Matratze abgezogen, und am Waschbecken in der Ecke lagen nicht mehr seine Zahnbürste und seine Zahncreme.

Gervase war fort.

Sein Freund Gervase.

Fort.

Ned ließ das Kinn auf die Brust sinken. Wie konnte er das tun? Wie konnte er einfach seine Siebensachen packen und gehen? Er gehörte zur Familie. Er war einer von ihnen. Er *gehörte* hierher.

Er trottete zu seinem eigenen Zimmer und machte die Tür auf. Da lag etwas auf seinem Bett. Ein Robert-Gordon-Album, ein richtiges Vinyl-Album. Darauf lag ein Umschlag. Ned ließ sich schwerfällig auf dem Bett nieder und öffnete den Umschlag. Darinnen befand sich eine Karte mit einem Bild von Elvis vorne drauf. Er öffnete sie und las:

> *Ned – nichts Persönliches, Kumpel, aber es ist Zeit weiterzugehen. Es war mir eine echte Ehre, in den letzten Monaten bei den Londons rumzuhängen, aber ich ziehe mit dem Wind, und ich spüre, wie er die Richtung ändert und mich irgendwohin Neues trägt. Ich habe auch noch deiner Mum und deinem Dad geschrieben, aber das hier ist für dich und deine Brüder. Deine Mum hat ihr Bestes für euch getan, und ich glaube, ich bin noch nie einer Mum wie ihr begegnet, die so viel Liebe in*

ihrem Herzen hat. Doch indem sie versucht hat, euch zu Tode zu lieben, hat sie euch einen Bärendienst erwiesen – sie hat euch nie etwas über Verantwortung gelehrt oder wie man andere Menschen über sich selbst stellt. Menschen sind wie Kuchen, Ned – du musst sie aufschneiden und sie teilen, sonst isst du alles auf und musst kotzen. Na ja, nicht so sehr du, Ned; du hast ein freundlicheres Herz als deine Brüder, aber auch du kannst noch ein ganz schöner Spinner sein. Ich denke, ihr Jungs habt in den letzten Wochen eine Menge darüber gelernt, was Teilen heißt – bleibt so, ja? Je mehr ihr teilt, desto mehr wirst du dich selbst mögen.
Ich weiß nicht, ob wir uns wiedertreffen werden – ich hoffe es. Wenn man lange genug in London lebt, neigt man dazu, auf jeden, den man kennt, mindestens einmal zu treffen, nicht wahr? Also halt deine Augen offen, Ned – man kann nie wissen!
Lebe lange, lebe gut und bleib auf dem Boden.
Dein Freund
Gervase McGregor.

E-pilog

From: Antony London (SMTP: tonylondon@hotmail.com)
Sent: Dienstag, 4. Dezember 2001 23 :14
To: Sean London (SMTP: sean@seanlondon.co.uk)
Subject: Meine Nichte

Nun, ihr beiden! Ihr habt es geschafft! Und ein Mädchen – wurde auch Zeit, dass es eins in unserer Familie gibt! Danke für das Bild – darf ich sagen, dass sie aussieht wie Opa Seamus, wenn er besoffen ist? Aber schließlich sehen für mich alle Babys wie Opa Seamus aus! Aber mal im Ernst – ich bin sicher, sie wird ein Hit werden, wenn sie älter ist, wie ihre Mum. Wie geht es Millie? Sie hat mir letzte Woche geschrieben und gesagt, dass sie das Gefühl hatte, sie bringe ein Walross zur Welt. Neun Pfund und fünfzig Gramm – das ist verdammt viel, oder? Ich hoffe, meine Nichte wird am Ende nicht mein Aussehen haben, die arme Kleine. Obwohl du mich jetzt wahrscheinlich nicht mehr wiedererkennen würdest – die ganze Sonne und gesundes Essen – ich habe viel abgenommen. Habe wieder eine 36er-Hosengröße!
Ich schreibe dir aus einem Café in San Francisco. Es ist fast Mitternacht, und es ist immer noch warm draußen. Es ist fantastisch hier. Ich habe niemals geglaubt, ich könnte eine andere Stadt so leidenschaftlich lieben wie London, aber ich sage dir – diese Stadt hat alles. Ihr beiden solltet die kleine Eva herbringen, sobald ihr reisen könnt. In meinem Haus gibt es ein Gästezimmer, und ich bin nur fünf Minuten zu Fuß vom Strand entfernt. Ich werde meinen Heimflug buchen, wenn ich dir zu Ende geschrieben habe. Ich sollte nächsten Mittwoch zurück sein – aber leider nur für

einen kurzen Besuch. Ja, du hast es erraten, es geht ums Geschäft. Ich habe mich letzte Woche mit einem Typen getroffen, einem Illustrator … natürlich kamen wir ins Reden, und wir planen, etwas auf die Beine zu stellen – ein Kartenunternehmen. Na ja, Schuster, bleib bei deinem Leisten! Ich kann einfach nicht anders; ich schaffe es einfach nicht, rumzusitzen. Ich habe meinen Urlaub jetzt gehabt – es ist Zeit, zurückzugehen.

Ned macht sich wirklich gut bei London Cards. Ich bekomme ständig E-Mails von meinem (Ex-)Personal, das sein Loblied singt. Ich hoffe nur, er kümmert sich um meine Wohnung und hat sie nicht in eine Kopie von Mums und Dads Bude verwandelt! Und was ist mit ihm und Ness? Was für eine romanhafte Wendung! Er war wirklich nervös, als er es mir erzählt hat, als ob ich ganz besitzergreifend und eifersüchtig deswegen werden würde! Ich könnte nicht glücklicher sein! Ich wusste, dass sie sich angefreundet haben und viel Zeit miteinander verbringen, aber ich hätte nie gedacht, dass etwas anderes daraus werden würde. Ich freue mich echt sehr für die beiden – sie sind wirklich liebe Menschen und verdienen es.

Mum sagt, die Verleger lieben dein zweites Buch und haben dir einen neuen Vertrag gegeben – das ist fantastisch. Wann kommt es raus? Ich werde zur Buchpremiere zurückkommen müssen. Und schick mir ein Vorabexemplar, du Quatschkopf! Ich habe zurzeit etwas mehr Zeit zum Rumsitzen und Lesen!

Egal – ich freue mich so für dich, Sean. Ich bin so glücklich über das Buch und über dich und Millie (wann wirst du eine ehrbare Frau aus ihr machen?!) und jetzt auch noch über die kleine Eva. Es ist so eine Ironie des Schicksals, dass du genau das gefunden hast, von dem ich dachte, ich würde es in deinem Alter finden, und jetzt sitze ich hier in einem Internet-Café in San Francisco, trage Shorts und Flip-Flops und benehme mich wie ein zu groß gewordener Student. Das Leben ist seltsam. Gut, aber sehr seltsam.

Grüße an euch alle, Sean – an dich und Millie und das Baby. Und Glückwünsche! Ich kann es nicht abwarten, sie nächste Woche kennen zu lernen!

Dein großer Bruder

Onkel Tony (!)

From: Ned London(SMTP: londonned@londoncards.co.uk)
Sent: Dienstag, 4.Dezember 2001 18:15
To: Tony London (SMTP: tonylondon@hotmail.com)
Subject: Kleine Eva!

Scheiße – ist das zu glauben?! Ein Mädchen! Es ist so komisch! Ich habe sie gestern Abend das erste Mal besucht – sie war genau vierundzwanzig Stunden alt! Sie ist wirklich ein großes Mädchen. Sieht aus, als ob sie mindestens eine Woche alt wäre! Und sie sieht genauso wie Millie aus (Gott sei Dank). Du solltest Sean mal sehen – es ist unglaublich – ich kann nicht glauben, dass er noch derselbe Typ ist. Er saß einfach nur da und starrte dieses Kind andauernd an, als ob es irgendein Wunder wäre. Ich ging in Millies Wohnung (Gott, Tone, du solltest ihre Wohnung sehen – sie ist unglaublich), und die drei saßen auf dem Sofa, das Feuer brannte im Kamin, überall Katzen, wie so eine richtig perfekte Familie. Fühlte mich eine Minute lang fast ein wenig trübsinnig – aber nur für eine Minute! Mum ist ganz gaga geworden, und sogar Dad bekam feuchte Augen. Man könnte denken, dieses Kind sei der neue Messias oder so, wenn man sieht, wie sich alle benehmen!

Im Augenblick verläuft das Leben gut für mich – die Sache mit Ness wird immer besser, und wir reden tatsächlich davon, eine Wohnung zu suchen – zusammen – verdammt noch mal! Was für ein Jahr! Sag es aber nicht Mum – nicht bevor wir uns endgültig entschieden haben. Mum und

Dad sind toll. Das Haus fühlt sich aber noch ein bisschen komisch an, seit Gervase weg ist. Ich gehe immer noch ab und zu in sein Zimmer, du weißt schon, nur um mich an ihn zu erinnern. Und natürlich ist es wirklich komisch ohne Goldie. Armer alter Tropf. Aber er ist nun an einem besseren Ort. Und warte nur ab, bis du den neuen Welpen siehst. Er ist jetzt ziemlich groß und terrorisiert alle. Er hat die Hälfte der Möbel kaputtgekaut und Mums ganze Schuhe. Aber er bringt alle so zum Lachen, und es ist schön für Mum und Dad, jetzt etwas anderes zu haben, um das sie sich sorgen können. Wo ich doch dort nicht mehr wohne.

Kann es nicht erwarten, dich nächste Woche zu sehen. Ich habe dir so viel zu erzählen – vor allem Sachen von der Arbeit –, aber es wird so toll sein, dich für ein paar Tage wieder hier zu haben. Ich habe dich wirklich vermisst, Tone. Aber ich glaube, du hast das Richtige getan, als du gegangen bist. Ich kann aus deinen E-Mails lesen, wie viel glücklicher du bist – vielleicht kannst du ja jetzt verstehen, warum ich damals gegangen bin. Manchmal ist die Zeit einfach reif für eine Veränderung. Du musst deinem Bauchgefühl vertrauen, nicht wahr? Und es hat keinen Sinn, sich zu fragen, warum manche Dinge nicht klappen – es ist alles Teil der Reise, und das Ziel ist wichtig, nicht, wie du dort hinkommst. Es klingt, als ob du an einem guten Ort wärst, und ich bin ganz sicher – es ist der beste Platz, den es gibt.

Vorhang auf für den neuen Onkel Tony – bis nächste Woche. Und kannst du etwas kalifornischen Sonnenschein mitbringen?

Alles Liebe,
dein kleiner Bruder

Ned London
Kunsteinkäufer
London Cards Ltd.